Shireen Jilla

Bez powrotu

Przełożyła
Magda Witkowska

Prószyński i S-ka

Tytuł oryginału
EXILED

Projekt okładki
Izabela Surdykowska-Jurek,
Magdalena Muszyńska/Czartart

Zdjęcie na okładce
© Irene Lamprakou, © Stephen Mulcahey

Redaktor prowadzący
Grażyna Smosna

Redakcja
Anna Sidorek

Korekta
Jolanta Tyczyńska
Edward Brzoza

Łamanie
Ewa Wójcik

ISBN 978-83-7839-247-7

Warszawa 2012

Wydawca
Prószyński Media Sp. z o.o.
ul. Rzymowskiego 28, 02-697 Warszawa
www.proszynski.pl

Druk i oprawa
Drukarnia Skleniarz Sp. z o.o.
ul. Lea 118, 30-133 Kraków

Bez powrotu

Gutowi, Calowi i Benowi.
Dla uczczenia czasu
wspólnie spędzonego w Nowym Jorku.

Podziękowania

Chciałabym bardzo gorąco podziękować mojej agentce Caroline Michel za jej niezachwianą wiarę we mnie. Ta książka trafiła w końcu do druku tylko dzięki jej urokowi i wytrwałości. Dziękuję też Timowi Bindingowi za spostrzegawczość w pracy redaktorskiej, a także za jego liczne i cenne wskazówki oraz przyjaźń. Naim Attallah zasługuje na podziękowania za deklarację: „Tak", a David Elliott i Amber Sainsbury z Quartet Books za entuzjazm i ciężką pracę nad powstaniem tej książki.

Zaciągnęłam ogromny dług wdzięczności wobec Hilary Reyl, mojej pisarskiej bliźniaczki – to tak samo jej książka, jak i moja. Dziękuję również Sarah Woodberry za staranność w pracy redakcyjnej oraz Charlotte Emmerson za jej wiarę i przyjaźń, i za to, że siedząc na podłodze w studio, przeczytała tak wiele różnych próbnych wersji tekstu.

Na podziękowania zasługują: Camilla Cavendish, Charis Gresser, Kate Holroyd Smith, Judith Howard, Anthony Howell, Patricia Jilla, Becca Metcalfe, Denise i Mark Poultonowie oraz Sara Williams, którzy dawali mi wsparcie i ciągle wypytywali o efekty pracy nad książką. Dziękuję też Cyrusowi Jilli za mądre i cenne rady.

Przede wszystkim jednak dziękuję Guto Harriemu, który był i jest dla mnie wszystkim.

Wstęp

O tym, by mieszkać na Manhattanie, marzył każdy, kto zamienił garstkę funtów na garść dolarów, aby móc je wydawać na urządzenia marki Apple, na szalik od Marca Jacobsa i na sushi za trzy stówy. Ludzie miewają czasem takie materialistyczne fantazje. Gdy Jessie dostał pracę w Nowym Jorku, wyszłam na balkon naszego mieszkania w zachodnim Londynie i krzyczałam z radości. Nie ma lepszej placówki. Byłam taka szczęśliwa. Jedyne, co w tym wszystkim mogłoby mi przeszkadzać, to przewidywalność życia w innym zachodnim mieście, które niespecjalnie różni się od Londynu. Cóż ciekawego może przytrafić się człowiekowi w Nowym Jorku? Jessie rozwiał moje obawy, przekonując, że atrakcji na pewno nam nie zabraknie. Twierdził, że w Nowym Jorku czeka nas wspaniała przygoda. Wyznaczał emocjonalny rytm dla nas obojga. Był dla mnie wsparciem.

Teraz właściwie już o tym nie pamiętam.

Dla mnie Jessie był jednym z tych ludzi, którzy wierzą w życie. Wierzył, że dostanie pracę w Ministerstwie Spraw Zagranicznych. Wierzył, że trafi na jedną z najlepszych placówek – do brytyjskiej misji przy

Organizacji Narodów Zjednoczonych w Nowym Jorku. Miał pracować w samym sercu polityki międzynarodowej. Wiele osób twierdziło, że dzisiaj to już nie dyplomaci rozstrzygają o losach świata. Na każdym przyjęciu był jakiś zadufany w sobie przedstawiciel City, który nie dawał Jessiemu spokoju. Dlaczego nie fundacja Billa Gatesa? Dlaczego nie Google? O kształcie świata decyduje dziś biznes, a nie jakaś tajemna instytucja. A może Jessie jest szpiegiem?

Jessie z niewzruszonym przekonaniem i swobodnym uśmiechem na twarzy przedstawiał swoje racje. Miał plan. Plan Jessiego Wietzmana – ani agresywny, ani dogmatyczny, po prostu pewny.

Wierzył też we mnie. Będąc jeszcze w wieku, w którym większość dorastających chłopaków niezbyt chętnie okazuje choćby odrobinę emocji czy zaangażowania, Jessie nie wahał się mnie dotykać podczas przyjęcia organizowanego przez jednego z przyjaciół z Royal College of Art. Tamten wieczór przywodził na myśl obrotowe stoły w chińskiej restauracji, z tą różnicą, że tutaj to dość niechlujni goście kręcili się po malutkiej kuchni.

Jessie miał klasyczną urodę, której atrakcyjność podkreślały delikatne rysy twarzy. Rzęsy nad szaro-błękitnymi oczami były równie ciemne jak jego włosy. Wyróżniała go też szczupła sylwetka. Na tle nas wszystkich, krzykliwie poubieranych studentów sztuki z Royal College, wydawał się schludny i lśniący. Miał na sobie idealnie granatowe dżinsy, wyprasowaną koszulę w paski i czarne mokasyny lśniące jak lustro. Jego odmienność od razu wzbudziła moje zainteresowanie. Jednocześnie zastanawiałam się, co z nim jest nie tak.

– Jestem Jessie Wietzman. – Nigdy wcześniej nikt nie rzucił mi tak bezpośredniego spojrzenia. Uzmysłowiłam sobie, że wpatruję się w jego równe białe zęby, tylko bardzo nieznacznie oddalone jeden od drugiego.

– A, cześć! Anna.

Odsunęłam się kawałek, zbliżając się do zlewu. Jessie wyraźnie naruszał moją przestrzeń osobistą.

– Ożenię się z tobą.

Żachnęłam się i zachichotałam nerwowo. Byłam nieśmiałą, dwudziestoparoletnią dziewczyną. W tamtych czasach młodzi – już nie chłopcy, ale jeszcze nie mężczyźni – zwodzili dziewczyny, a później starali się unikać konieczności odpowiadania na ich pytania. Tylko idiota wyznawałby komuś miłość.

– Doprawdy? Dzięki, że mi o tym mówisz. Będę to mieć na uwadze – rzuciłam swobodnie. Odwróciłam się, żeby się od niego uwolnić, ale zahaczyłam łokciem o nowoczesny kran wyrastający ze zlewu.

Uśmiechnął się, jakby to był nasz prywatny dowcip.

– Skoro więc mamy się pobrać, musisz mi wszystko powiedzieć.

Ponownie się roześmiałam, tym razem bez przekonania.

– A czy nie powinieneś już wszystkiego wiedzieć? Skoro zamierzasz się ze mną ożenić.

– No więc, jesteś artystką. Zanim podjęłaś studia w Royal College of Art, uczyłaś się w Ruskin School na Oxfordzie. Wychowałaś się na wsi. Masz wspaniałych rodziców. Jesteś bardzo życzliwą przyjaciółką i dużo się śmiejesz. Lubisz podróżować z plecakiem, choćby nawet z przygodami. A co najważniejsze, mam ochotę cię pocałować, bo jesteś niesamowicie piękna.

Odebrało mi mowę. Jessie zbierał informacje na mój temat! Nie byłam jednak wystarczająco pewna siebie, by uznać to za komplement.

Jego niesamowite oczy igrały ze mną, a zęby prezentowały się w całej okazałości w szerokim uśmiechu.

– A jeśli chodzi o mnie, to jestem dyplomatą. Tak, wiem, uznasz zapewne, że nie chcesz mieć takiego konserwatywnego chłopaka. Wolałabyś wytatuowanego nieudacznika, który w poniedziałkowy wieczór zanurza martwe szczury w formaldehydzie, a potem bierze kokainę i jedzie nocnym autobusem do domu. Ja mam samochód i zamierzam przekonać cię do zmiany zdania.

Potrzebował na to sześciu miesięcy, ale w końcu mu się udało.

Jessie zawsze wyglądał wręcz wyzywająco tradycyjnie. Wychodził z metra w Westminsterze w klasycznym garniturze w paski od Gievesa & Hawkesa i równie klasycznej jasnoniebieskiej koszuli, którą zdobił stonowany krawat. Jako wysoki i wyrafinowany człowiek, ujmująco niewinny, o cerze przyciemnionej słońcem i wiatrem oraz błyskotliwym poczuciu humoru, posiadał cechy przedstawiciela elity. Doskonale wtapiał się w tłum absolwentów Oxbridge wędrujących po korytarzach rządowych budynków.

Zafascynował mnie jednak przede wszystkim dlatego, że w rzeczywistości nie zaliczał się do tego grona. Skończył szkołę publiczną, a potem studia na jednym z przyzwoitych, ale mniej prestiżowych uniwersytetów, zanim zaczął robić karierę w dyplomacji. Zawsze jednak wyróżniało go to, jak zaczynał. Miał w ministerstwie wielu przyjaciół, ale żadnego naprawdę bliskiego.

Ja studiowałam sztukę, garderobę kompletowałam w sklepach z używaną odzieżą, a nad kostką wytatuowałam sobie tantryczny symbol dordże, oznaczający niezniszczalność. Byłam dumna z własnej oryginalności. Nawiązanie znajomości z Jessiem wstrząsnęło lekko moim światem.

Trudno zrozumieć impuls, który każe człowiekowi kogoś pocałować. Jessie był przystojny, pewny siebie i godny zaufania. Mojemu poprzedniemu chłopakowi hipisowi nie można by przypisać żadnej z tych cech. Do zbliżenia własnej twarzy do jego twarzy w intymnym pocałunku skłoniło mnie chyba jednak przede wszystkim żartobliwe pragnienie zrobienia czegoś nieprzewidywalnego. Można było odnieść wrażenie, że Jessie postrzega życie jako skomplikowaną grę, której nie można traktować poważnie. Stroił sobie żarty z polityków i dyplomatów, żartował właściwie ze wszystkich. Był spontaniczny – zdarzało nam się iść w stronę kina, ale ostatecznie trafić do fryzjera, a potem spędzić cały wieczór przy miodowych rollsach w chińskiej piekarni.

Seks też był świetny. Odkąd każde z nas odnalazło w sobie fizyczne pragnienie tego drugiego, nie przypominam sobie, abym się kiedykolwiek ponownie zastanawiała nad tym, kim jest Jessie.

Pamiętam za to dokładnie, kiedy się w nim zakochałam. To uczucie wykraczało daleko poza fizyczne pożądanie. Tak się złożyło, że dokładnie w tym samym momencie Jessie uświadomił sobie, że kocha mnie.

Staliśmy przyciśnięci do baru w jednym z lokali gdzieś na Whitehall. Gdy tylko wcisnęłam się do środka, zderzyłam się ze ścianą dymu z cygar. Lokal wyglądał nędznie, ale wypełniali go sami przyszli ludzie sukcesu. Dyplomatyczny narybek w koszulach z Jermyn Street i eleganckich szarych wełnianych garniturach otaczał bar ze wszystkich stron. Oprócz nich w lokalu można było spotkać jeszcze tylko ich sobowtóry, starsze o trzydzieści lat. Oni nosili garnitury nieco bardziej leciwe, ale za to szyte na miarę, i wybierali kolor koszul z większej palety barw. Jessie stał przy barze wśród swoich znajomych. Na pierwszy rzut oka wydawał się dokładnie taki sam jak inni.

Przepychałam się przez wąskie szczeliny między ramionami, aż w końcu znalazłam się jakiś metr od niego. Jeszcze mnie nie widział, ale za to ja zauważyłam, jak bardzo różni się od swych kolegów.

Oni pochylali się nad mahoniowym blatem baru osłoniętym grubą warstwą szkła. W ich zachowaniu dostrzegało się beztroskę. Nie zerkali nerwowo w dół, aby się upewnić, czy nogawki eleganckiego garnituru nie zanurzają się przypadkiem w kałuży piwa. Gestykulowali obficie i bezrefleksyjnie. Bez żenady drapali się po nosach i po głowach, na pewno tak samo podrapaliby się po przyrodzeniu.

Jessie celowo trzymał się na uboczu. Nie kładł rąk na barze i nie drapał się. Usiłował wygospodarować trochę przestrzeni wokół siebie. Zobaczyłam wtedy silnego, niezależnego mężczyznę stojącego wśród chuchrowatych chłopców.

– Anna – powiedział Jessie z ulgą w głosie. Przyciągnął mnie do siebie.

Wszystkie przygarbione postacie zwróciły się w naszą stronę. Pojawienie się przedstawicielki płci przeciwnej skłoniło ich do zmiany zachowania. Wyprostowali się, prezentując powyciągane koszule, krawaty wystające z kieszeni marynarki i wilgotne plamy na przedramionach.

– Charlie, Matt, Dan i Sam. A to moja dziewczyna, Anna.

Przywitali się w dość swobodny sposób. Kiwnęli ręką, wydali z siebie głęboki pomruk i potrząsnęli włosami.

– Nie spodziewaliśmy się, że nasz drogi Jess przygruchał sobie taką laseczkę – powiedział jeden z nich.

Jessie powtórzył gest opuszczenia szczęki, który wykonał autor tego stwierdzenia, po czym obaj głośno się roześmiali. Inni śmiali się jeszcze głośniej.

To przedrzeźnianie musiało z jakiegoś powodu zdenerwować blondyna z gęstą czupryną. A być może Jessie zawsze go irytował.

– Nie potrafię cię do końca rozgryźć, Jessie Wietzmanie. – Szturchnął go w pierś, oczywiście dla żartu. – Cóż to w ogóle za nazwisko?

– Amerykańskie. A ściśle rzecz biorąc, żydowskie.

– Amerykański Żyd? – ktoś się przyłączył. – Jesteś strasznie tajemniczy, chłopie. Mamy jankesa w Ministerstwie Spraw Zagranicznych!

– Nie, teoretycznie nie jestem Amerykaninem – powiedział spokojnie Jessie, po czym oblizał wargi. – Moja matka jest Brytyjką, a ja mam brytyjski paszport.

Czy wtedy celowo pominął informację, że ma również amerykański paszport? Ja, niestety, dowiedziałam się o jego podwójnym obywatelstwie dopiero poniewczasie.

Jessie próbował wypowiadać się w tym samym agresywno-żartobliwym tonie, ale linie w kącikach jego oczu wyraźnie się zaostrzyły.

– Aż trudno uwierzyć, że cię przyjęli.

Wszyscy się roześmiali.

– Jak mogli cię przyjąć, Jess? – wśród ogólnego jazgotu dał się słyszeć kolejny głos. – Nie pasujesz tu. Jedź do domu.

Jessie tym bardziej próbował się uśmiechać. Jego usta się rozsunęły, ale nie potrafił się zdobyć na rozchylenie warg. W końcu kompani zauważyli jego zażenowanie.

– Żartujemy, stary – powiedział jeden z nich, ściskając go za ramię.

– Czyli wychowywałeś się tutaj? – dociekał inny.

– Tak, w okolicach Bristolu. – W głosie Jessiego znów zabrzmiała pewność siebie.

– A gdzie chodziłeś do szkoły?

Gdy barman przyjął ostatnie zamówienia, w milczeniu odeszliśmy od lady. Ta wymiana zdań była dla Jessiego bolesna, ale nie znałam go na tyle dobrze, żeby wracać do tego tematu. Dopiero wtedy zdałam sobie sprawę, jak to naprawdę jest z tą jego odmiennością.

W końcu zdecydowałam się powiedzieć:

– To musi być dla ciebie dziwne, gdy ludzie nazywają cię Amerykaninem, skoro ty nie czujesz się cudzoziemcem.

Spodziewałam się, że przyjmie moją uwagę z wdzięcznością. On jednak tego nie zrobił.

– Wiesz co, Anno? Przez całe życie byłem outsiderem. Nigdzie nie mam swojego miejsca.

Przylgnęłam do jego piersi bez słowa, wyrażając w ten sposób współczucie. A kiedy tak szliśmy ulicą Whitehall do naszej ulubionej chińskiej knajpki na Lisle Street, w okolicach Leicester Square, sama doznałam olśnienia. Oto poznałam kogoś, kto jest moim lustrzanym odbiciem. Na tytuł prawowitej dziedziczki rodzinnej tradycji zasługiwała moja młodsza siostra Sophie. Na uniwersytecie radziła sobie doskonale, ale nikt nigdy nie wątpił, że po studiach wróci do domu i wyjdzie za swoją szkolną miłość – że jako młodziutka panna młoda stanie przed ołtarzem u boku syna farmera, bliskiego przyjaciela moich rodziców, a potem zamieszka w domku niedaleko i tak samo jak wcześniej moja matka skupi się na powiększaniu rodziny. Przewidywalna, „ułożona", sumienna. Ja tymczasem najpierw zrezygnowałam ze studiów, a potem złożyłam papiery do szkoły artystycznej. Paliłam za dużo trawki, umawiałam się przez jakiś czas z pseudoartystami i nie miałam żadnej konkretnej wizji przyszłości.

Ukradkiem odwróciłam się i spojrzałam na Jessiego. Miał w sobie jednocześnie spokój i determinację. Wiedział, czego chce, i zamierzał walczyć ze wszystkimi uprzedzeniami, które stanęłyby mu na drodze do celu. Wpatrywał się we mnie. Poczuliśmy łączącą nas więź. Wyciągnęliśmy do siebie ręce, mocno się obejmując. Nasz związek wkroczył na nowy poziom. Zaczynaliśmy się lepiej rozumieć.

Historię Jessiego poznałam, jeszcze zanim pocałowaliśmy się po raz pierwszy. Jego ojciec pochodził z Nowego Jorku i rozwiódł się ze swoją brytyjską żoną, gdy Jessie miał zaledwie półtora roku. Zaraz potem wrócił do rodzinnego miasta, ożenił się ponownie i przeprowadził z Upper West Side do 740 Park Avenue. Zamieszkał w jednym z budynków położonych wśród wąskich przecznic, których adresy oznaczano najbardziej ekskluzywnym nowojorskim kodem pocztowym, czyli 10021. Howard handlował europejskimi antykami, ale praca zbytnio go nie pochłaniała. Podczas lunchów rozprawiał z kolegami od tenisa o republikańskiej polityce. Znał osobiście burmistrza. Jego żona Nancy była typową przedstawicielką klasy WASP i dysponowała, mogłoby się zdawać, niewyczerpanym majątkiem. Na zdjęciach robiła wrażenie niezwykle delikatnej, ale Jessie twierdził, że jest niewiarygodnie silna. Po porannej przebieżce wokół jeziorka w Central Parku Nancy poświęcała resztę swojego dnia męczącej „karierze" filantropki. Wśród wielu instytucji korzystających z jej wsparcia znajdowała się Metropolitan Opera. W swoich wyobrażeniach porównywałam ją do wolontariuszek z Chelsea. Sądziłam, że robi coś dobrego, aby nadać nienarcystyczny sens swojemu istnieniu.

Jessie tymczasem z niemal nabożną czcią podkreślał, jak potężną kobietą jest Nancy. Wspomniał, że ma nawet swojego stałego prawnika. Zaśmiałam się. Zatrudniać własnego prawnika, cóż za próżność! Do czegóż mógłby jej być potrzebny? Specjalnie nie zaprzątałam sobie jednak głowy Nancy. Zresztą dlaczego miałabym to robić?

Jessiego wychowywała samotnie jego brytyjska matka. Gdy prawnik Howarda zdołał przekonać sąd, że jego klient jako bezrobotny nie musi płacić alimentów, z właściwym sobie pragmatyzmem podjęła pracę jako sekretarka w miejscowym urzędzie. Nigdy nie wyszła ponownie za mąż. Ta historia tak bardzo mnie wzruszała, że chciałam czym prędzej wprowadzić Jessiego w krąg mojej licznej rodziny.

Przed nastaniem epoki lotniczych programów lojalnościowych Jessie odwiedzał ojca tylko podczas letnich wakacji. Panował między nimi emocjonalny i kulturowy dystans, oczywisty i zrozumiały. Jessie nigdy nie wydawał mi się „amerykański", nawet gdy już przyswoiłam sobie te dość nadzwyczajne informacje dotyczące kogoś tak zwyczajnego jak Jessie. Mój młody umysł z epoki przednowojorskiej sklasyfikował go jako „nie-Anglika". Jessie miał świadomość własnych słabości i zachowywał się swobodnie. Spędził całe dzieciństwo w Bath, wszyscy jego przyjaciele byli Anglikami. Specjalnie mnie to nie zajmowało.

Siedzieliśmy akurat w libańskiej restauracji na Shepherd's Market, gdy Jessie postanowił opowiedzieć mi o swoich amerykańskich korzeniach. Wypowiadał się o nich z dumą. Dostał pracę w Ministerstwie Spraw Zagranicznych, pomimo że wychowywała go samotna matka, która z racji ograniczonego budżetu nie mogła mu zapewnić pomocy korepetytorów ani żadnych innych dodatkowych zajęć. Byłam z niego dumna. Jakaś część mnie zazdrościła mu jego życiowych doświadczeń.

Gdy pojawiła się świetna posada przy ONZ, Jessie nie wahał się ani chwili. Wydawało się, że to będzie ważny krok w jego karierze zawodowej. Bardzo mnie to cieszyło. Całe życie mieszkałam w Anglii, a w Kent aż za długo. To miała być wspaniała, wielka przygoda. Nie mogłam się doczekać.

Nasz flirt z nowym miastem rozpoczął się od przygody z nieruchomościami. To było dla nas niezwykle erotyczne doświadczenie. Wtuleni w siebie, trzymając się za ręce, przesiadywaliśmy w barach i porównywaliśmy wady i zalety mieszkania w centrum i poza nim, w dzielnicy Brooklyn Heights i na Manhattanie. Z wielką przyjemnością korzystaliśmy z przywileju wyboru. Ostatecznie zauroczył nas budynek z brązowego piaskowca, na który trafiliśmy w internecie. Znaleźliśmy piękny apartament wykończony surową cegłą, który stanowił kwintesencję Nowego Jorku, o jakim marzyliśmy, siedząc w czterech ścianach pokoju hotelowego. Siłą rzeczy zamieszkaliśmy na Upper West Side. Wychodziliśmy z założenia, że jest to okolica jak każda inna, tyle że położona bliżej Central Parku.

W Londynie prowadziliśmy intensywne życie towarzyskie. Przyjaciele zupełnie nieświadomie służyli nam za wsparcie w naszym młodym małżeńskim życiu. Teraz nagle znaleźliśmy się zupełnie sami. Zbliżyliśmy się do siebie. Przez pierwszych sześć tygodni siadywaliśmy przy prowizorycznym stole, który Jessie sklecił ze starych drzwi znalezionych przy schodach przeciwpożarowych prowadzących na dach. Pamiętam słowa, które wypowiedział, kiedy jedliśmy ryż z eleganckich białych kartonowych pudełek.

– Jestem bardzo dumny, że się na to zdecydowaliśmy. – Z jego oczu biła radość. Wyciągnął do mnie ręce. – Dziękuję.

Na jego twarzy pojawił się szeroki uśmiech. Jessie często się uśmiechał, ale rzadko otwierał przy tym usta. Uświadomiłam sobie, że zaskoczył nawet sam siebie, być może pierwszy raz w życiu. Zdecydował się na śmiały krok. Jessie należał do ludzi ostrożnych, którzy starają się mieć wszystko pod kontrolą, kalkulują ryzyko i usiłują je minimalizować. Tym razem jednak postąpił inaczej. Kochałam go za to jeszcze bardziej. Był odważny.

Nachyliłam się, żeby go pocałować, i zanurzyłam dłonie w jego gęstych brązowych włosach.

Nasze nowojorskie życie nabrało kolorytu: zamawialiśmy jedzenie na wynos w pobliskiej tajskiej restauracji, piliśmy kubańskie koktajle w miejscowym barze, podczas gdy nasz czteroletni syn Joshua spał pod stołem, przekrzykiwaliśmy muzykę jazzową w sklepie budowlanym na Amsterdam Avenue i znajdowaliśmy meble na chodniku. Nasze nowe miejsce na Google Earth szybko stało się naszym domem. Tutaj nic nas nie ograniczało – wyrwaliśmy się spod ciężkiej pokrywy podmiejskiej pierzyny. Staraliśmy się odnaleźć w nowej kulturze i co rusz spotykały nas różne przygody i nieszczęścia. Każdego wieczoru siadaliśmy z butelką wina i relacjonowaliśmy najbardziej szaloną manhattańską historię dnia. Latem im wyżej sięgał słupek rtęci, tym bardziej zwariowane stawały się te opowieści.

Uznawaliśmy to wszystko za uroki życia za granicą. Sami czuliśmy się jedynie uważnymi obserwatorami tej rzeczywistości. Cóż to była za naiwność! Nawet nie przeszło mi wtedy przez myśl, że moje romantyczne marzenie może zmienić się w zażarty bój o wszystko, na czym mi zależy.

Jak mogłam do tego dopuścić? Dlaczego temu nie zapobiegłam? Do dzisiaj nie wiem. Na swoją obronę mogę powiedzieć tylko tyle, że człowiek całkiem zanurza się w nowej kulturze. To doświadczenie tak wszechogarniające, że trudno dostrzec cokolwiek innego. Dosłownie postradałam zmysły. Już nigdy nie będę tą samą osobą, którą byłam kiedyś.

Nie mogę przestać zastanawiać się nad tym, czy sprawy mogły potoczyć się inaczej. I co dziwne, pomimo tych wszystkich straszliwych rzeczy, które mi się tam przydarzyły, nadal zdarza mi się marzyć o Nowym Jorku.

1

Portier Darren stał pod markizą osłaniającą wejście do przedwojennego apartamentowca znajdującego się w pobliżu naszego budynku na West 82nd Street. Jego rozstawione szeroko nogi przypominały kształtem odwróconą literę V.

– Co słychać? – zapytał.

Gdy się tu wprowadzaliśmy pięć miesięcy temu, stał dokładnie w tym samym miejscu i powiedział dokładnie to samo.

Na schodach sąsiedniego budynku mignęła jasna czupryna Eliota. O tej porze nocy zawsze wychodził na dwór, aby uciec przez skwarem panującym w jego nieklimatyzowanym studiu. Zamknął Dostojewskiego i zbliżył się niespiesznie, po czym wolną dłonią otworzył drzwi naszej taksówki.

– Hej, Anna. Hej, Josh. Wróciliście!

Ucieszyłam się na jego widok.

– Eliot – uśmiechnęłam się. – Witaj. Dobrze cię widzieć.

Szeroki uśmiech nie schodził mi z twarzy. Byłam wolna od ograniczeń małego świata hrabstwa Kent, w którym dorastałam. Mogłam się włóczyć, gdzie tylko chciałam, poznawać świat, dopasowywać do niego, przyjaźnić się i bawić, z kim tylko chciałam.

Josh też to czuł. Bez żadnych oporów powiedział do taksówkarza: „Proszę pana, mieszkamy tutaj, na 82 Ulicy, między alejami Columbus i Amsterdam. Mieszkam w Ameryce".

Kierowca go zignorował.

Eliot otworzył szeroko drzwi, a mimo to mieliśmy wrażenie, że cały czas pozostają zamknięte. Po pięciodniowych wakacjach w Londynie nie mogliśmy oddychać w potwornym sierpniowym upale. Gdy odklejałam się od plastikowego siedzenia w samochodzie i wydostawałam się – a w każdym razie próbowałam się wydostać – z taksówki, na mojej bladej skórze pojawiły się czerwone plamki. Wraz z każdą kolejną próbą moje ciało zdawało się gęstnieć. Nawet Josh, zwykle żwawy i kipiący energią, pod wpływem gorąca stracił zapał. Cieszył się na myśl o powrocie do domu, ale jeszcze przez chwilę krążył po ulicy, nie mogąc zdobyć się na wysiłek niezbędny do pokonania kilku stopni prowadzących do frontowych drzwi budynku.

Zapytałam naszego chorobliwie niemrawego taksówkarza, czy mógłby otworzyć bagażnik. Użyłam amerykańskiego słowa *trunk*. Kierowca otworzył bagażnik ze swojego siedzenia, nie wykazując przy tym najmniejszego zamiaru wyjścia z samochodu i wyjęcia moich walizek.

Po przyjeździe do Nowego Jorku przez pewien czas dochowywałam wierności brytyjskiej wersji angielszczyzny. Uparcie mówiłam *boot*, a nie *trunk*, *bill*, a nie *check*, *cash point*, a nie *ATM*, *pavement*, a nie *sidewalk*, *rubbish*, a nie *garbage**, przyjmując trwanie przy własnym słownictwie za punkt honoru. Po pewnym czasie musiałam jednak ulec. Joshua radośnie naśladował tutejsze wyrażenia i akcent, a ja niechętnie szłam jego śladem.

Wtapianie się w otoczenie to kwestia słownictwa, czyż nie?

Niepotrzebnie jednak przyspieszam bieg tej historii.

Wróćmy do tamtej chwili na ulicy. W nocy wzdłuż chodnika wyrósł prawdziwy mur. Od schodów do naszego budynku dzieliły nas dziesiątki niebieskich worków ze śmieciami, dwuosobowa sofa, średniej wielkości materac, dwa krzesła stołowe i chodzik dziecięcy. Eliot musiał przenieść nasze torby spory kawałek wzdłuż ulicy, przepchnąć się z nimi między samochodami i przytaszczyć je z powrotem, tym razem chodnikiem. Zadanie mogło się wydawać trywialne, ale gdy dotarł do naszych schodów, pot ściekał mu po karku.

Odwróciłam się do taksówkarza, automatycznie mu dziękując i podając zwitek dolarów.

– Hej! – Wyprostował się gwałtownym ruchem.

– Hej. A gdzie mój napiwek? Czekałem tyle czasu.

Normalnie nie potrafiłabym oprzeć się pokusie, żeby powiedzieć coś na temat symbiotycznej zależności między napiwkiem a zakresem udzielonej pomocy i – do jasnej anielki – uprzejmością. Cała sytuacja wydawała mi się jednak surrealistyczna, zacierała mi się granica między dniem a nocą. Dałam kierowcy

* Po kolei chodzi o: bagażnik samochodowy, rachunek, bankomat, chodnik i śmieci (przyp. tłum.).

dodatkowe pięć dolarów. Zrobiłam to zupełnie bez słowa, pragnąc milczeniem wyrazić swój protest. Londyński taksówkarz by się zawstydził, ale ten po prostu chwycił pieniądze i odjechał, jeszcze zanim zdążyłam odsunąć się od samochodu.

Odwróciłam się do Eliota, który zbywał moje kolejne podziękowania jako całkowicie zbędne, choć jednocześnie przyciskał sobie chusteczkę do czoła, żeby pot nie spływał mu do oczu.

Gdy tylko weszliśmy na schody prowadzące na drugie piętro, gdzie znajdowało się nasze mieszkanie, otoczyło nas stęchłe gęste powietrze. Mijaliśmy kolejne klimatyzatory, potężne urządzenia starego typu wciśnięte między szybę a gzyms, groźnie zwieszające swoje cielska nad ulicą. Wydawały z siebie równie dużo hałasu co powietrza.

Powrót do domu podziałał na Josha jak dodatkowy zastrzyk energii. Pędem pobiegł do swojego pokoju. Słyszałam, jak wysypuje na podłogę klocki lego. Po chwili znowu był w ruchu. Zatupotał na schodach, a potem na podłodze w kuchni. Otworzył drzwi lodówki, zatrzasnął je i ponownie wbiegł na górę.

– Czy możemy iść do parku?! – krzyknął ze swojego pokoju.

– Josh, jest środek nocy!

– I co z tego?! – stwierdził, niebezpiecznie wychylając się między sztachetkami balustrady.

Z wysiłkiem wniosłam walizki do sypialni, bezceremonialnie opierając je o ścianę z odsłoniętych cegieł. Umierałam z pragnienia. Pochłonęłam całą zawartość butelki wody, która stała przy naszym podwójnym łóżku. Z każdej strony łóżka do ściany pozostawało zaledwie kilkanaście centymetrów. Poza tym wolną przestrzeń pokoju stanowił tylko mały prostokątny kawałek podłogi. W tę przestrzeń wcisnęłam nasze dwie walizki. Nie miałam głowy do tego, żeby zajmować się stertą brudnych ubrań.

Pokój Joshuy urządziliśmy w pomieszczeniu, które można określić jako przedpokój naszej sypialni albo jako korytarz prowadzący na taras. Gdy znalazł się w łóżku ze szklanką wody, kubkiem mleka i pluszowym Kubusiem Puchatkiem, poczułam, jak ogarnia mnie nieodparta potrzeba snu.

– Nie jestem zmęczony. – Josh usiadł w łóżku, miał zamiar wstać.

– Owszem, jesteś.

Mogłam się tego spodziewać. Josh spał w samolocie, więc teraz tryskał energią. Zawsze miał w sobie niespożyte pokłady energii, jak zresztą chyba każdy czterolatek. Gdy w końcu wyszłam, Josh rozmawiał jeszcze sam ze sobą. Rozebrałam się i wsunęłam w pościel. Moje ciało domagało się snu w pozycji poziomej.

Śniło mi się coś zupełnie niesamowitego, co może przyśnić się tylko wtedy, gdy człowiek wyciągnie się swobodnie we własnym łóżku.

– Proszę pani, tam jest pani dziecko.

Usiadłam na łóżku, ale nie obudziłam się do końca. W głowie miałam pustkę. Całe moje ciało, od głowy aż po palce, wypełniała wirująca lekkość.

– Josh? Co się stało? Gdzie jest Josh? – wpadłam w panikę.

Gdybym wyobraziła sobie, że Josh wydostał się z domu i wbiegł na ulicę prosto pod taksówkę, zaczęłabym krzyczeć. Po drugiej stronie drzwi zobaczyłam jednak tę małą bladą blond wersję mnie samej z uśmiechem na twarzy.

Potem zobaczyłam ich. Trzech uzbrojonych policjantów z NYPD w ochronnych kamizelkach dosunęło wysokie buty do samej krawędzi naszego łóżka. Tak mi się przynajmniej wydawało. W tamtej chwili nie potrafiłam rozstrzygnąć, czy są prawdziwi, czy nie.

Znowu zaczęły się krzyki.

– Zwariowała pani? Narażać dobro dziecka. Bo właśnie z tym mamy tu do czynienia. To przestępstwo.

– To policjanci. Prawdziwi policjanci, mamusiu! Zeskoczyli z dachu na taras. Super, nie?

Może i super. Jakoś nie docierało do mnie, co się stało. Powinnam być przerażona i zszokowana. Trzech policjantów zeszło z dachu na nasz taras, wtargnęło do środka i wkroczyło do naszej sypialni. Ja tymczasem nie mogłam się pozbierać po zmianie czasu i zupełnie nie ogarniałam tego, co się działo wokół mnie. Nie potrafiłam nawet stwierdzić jednoznacznie, który z mężczyzn wydawał okrzyki. Prawdopodobnie ten duży i barczysty, z rudymi włosami i anemiczną cerą. Pomimo dolegliwych skutków zmiany czasu próbowałam odzyskać odrobinę utraconej godności. Udało mi się podciągnąć nieco kołdrę i zakryć odsłonięte dotychczas piersi, nic więcej nie wskórałam.

Rudzielec przykucnął, zajmując niewygodną pozycję. Spodnie napięły mu się tak bardzo, że groziły pęknięciem.

– Hej, mały, wszystko w porządku?

Uwagę Joshuy pochłaniało coś innego.

– Czy to prawdziwa broń? Czy pan zabija ludzi?

Rudzielec go zignorował. Interesowało go tylko zdrowie i bezpieczeństwo Josha. Wstał i nachylił się do mnie. Przy okazji kopnął nogą moją brudną bieliznę w stronę łóżka.

– Zamknęła go pani na zewnątrz. Co to ma być za kara? Kto tak postępuje? Ja sam mam dzieci, wie pani. Nie wyobrażam sobie, żebym mógł je tak potraktować.

Musiałam zdobyć się na wysiłek, żeby się pozbierać.

– Nigdzie go nie zamknęłam. Właśnie wróciliśmy z Anglii. Spałam. Josh prawdopodobnie odczuwa skutki zmiany czasu. – Mój głos brzmiał żałośnie.

– Czy próbuje mi pani powiedzieć, że nie widziałem tego, co widziałem? – Z jego słów wynikało, że uważa moje wyjaśnienie za zupełnie absurdalną i całkowicie niewiarygodną wymówkę.

Denerwując się coraz bardziej, uświadomiłam sobie, że nie wiem, jak mam się zachować. Nie ulega wątpliwości, że niewielu nowojorczyków uśmiechałoby się, gdyby do ich mieszkania wpadli policjanci. To jednak nie oddaje jeszcze istoty sprawy. Ja nie wiedziałam nawet, kim są ci napakowani faceci i co myślą. Prawdopodobnie mieli irlandzkie korzenie, prawdopodobnie pochodzili z Bronxu. Ale co z tego? Nie miałam zielonego pojęcia. Nie wiedziałam też, jak mogłabym ich przekonać, żeby sobie poszli.

Nachyliłam się lekko do rudzielca – z zamiarem wyjęcia z torebki naszych kart pokładowych – ale mój ruch tylko go dodatkowo rozwścieczył.

– Jak zwykle. Najgorsze rzeczy zdarzają się w najporządniejszych domach. To trochę tak, trochę tak…

– Tak mi przykro. Proszę pana, tak bardzo mi przykro – powtarzałam, wychodząc z założenia, że to na pewno nie zaszkodzi.

– Hm, trochę późno to pani mówi.

Czyżby miał się dać udobruchać?

Zupełnie jakby czytał w moich myślach, ponownie podniósł głos:

– Pozostaje jeszcze pytanie, gdzie jest pani mąż.

Mężczyzna! Chciał załatwiać sprawę z mężczyzną, a nie z kobietą w koronkowych majtkach Victoria's Secret wybranych z kosza z przecenioną bielizną. Zakaszlałam, żeby było mi łatwiej zaokrąglać samogłoski.

– Jest na spotkaniu w Waszyngtonie. Przyleciałam z Londynu sama z synem. Będzie tu jutro rano. To znaczy mój mąż.

– Czy wie, że jego syn mógł umrzeć?

– Zasnęłam, z powodu zmiany czasu. Josh był w łóżku. – Zdawałam sobie sprawę, że mówię błagalnym tonem. Żałosne. Nic innego nie przychodziło mi jednak do głowy.

To rozzłościło mężczyznę stojącego po prawej stronie rudzielca.

– Nie, nie był. Był na tarasie o CZWARTEJ RANO.

Joshua nigdy nie wychodził na taras w nocy. W ciągu dnia owszem, żeby podlewać (aż do przesady) swoje kwiaty. Prawdopodobnie, ponieważ nie czuł się senny, wyszedł na zewnątrz, żeby do nich zajrzeć i potem nie mógł dostać się do środka. Nie mógłby spaść z tarasu, ceglana balustrada była zbyt wysoka. Nie mógłby nad nią przeskoczyć. Miałam jednak poczucie, że to nie o to tu chodzi.

– Zabrzmi to dziwnie, ale dla niego nie jest teraz czwarta rano. On funkcjonuje w czasie brytyjskim. Dla niego jest teraz dzień.

Miałam wrażenie, że żaden z trzech mężczyzn nie rozumie, o czym mówię.

– Zaalarmowali nas sąsiedzi. Poinformowali o zagrożonym dziecku, które zostało zamknięte na tarasie. Jeden z moich sąsiadów zadzwonił na policję, zamiast zadzwonić do drzwi i mnie obudzić. Zbyt wielki byłby to wysiłek, żeby go podjąć dla ratowania „zagrożonego dziecka". Rozzłościło mnie to. Miałam ochotę wstać z łóżka i wejść w rolę dorosłego... ale byłam półnaga.

Pomyślałam o naszej karcie „wychodzisz wolny z więzienia" – o naszym immunitecie chroniącym przed amerykańskimi organami ścigania. Nie chodziło wyłącznie o jakieś mgliste zapewnienia brytyjskiej ambasady, lecz o laminowaną kartę, przypominającą karnet na siłownię. Nie chciałam z niej korzystać z byle powodu, ale nie wiedziałam, co robić.

– Mój mąż jest... – zakaszlałam nerwowo, ponieważ nie potrafiłam przewidzieć ich reakcji. – Właściwie to jest... brytyjskim dyplomatą. – Wypowiedzenie tych słów sprawiło mi przyjemność. Brytyjski dyplomata. Ten wyjątkowy przywilej, z powodu którego musicie się wynosić z mojego domu. Gnojki.

Miałam tego wszystkiego dość.

– Proszę posłuchać. Przykro mi, ale panowie zupełnie źle zinterpretowali sytuację. Nie ma żadnego problemu.

Można było odnieść wrażenie, że rudzielec tylko na to czekał.

– Pani śmie nam pyskować. Po tym wszystkim!?

Pozostali się nie odzywali. Gwałtownie się odwrócili i zaczęli zbierać się do wyjścia. Josh trzymał się tuż przy nich, usiłując zadawać im pytania.

– Jak zeszliście z dachu? Mieliście liny? Czy używaliście drabiny?

Ja sama zaczęłam się zastanawiać, w jaki sposób spuścili się z dachu na nasz taras. Co właściwie było nie tak z frontowymi drzwiami?

Rudzielec odwrócił się z jeszcze jedną gorzką uwagą.

– Jeśli chodzi o dzieci, długo się nie zastanawiam...

Nie słyszałam, co powiedział dalej. Gdy tylko doszli do schodów, wyskoczyłam z łóżka, chwyciłam z podłogi parę szortów i koszulkę z połyskującymi zdobieniami. Byłam równie nieskoordynowana jak Josh. W końcu zbiegłam za nimi, pokonując po dwa schody naraz. Zastanawiałam się, jak się należy zachować w takiej sytuacji. Czy powinnam im podziękować za troskę i poświęcony czas? A może nowojorczycy dają im napiwki?

Stali przy dwuskrzydłowych frontowych drzwiach. Musiałam ich wypuścić, ponieważ zostały zamknięte od środka. Przerzucałam rzeczy leżące na okrągłym stoliku w holu w poszukiwaniu kluczy. Wprost nie mogłam się doczekać, kiedy sobie pójdą. Już się cieszyłam, że za chwilę będę mieć to wszystko za sobą. Już sobie wyobrażałam, jak raczę moich londyńskich przyjaciół tą barwną opowieścią. Właśnie o takich życiowych doświadczeniach marzyłam.

Otworzyłam jedno skrzydło, a policjanci zaczęli się przez nie przeciskać z taką siłą, że aż szkło zadrżało w drewnianej ramie.

Rudzielec wychodził ostatni.

– Tak jak powiedziałem, zabierzemy dziecko do szpitala na kontrolę.

Chwycił Josha. Wszystko stało się tak szybko. Już znajdował się na progu. Wychodził razem z Joshem. Z moim synem. Nawet nie pokazali mi odznak. Nie znałam nawet ich nazwisk. Wybiegłam za nimi przez próg. Wydaje mi się, że krzyknęłam: „Nie!". Ale nie pamiętam. Potknęłam się na schodach przed budynkiem. Upadając, usłyszałam trzask w barku. Nie poczułam bólu. Wszystko się rozsypało, runęło.

Nie mogłam pozbyć się uczucia, że całe moje życie, wszystkie nasze plany i nasze marzenia, całe moje pragnienie przygody i ambitniejszej, bardziej ryzykownej podróży, a także kolejne zdarzenia, które przywiodły nas do Nowego Jorku – wszystko to prowadziło do tej jednej chwili. Zrezygnowałam z mojej tożsamości narodowej na rzecz tej pustki.

Na ratunek przyszli mi ludzie ulicy. Pierwszy pojawił się Dirk, bezdomny mieszkający przy schodach pobliskiego kościoła. Zdawałam sobie sprawę z jego istnienia, ponieważ nosił stare adidasy Jessiego. Chwilę po nim pojawili się Eliot i portier Darren.

– Zabrali Josha. Zabrali Josha. – Usiłowałam złapać oddech i sama sobie wydawałam się mało realistyczna.

Darren, Dirk i Eliot mieli plan. Pomogą mi. Zaprowadzą mnie na pobliski posterunek. To na pewno stamtąd wysłano policjantów. Potem złapią taksówkę i wyślą mnie do szpitala. Chwycili mnie wpół. Odnaleźli moje klucze, torebkę i telefon komórkowy. Zamknęli drzwi i poprowadzili powoli ulicą. Mówili spokojnie i z troską, ale ich słowa do mnie nie docierały.

Jak mogłam być tak naiwna, aby sądzić, że kwestia wtopienia się w otoczenie za granicą sprowadza się do używania odpowiednich słów?

2

Podczas powolnej wędrówki w stronę posterunku moją uwagę pochłaniał gorący bezruch i blade światło świtu. Posterunek mieścił się w trzykondygnacyjnym budynku wykonanym z betonu i z cegły. Dobrze komponowałby się z zabudową South Bank, gdyby nie to, że na dachu tkwił obowiązkowy maszt, z którego zwisała nieruchomo amerykańska flaga. Z boku znajdował się spory dziedziniec, a mimo to wszystkie policyjne samochody i furgonetki stały chaotycznie zaparkowane na ulicy. Na drzwiach pasażera wszystkich aut wielkimi literami wypisano hasło: „Uprzejmość, profesjonalizm, szacunek".

– Ha! – prychnęłam, zupełnie świadoma, że właśnie zaciskam zęby.

Eliot poczuł się urażony.

– Zwykle tak to nie wygląda, wie pani. Przykro mi, że pani przez to wszystko przechodzi, ale musi pani wiedzieć, że to najlepsi ludzie Nowego Jorku. W walce z niebezpieczeństwem nikt im nie dorówna.

Żartowaliśmy kiedyś z Jessiem, jak wielką czcią nowojorczycy otaczają każdego, kto nosi mundur. W przypadku strażaków po 11 września, owszem, można to zrozumieć. Tutaj jednak ludzie w mundurach byli z definicji bohaterami, podczas gdy Brytyjczycy nie zostawiali na nich suchej nitki. Być może dlatego, że gdyby w niewłaściwie zaparkowanym samochodzie zamknięte zostało dziecko, nowojorski policjant by je uratował, a jego londyński kolega włożyłby mandat za szybę i wezwał lawetę. W tamtym momencie dałabym wszystko, żeby móc mieć do czynienia z parą pedantycznych wystawców mandatów.

Gdyby nie towarzyszące mi egzotyczne trio, zupełnie nie potrafiłabym się odnaleźć. Moi przyjaciele zostali w Londynie. O tej porze nie spali, ale nie było sensu do nich dzwonić, ponieważ na pewno nie zrozumieliby mojej sytuacji.

Rozumieli ją za to Darren, Dirk i Eliot. Stanęli wokół mnie i wspólnie posadzili mnie na metalowym krześle w dużej poczekalni. Wnętrze posterunku było surowe, wręcz jakby tymczasowe. Krzesła wydawały mi się twarde, nawet jak na standardy brytyjskiego posterunku. Byłam kiedyś na policji w Londynie, kiedy skradziono mi rower. Pamiętam tylko ogromną ilość dokumentów, które należało wypełnić, aby sporządzić „raport", mimo że z góry było wiadomo, że mój pojazd nigdy się nie odnajdzie. W Londynie nie prowadzono polityki zero tolerancji.

Inaczej niż w Nowym Jorku. Naprzeciwko mnie siedziało dwoje ludzi, którzy najwyraźniej oczekiwali pomocy ze strony policji. Przed świtem. Blada blondynka chowała swoją zniszczoną pod wpływem czynników atmosferycznych nowojorską cerę za wielkimi ciemnymi okularami. Nie zdejmując ich, żywo i głośno poinformowała o swoim problemie: „Chciałabym zgłosić kradzież tożsamości".

Rozbawił mnie dramatyzm jej wypowiedzi. Użyła takich wielkich słów.

Oficer NYPD bynajmniej jej nie zlekceważył.

– Ktoś stworzył stronę internetową, posługując się moim nazwiskiem. – Wzięła krótki oddech. – Moim nazwiskiem! – W pośpiechu zaczęła otwierać dużą torbę marki Coach. – Jessica Levine. To ja – powiedziała z naciskiem, wręczając policjantowi dokument tożsamości. – A oni twierdzą, że są mną.

W tym samym czasie mężczyzna z poczekalni prowadził rozmowę z automatu telefonicznego. Obok stał policjant.

– Ostrożnie, proszę nie dać mu się przechytrzyć – radził, trzymając w dłoni kartę kredytową. – Chcemy go dopaść.

Nie ulegało wątpliwości, że brakuje mi zmysłu dramatycznego niezbędnego do sprawnego przeprowadzenia rozmowy z policją. Mój problem polegał na tym, że zabrano mi dziecko. Chciałam podejść i zażądać, aby dopuszczono mnie do Josha, ale próba podniesienia się z krzesła skończyłaby się utratą przytomności. W barku czułam gwałtowne pulsowanie, w zupełnie innym rytmie niż w głowie. Wybuchłam żałosnym szlochem, który wyrażał jednocześnie szok, strach i ból.

Policjant nadzorujący telefoniczną akcję z kartą kredytową ruszył ku mnie.

Na twarzy Eliota malowało się współczucie. Ścisnął moją dłoń.

– Ja z nimi porozmawiam. Anno, naprawdę będzie wszystko w porządku. Proszę tu poczekać.

Nawet te liche słowa otuchy przyniosły mi wielką pociechę. Sprawą miał się teraz zająć nowojorczyk, którego to wszystko nie onieśmielało, który wiedział, co należy powiedzieć i jak głośno, który potrafił zinterpretować treść uzyskanych odpowiedzi. Zdania wypowiadane z intonacją wznoszącą miały w sobie jakiś melodyjny upór. Zdawało się, że to działa.

Eliot rozmawiał z policjantem, stojąc o kilka kroków od mojego krzesła. Odwrócił się do mnie z szerokim uśmiechem.

– Hej, Anno, nie ma się czym martwić. Wszystko jest w porządku. Standardowa sprawa. Zabrali Josha na izbę przyjęć, żeby obejrzał go pediatra. Mały mógł się przecież przegrzać. Lada moment wrócą. Zadzwonią do ciebie na komórkę, gdy tylko lekarz stwierdzi, że wszystko jest w porządku.

Zabrali mojego stuprocentowo zdrowego syna do szpitala.

– Jak śmieli?! Wszystko jest z nim w najlepszym porządku. Histeryzują, są śmieszni. Paranoicy!

A może zachowywałam się jak kobieta w ciemnych okularach? Nowy Jork zaczynał załazić mi za skórę.

– Jadę po niego. Do którego szpitala go zabrali?

– Do New York Presbyterian. Aż na East Side.

Ze słów Eliota wynikało, że szpital znajduje się bardzo daleko.

– Gdzie dokładnie? – Starałam się, choć raczej bez powodzenia, panować nad własnym gniewem.

– East 68. – Westchnął tak, jak gdyby myśl o dużej odległości sprawiała mu przykrość. Potem się rozchmurzył. – To jeden z najlepszych szpitali w całych Stanach Zjednoczonych. Numer jeden w całym stanie. Najlepszy. Pani też powinna dać im się przebadać. Porządnie uszkodziła sobie pani ten bark.

– Tak, racja. Dziękuję, Eliot. Zaraz tam jadę.

Gdy tylko wstałam, poczułam ból przeszywający moje ciało od barku do szyi, a potem z powrotem w kierunku pleców. Czułam, że zaraz zrobi mi się niedobrze. Z trudem wciągałam suche, klimatyzowane powietrze.

Eliot, Darren i Dirk wyrazili gotowość udzielenia mi pomocy w znalezieniu taksówki. W żaden sposób nie sugerowali jednak, że ze mną pojadą. Jak mogłabym tego od nich oczekiwać? Chociaż przez krótką chwilę panowała między nami atmosfera intymności, w rzeczywistości praktycznie ich nie znałam. Mówiliśmy sobie dzień dobry, czasem zamienialiśmy parę słów. Nie mogłabym jednak nazwać ich przyjaciółmi, a już na pewno nie najlepszymi przyjaciółmi. Byłam sama i samotna. Podziękowałam im i próbowałam pomachać, ale na uśmiech nie mogłam się zdobyć.

Gdy tak patrzyłam na nich przez okno taksówki, jak stali jeden obok drugiego na skrzyżowaniu z Columbus Avenue, wydali mi się zrośnięci ze swoją okolicą. Na West 82nd Street, między alejami Columbus i Amsterdam, mogli pomóc każdemu we wszystkim. Ja tymczasem musiałam wykroczyć poza granice tego obszaru i dostać się na drugą stronę parku, na East Side. To ich przerastało. Zrobili naprawdę wszystko, co mogli.

Atramentowe wody East River były spokojne, sprzyjały rozmyślaniom. Taksówka sunęła spokojnie FDR Drive, o tej porze nikt nikomu nie siedział na ogonie jak za dnia.

Nachyliłam się do przodu, stwierdzając odruchowo:

– Chyba nie powinniśmy jechać FDR Drive.

Kierowca milczał, jak to mają w zwyczaju taksówkarze, gdy wiozą klienta do celu okrężną trasą.

– Powinien pan pojechać 72 Ulicą, a potem Trzecią Aleją.

Odchyliłam się z powrotem na oparcie kanapy. Nie byłam w nastroju do sprzeczek w sprawie trasy. Chciałam spokojnie posiedzieć i pomyśleć. Żałowałam, że nie ma teraz przy mnie Jessiego. Przez siedem lat, gdy tylko działo się coś ważnego, Jessie zawsze w tym uczestniczył.

Próbowałam do niego zadzwonić. Po kilku sygnałach odezwał się jego spokojny i pewny głos:

– Tu Jessie Wietzman. Przykro mi, ale w tej chwili nie mogę odebrać telefonu. Proszę zostawić wiadomość.

Pczułam ogromne rozczarowanie. Chciałam mu o wszystkim opowiedzieć. Nowojorska policja wtargnęła do naszego mieszkania. Nie do wiary, prawda? Policja! I zabrali Josha. Jessie wysłuchałby całej historii, nie wchodząc mi w słowo. A potem by wszystko naprawił. Tęskniłam za nim całą sobą.

Nie potrafiłam mu tego wyjaśnić w nagranej wiadomości.

Ostatecznie powiedziałam tylko:

– Jessie, kochanie, czy możesz do mnie zadzwonić? Wszystko jest w porządku, ale to ważne.

Zadzwoniłam jeszcze raz, ale znów włączyła się poczta głosowa.

Ponieważ nie mogłam skontaktować się z Jessiem, zapragnęłam porozmawiać z kimś innym. Zastanawiałam się, czyby nie zadzwonić do jego ojca, Howarda. Potem jednak zwątpiłam, czy rzeczywiście chcę to robić. Na pewno mógłby mi jakoś pomóc. Ale jak by zareagował?

Ponownie skupiłam się na wodzie. Nie miałam jeszcze żadnych prawdziwych wspomnień z Nowego

Jorku, więc ten widok przywiódł mi na myśl Tamizę, która z kolei zawsze przypominała moment, gdy Jessie oglądał moją pracę dyplomową przygotowaną na Summer Show.

Jessie oparł rower o ścianę studia, w którym powstawała moja praca dyplomowa na zakończenie studiów w Royal College of Art. Zapomniał kłódki, więc wniósł rower ze sobą aż na czwarte piętro. Oboje pracowaliśmy wtedy do późnych godzin wieczornych. Za oknem panowała szara ciemność. Mój obraz znajdował się na tyłach studia – malowałam go na dużym płótnie o wymiarach sześć na trzy i pół metra.

Jessie bardzo mnie wspierał i wykazywał duże zainteresowanie już na wczesnym etapie pracy. Ja nie chciałam mu nic pokazać ani nawet opowiedzieć o obrazie. Chciałam zobaczyć jego autentyczną reakcję, wolną od dyplomatycznej uprzejmości czy autocenzury.

Gdy odstawił rower, poprosiłam, żeby zamknął oczy. Ciągnąc go lekko za lewą rękę, zaprowadziłam na środek pomieszczenia. Uśmiechał się i głośno szurał nogami, aż zatrzymałam go w optymalnym miejscu. Nadal trzymaliśmy się za ręce.

– Otwórz oczy. – Poczułam ucisk w żołądku, trochę przypominający głód. Bardzo się bałam, że Jessie może się roześmiać. Albo, co gorsza, że będzie zszokowany.

Jessie wpatrywał się w obraz. Ja zresztą też – starając się spojrzeć na moje dzieło jego oczami. Przedstawiłam iście apokaliptyczną wizję Tamizy. Agresywne czarne wiry wodne na tle cynobrowego nieba. Nakładałam farbę olejną warstwami, aby uzyskać efekt trójwymiarowości. Z tej postbiblijnej wizji wyłaniała się naga dziewczyna, która zdawała się wychodzić z płótna. Robiła piorunujące wrażenie. Była smukła i silna. Z oczu zionęła jej czarna pustka, a palce jej dłoni skierowane ku przodowi układały się w kształt litery V.

Nagle poczułam zażenowanie. Zawstydził mnie ten śmiały bunt, któremu potrafiłam dać wyraz tylko na obrazie.

– Genialne – powiedział z wręcz nienaturalnym dla niego przekonaniem. Spojrzał prosto na mnie z podziwem i miłością w oczach. Te uczucia płynęły z serca. Postanowiłam nadmiernie się w to nie zagłębiać.

Po chwili wahania zapytał:

– Przeciwko komu ona występuje?

– Właściwie to nie wiem. Po prostu malowałam. – Zamilkłam na chwilę. – Mój promotor powiedział, że ona symbolizuje siłę ludzkości podnoszącej się z gruzów niszczejącej planety.

– Doprawdy? – Jessie uniósł brwi.

Oboje się roześmialiśmy.

– Wiem, to trochę szalone, prawda? Chcę szokować. Wiem, że to dziecinne… – Zabrakło mi pomysłu na dokończenie zdania.

– Wydaje mi się, że może powinnaś uprzedzić rodziców. Tym bardziej że ona wygląda jak ty.

– Rany, masz rację.

Przez jakiś czas staliśmy w milczeniu.

Potem Jessie powiedział życzliwym tonem:

– Jest świetny. Ty możesz sobie pozwolić na bunt.

Zarumieniłam się pod wpływem poczucia winy typowego dla przedstawicieli klasy uprzywilejowanej. W całej mojej dużej rodzinie byłam jedyną artystką. Gdy się teraz nad tym zastanawiam, dochodzę do wniosku, że między innymi właśnie dlatego chciałam malować. Odczuwałam potrzebę wyzwolenia się z konserwatywnego świata moich rodziców, ciotek, wujków i kuzynów. Oni nieodmiennie widzieli we mnie patykowatą chłopczycę, która chodzi po drzewach. Siostrzenica Anna, kuzynka Anna, córka Anna, siostra Anna. Całe moje życie toczyło się według pewnego ustalonego schematu. Gdybym została w Kent, jak Sophie, nigdy nie pozwolono by mi dorosnąć. Każdy weekend spędzałabym w domu pełnym krewnych. Na zawsze pozostałabym niezdarną wiejską dziewczyną.

Nie mogłam złapać kontaktu wzrokowego z Jessiem. Uświadomiłam sobie, że pomimo braku pokręconej przeszłości próbuję się bawić w Tracey Emin*. Dlaczego to robię? Mogłabym przecież wybrać dla siebie znacznie łatwiejszą drogę. Nie trzeba było niczego komplikować. Moje życie zawsze było proste, a ja pragnęłam głębi, którą można poznać tylko w warunkach większego chaosu.

Odwróciłam się, żeby pocałować Jessiego.

Taksówka skręciła w prawo z FDR Drive na East 71st, a potem w lewo w York Avenue, aleję wyraźnie odstającą od reszty East Endu. Choć równoległa do alej Lexington i Madison, pod względem kulturowym i ekonomicznym York Avenue zdawała się należeć do innego świata. Jeden przy drugim wyrastały przy niej tanie salony kosmetyczne serwujące kawę,

---

* Kontrowersyjna współczesna artystka brytyjska tureckiego pochodzenia (przyp. red.).

pseudowłoskie restauracje i celtyckie puby, nad którymi wznosiły się szare bloki i stare budynki z czerwonej cegły.

Zależało mi na tym, żeby taksówkarz podwiózł mnie pod samo wejście do izby przyjęć. Po kilku nieporozumieniach, dodatkowej rundce po jednokierunkowych ulicach i kolejnych negocjacjach wysiadłam w końcu na szerokim wybrukowanym podjeździe przed markizą rozpościerającą się nad wejściem.

New York Presbyterian nie przypominał brytyjskiego szpitala, raczej gigantyczny hotel sieci Hyatt, w którym roiło się od gości korzystających z pięciogwiazdkowych usług. Wszyscy mieli na sobie takie same jednobarwne stroje: cienki bawełniany bliźniak i spodnie do kolan. Przez chwilę pożałowałam, że mam na sobie obcisłe, krótkie szorty. Nieważne. Zobaczyłam izbę przyjęć. Spokojnie otworzyłam wahadłowe drzwi i podeszłam do recepcji, gdzie troje czy czworo elegancko wyglądających ludzi wpatrywało się w duży ekran telewizora. Strażnik zawisł nad swoim niskim stolikiem.

Jaka to ulga móc korzystać z prywatnej opieki medycznej. Teoretycznie, jako zacna Brytyjka, byłam jej co do zasady przeciwna. Tu i teraz wszystko jednak wyglądało i pachniało absolutnie cudownie. Powietrze było idealnie chłodne i świeże. Przy rejestracji nikt nie czekał, a pielęgniarka natychmiast zabrała mnie do małego pomieszczenia znajdującego się za szklaną ladą. Powściągliwie skinęła głową w geście potakiwania. W Nowym Jorku robili tak tylko Latynosi. Domyślałam się, że jest Portorykanką.

Opowiedziałam jej o Joshu.

– Koniecznie muszę się z nim zaraz zobaczyć.

– Najpierw musimy opatrzyć pani bark.

Zaprotestowałam. Źle się czułam z myślą, że nie ma przy mnie Josha. Odkąd dwa lata po jego narodzinach zrezygnowałam z pracy w galerii sztuki, zdecydowaną większość czasu spędzaliśmy razem.

– Przykro mi, pani stan na to nie pozwala. Najpierw musimy zająć się panią.

Wyjaśniła uczenie, że doszło u mnie do przemieszczenia stawu. Zmierzyła mi temperaturę – wysoka, i ciśnienie krwi – niewiarygodnie normalne. Zaczęłam się rozluźniać.

Uśmiechnęłam się z wdzięcznością.

– Bardzo dziękuję. Doceniam pani pomoc.

Pielęgniarka poprowadziła mnie ze swojej dyżurki do kasjerek siedzących w jednej linii pod tabliczką z napisem: „Dział Płatności".

– Czy obejrzy mnie lekarz? – ponownie ogarniał mnie niepokój.

Pielęgniarka spokojnie pokiwała głową.

– Musi pani najpierw załatwić formalności ubezpieczeniowe.

Naprzeciwko okienek znajdował się rząd krzesełek, a przed nimi siedział mężczyzna na wózku inwalidzkim. Sprawiał wrażenie pogrążonego we śnie.

Dwa fotele dalej siedziała dziewczyna, która radosnym głosem rozmawiała przez telefon.

– No, no, jestem teraz na izbie przyjęć. Chcę sobie zrobić badania kontrolne, zanim skończy mi się ubezpieczenie.

Zdenerwowałam się. Co będzie, jeśli się okaże, że moje ubezpieczenie nie pokrywa leczenia w tym szpitalu? Wcześniej w ogóle o tym nie pomyślałam. Co zrobię, jeśli wystawią mi rachunek na wiele tysięcy dolarów?

Podeszłam do najżyczliwiej wyglądającej kasjerki i podałam jej swoją kartę ubezpieczenia zdrowotnego. Na tyle dobrze znałam już Nowy Jork, że pamiętałam, aby zawsze nosić ją w torebce.

– Dzień dobry! Mam kompleksowe ubezpieczenie... – Zawahałam się przez chwilę, ponieważ kobieta po drugiej stronie rzuciła w moim kierunku niewidzące spojrzenie. – Aetna? Czy honorujecie to ubezpieczenie?

Kobieta bez słowa skierowała wzrok na moją kartę. Przepchnęłam ją przez metalową rynnę.

W rynnie pojawiły się dwa formularze.

– Dokucza mi dość silny ból. Czy mogę je wypełnić po konsultacji z lekarzem?

Kobieta zaprzeczyła ruchem głowy.

– Tam.

Wypełniając bazgrołami kolejne pola i wykreślając różne pozycje, denerwowałam się, że muszę wpisać swój adres na obu arkuszach. Wróciłam do lady.

– Gotowe. Wypełnione.

Kobieta wzięła je bez komentarza.

– Proszę tu poczekać.

Drzwi prowadzące do izby przyjęć pozostawały złowieszczo zamknięte. W końcu przestałam nad sobą panować. Łzy ciekły mi po twarzy, a ból stawał się nie do zniesienia.

Nic się nie działo. Nie zostałam wezwana ponownie do lady.

Ogarniała mnie rozpacz. Sprawdziłam komórkę – nikt nie dzwonił.

Gdzie jest Josh? Jego nieobecność denerwowała mnie i bulwersowała. Ramię bardzo mi dokuczało. Podeszłam do lady.

– Przepraszam, ale źle się czuję.

Znajdowałam się w ośrodku prywatnej służby zdrowia. Spodziewałam się błyskawicznego załatwienia sprawy.

– Wszyscy tutaj źle się czują, proszę pani. Musi pani poczekać na swoją kolej.

– Nie rozumie mnie pani, naprawdę źle się czuję.

– O co chodzi?

– Niedobrze mi – uzupełniłam moją wypowiedź gestem, wkładając palec do otwartych ust.

Zwymiotowałam, brudząc przy tym ladę i podłogę. Wymiotowałam flegmą i upokorzeniem.

– Wymioty. Chodzi pani o wymioty – powiedziała.

Przepchnęła przez rynnę metalową tackę i kilka papierowych ręczników.

W końcu mi przeszło. Cofnęłam się powoli z powrotem na krzesło i pochyliłam się. Siedziałam z zamkniętymi oczami, oburącz ściskając metalową tacę. Marzyłam tylko o tym, aby znów być w Londynie, a najlepiej u rodziców w Kent.

– Anna Wietzman?

Spojrzałam w górę. Drzwi się otworzyły. Wlało się przez nie jasne, oślepiające światło. W tej poświacie dostrzegłam nie jednego lekarza, lecz dwóch. Uśmiechali się, idąc w moją stronę. W końcu do mnie dotarli. Pierwsza osoba w białym kitlu poprowadziła mnie do środka. Obróciłam się i spojrzałam na człowieka na wózku inwalidzkim. Dałabym mu kartę Josha, gdyby to mogło mu pomóc. Gdyby mógł dzięki temu też pójść do nieba. Niestety, nie mogłam go ze sobą zabrać, więc pozostał w czyśćcu.

Zdawało mi się, że minęła tylko chwila, a już znajdowałam się we własnym pokoju i wpatrywałam się w jaskrawe kolory wiadomości emitowanych przez NY 1. Po zastrzyku z morfiny, który dostałam prosto w pośladek, czułam się bardzo silna. Nastawiono mi bark. Przysłano też do mnie uśmiechniętego Meksykanina ze śniadaniem.

Potem pojawił się rudowłosy policjant. Zachowywał się uprzejmiej niż wcześniej... ale to wrażenie mogło być równie dobrze skutkiem działania morfiny.

– Witam. Wszystko w porządku. Z Joshem jest wszystko w porządku.

– Świetnie. Dziękuję. Przepraszam za to wszystko – powiedziałam, starając się go udobruchać.

– Ale muszę panią ostrzec. Jeżeli takie sytuacje będą się powtarzać, może pani stracić Josha. Czy pani to rozumie?

– Tak, oczywiście. – Nie traktowałam jego słów poważnie. Pod wpływem morfiny i myśli o immunitecie dyplomatycznym mój umysł roztaczał przede mną radosny obraz rodziny w komplecie.

Do pokoju wpadł Josh, trzymając w ręku płytę z Małą Syrenką. Zaczął oglądać ten film na oddziale pediatrycznym i teraz miał zamiar dokończyć go w moim pokoju. Uściskałam go mocno, ale wyrwał mi się, żeby czym prędzej wyruszyć na poszukiwania kogoś, kto uruchomiłby mu DVD. Przyjemne chłodne szpitalne powietrze przywróciło mu energię. Kilka minut później instruował już pielęgniarkę, aby przewinęła film do momentu, w którym Ariel traci głos.

Położył się koło mnie i zjadł połowę mojego bajgla z serkiem topionym.

Głaskałam go po karku. Uwielbiał to. Mój Josh. Mój mały chłopczyk.

Popijając latte w jednorazowym kubku, wyobrażałam sobie, że wróciliśmy już do domu. Do naszego normalnego nowojorskiego życia.

3

Położyłam się na ciemnobrązowej kanapie, ustawiając obok siebie trzy słoiczki kremu do twarzy sprezentowane mi przez matkę. Ich stosowanie przynosiło tylko pozorne korzyści, ale przypominały mi o domu. Położyłam głowę na cienkiej poduszce, więc w stosunku do reszty ciała unosiła się bardzo nieznacznie. Jessie siedział prostopadle do mnie, trzymając moje nogi na kolanach. Głaskał je swoimi gładkimi dłońmi.

Udało mi się odzyskać równowagę na tyle, że teraz mogłam wzbogacić opowieść o wydarzeniach ostatnich dwudziestu czterech godzin ekspresyjnym przedrzeźnianiem poszczególnych postaci. Na twarzy Jessiego malował się w pierwszej chwili niepokój, ale zaraz potem rozbawienie. Chichotaliśmy, gdy opowiadałam mu o żywym zainteresowaniu Josha bronią policjantów, o absurdalnej historii z kartą kredytową i o głuchej na ironię pracownicy szpitalnego biura rozliczeń. Wprost nie mogliśmy powstrzymać się od śmiechu na myśl o odtwarzaczu DVD zamontowanym nad moim szpitalnym łóżkiem i o tym, że śniadanie przyniósł mi mężczyzna.

– Szkoda, że cię tam nie było – westchnęłam.

– Powinienem był być.

Siedzieliśmy tak w milczeniu, czując wzajemne zrozumienie. Z tego nastroju wyrwało nas walenie kijem o podłogę, dochodzące z pokoju Josha. Nasz syn znalazł sobie nowy sposób na zwrócenie na siebie uwagi. Uderzenia stawały się coraz mocniejsze.

Jessie właśnie odłożył moje nogi i skierował się w stronę schodów, kiedy zadzwonił telefon. Sięgnął po słuchawkę leżącą na regale wbudowanym w ścianę.

– Witaj, Sharon. – Uniósł brwi.

Jessie nie miał dużej rodziny, tylko ojca, matkę i macochę. Sharon była jego jedyną amerykańską bliską znajomą, córką starego szkolnego kumpla jego ojca. Podczas swoich letnich wizyt w Stanach nie utrzymywał regularnych kontaktów z nikim innym w swoim wieku. Gdy przeprowadzaliśmy się do Nowego Jorku, poza Sharon nie znał właściwie nikogo. Dlatego była dla niego tak ważna. Jessie okazywał jej czułość i lojalność. Ja również – mimo że czasami dziwnie się zachowywała i pod wieloma względami bardzo się różniłyśmy.

Słuchałam, jak Jessie w skrócie relacjonuje jej wydarzenia ubiegłej nocy. Słyszałam jej mocny głos, od czasu do czasu przechodzący w okrzyki.

Na szczęście rozmowa trwała krótko.

– Sharon koniecznie chce cię zobaczyć.

Zamknęłam oczy.

– Nie, nie – powiedziałam z przesadnym dramatyzmem, nie do końca udawanym.

Jessie zachichotał. Jak na dorosłego mężczyznę chichotał niesamowicie szczebiotliwie. Zawsze mnie to bawiło, tym bardziej że wtedy odsłaniały się wąskie szparki między jego zębami, które tak lubiłam.

– Znikam stąd – oświadczył. – Pójdę po coś do jedzenia.

Chociaż klimatyzator dmuchał na mnie rześkim powietrzem, na myśl o wizycie Sharon zrobiło mi się gorąco. Jej długie włosy układały się zgodnie z kształtem podbródka. Zawsze były starannie wystylizowane. Sharon miała delikatną twarz i małe błyszczące zielone oczy, ukryte wśród ciemnych fal. Sedno jej osobowości stanowił jednak głos. Włosy, liliowy bezrękawnik podkreślający opaleniznę ramion i cotygodniowy manicure – to wszystko kwestia „konserwacji". Zewnętrzna warstwa skrywająca jej prawdziwą tożsamość – pełnoetatowej matki, która zrezygnowała z pracy stylistki kolorów (konsultantki, z której usług korzystało wiele wiodących firm – Sharon na długo przed większością innych ludzi odkryła zieleń wasabi), aby skupić swój niezwykły umysł na wychowywaniu dwójki dzieci, ale przede wszystkim czteroletniego syna Nathana, który przysparzał „problemów".

Dziś, gdy myślę o Sharon, na mojej twarzy pojawia się smutny uśmiech. Wiem, że już jej nigdy nie zobaczę, ale czasem brakuje mi jej szaleńczej energii. Na szczęście jej obłęd nie może mi już teraz zaszkodzić.

Wtedy Sharon masakrowała mnie siłą swojego głosu. Zanurzałam się w poduszki sofy, a ona siedziała obok na krześle, w pełni wyprostowana. Niczym podświadomy sen powrócił do mnie ból barku.

– Anna, zrozum. To kwestia wyborów. Trzeba uczyć je dokonywać lepszych wyborów.

– Zgadzałabym się z tobą, gdyby chodziło o trzynastoletnich chłopaków. Ale Nathan i Josh mają tylko cztery lata.

– To ważne, żeby od początku wszystko sobie po-układali. Posłuchaj, dam ci przykład. Byliśmy na wy-cieczce w zoo. Inne dzieci przyglądały się małpom i śmiały na widok fok. Nie Nathan. – Tu zrobiła prze-rwę dla osiągnięcia lepszego efektu. – Nie Nathan – powtórzyła. – Nathan bawił się przy fontannie.

Uniosła wydepilowane brwi na znak, że dalsze wyjaśnienia są zbędne.

– Może zostanie architektem – zaryzykowałam śmiałe twierdzenie, usiłując ukryć uśmiech.

– Nie. NIE! – zdenerwowała się Sharon, jak zwykle zresztą podczas rozmów ze mną. Moje żarty interpre-towała błędnie jako brak zainteresowania ważnymi życiowymi sprawami. Sharon traktowała życie w stu procentach poważnie.

Zaczęłam się zastanawiać, kiedy wreszcie wróci Jessie.

– On cierpi na zespół deficytu uwagi społecznej. Fontanna interesuje go bardziej niż przebywanie w to-warzystwie innych dzieci.

– Ja mu się nie dziwię. – Tym razem zachichotałam.

– Anna! Jak możesz uważać, że to jest zabawne? – Jej podbródek wysunął się spośród starannie ułożo-nych włosów. – Co w tym zabawnego? To jest smutne. Nie chcę, żeby wyrósł na dorosłego, który nie potrafi się dobrze komunikować i nie jest istotą społeczną.

Aż się wyprostowałam.

– Nie możesz narzucić Nathanowi, jakim człowie-kiem będzie, kiedy dorośnie. Ja w jego wieku byłam bardzo nieśmiała. Czy coś jest ze mną nie tak? Nie odpowiadaj. Zresztą niektórzy ludzie po prostu są nieśmiali.

Sharon nie dawała za wygraną.

– Nie. W Ameryce człowiek sukcesu musi umieć się komunikować z innymi ludźmi.

Miałam zamiar zwrócić jej uwagę na to, że krzykliwość i gadatliwość nie zawsze świadczą o umiejętności dobrej komunikacji, ale sobie darowałam.

– Zależy mi na tym, żeby miał duże doświadczenie społeczne.

Pochyliła się i wypiła łyk wody. Jej długie opalone nogi stykały się ze sobą, nie zbliżały się natomiast do krzesła i prawie nie dotykały krótkich czarnych szortów.

– Ale on ma dopiero cztery lata.

W tym momencie Brytyjczyk zmieniłby temat. Rozmówcy bez słowa doszliby do przekonania, że nigdy się w tej sprawie nie zgodzą. Sharon zdawała się nie znać tej zasady. Musiała postawić na swoim.

– Zależy mi na tym, żeby moje dzieci były doskonalsze, bardziej inteligentne, bardziej obyte. Dlaczego miałabym nie chcieć, aby w pełni wykorzystywały swój potencjał?

W przeciwieństwie do Nathana jej dwuipółroczna córka Rachel była potulnym i uległym dzieckiem. Rachel, szczęściarę, poddawano fizykoterapii tylko trzy razy w tygodniu. Zajęcia miały poprawić jej sprawność na drabinkach, na których kiepsko jej szło, i wzmocnić jej chwyt, żeby pewniej trzymała ołówek.

Spodziewając się rychłego zwycięstwa w dyskusji, Sharon dorzuciła kolejny argument.

– No dobrze, dobrze. To jeszcze coś ci opowiem. Po terapii na Dolnym Manhattanie poszliśmy do Central Parku.

Nathan rzadko bywał na placu zabaw. Sharon uważała, że przez cztery miesiące w roku na zewnątrz panują zbyt niskie temperatury, a obecnie jest zbyt gorąco. Poza tym Nathan nie miał na to czasu, nawet teraz, podczas letnich wakacji. Co najmniej trzy godziny dziennie spędzał na terapii w gabinetach różnych analityków rozrzuconych po całym West Side. Sharon zalaminowała harmonogram jego terapii i nosiła go zawsze w torebce. Upierała się też, że potrzebuje pomocy niani z Karaibów, ponieważ sama nie dałaby rady dowieźć syna na wszystkie te sesje.

– Nathan wypatrzył sobie kamień i zaczął do niego mówić – ciągnęła Sharon. – W końcu położył się na ziemi, z głową na tym kamieniu.

Musiała przesadzać, bo przecież nigdy nie pozwoliłaby synowi położyć się na ziemi w parku. Pobrudziłby się albo nabawił anginy.

– Przejawia podobne zachowania jak prekursorzy dadaizmu. Nawet w najbardziej abstrakcyjnych przedmiotach potrafi zobaczyć sztukę. Dostrzega piękno tych przedmiotów. I wiesz, co sobie pomyślałam?

– Jak uroczo – uśmiechnęłam się, usiłując dopasować się do jej nastroju.

– Proszę cię! Nie o to chodzi. Pomyślałam: jaka szkoda, że nie potrafi opowiadać o swojej miłości do sztuki innym ludziom. Potrafi doświadczać jej tylko sam dla siebie.

Zdobyłam się jedynie na skinienie głową.

– To właśnie z tego powodu tak bardzo się staram uczynić go lepszym człowiekiem. Tak wielu rodziców uparcie nie akceptuje rzeczywistości. Ja się do nich oczywiście nie zaliczam.

Ta rozmowa stawała się dla mnie nieprzyjemna. Na szczęście w tym momencie usłyszałam, że Jessie i Josh wchodzą po schodach.

– Pozwolę sobie powiedzieć, że Josha należy zacząć uczyć odpowiedzialności. Powinien się dowiedzieć, że obowiązują pewne granice. Powinnaś skorzystać z pomocy.

– Sharon, cześć! Dobrze cię widzieć – przerwał jej Jessie, uśmiechając się do niej życzliwie.

Zastanawiałam się, czy słyszał, co powiedziała.

– Chcesz bajgla i kawę?

– Cześć, Jessie. Biedactwo, musisz być taki zestresowany.

Sharon nawet nie spojrzała na Josha, nie odezwała się do niego ani słowem.

– Właśnie mówiłam Annie, że powinna zgłosić się do terapeuty. Świetna babka przyjmuje tu niedaleko, na waszej ulicy.

Wzdrygnęłam się... ponieważ Jessie się nie wzdrygnął. Zareagował w sposób zupełnie dla mnie niezrozumiały. W każdym razie wtedy nie mogłam tego pojąć. W trakcie tej krótkiej rozmowy z Sharon nic przełomowego się nie stało, ani dla mnie, ani dla niego. Nawet później nie było to jeszcze oczywiste... aż do samego końca.

Jessie potakująco pokiwał głową.

– Zabawne, policjanci też sugerowali, że odrobina terapii by nie zaszkodziła. Zdaję sobie sprawę, że tutaj tak się właśnie robi.

– Co to jest terapia? – wtrącił się Josh.

– Pomoc – odpowiedziałam szybko. – Byłeś na posterunku?

– Żeby przeprosić. Wydawało mi się, że powinienem.

– Postąpiłeś słusznie – potwierdziła Sharon. – Gdyby wezwano opiekę społeczną, jej przedstawiciele na pewno nalegaliby na terapię.

– Tak sądzisz? – powiedział Jessie i popatrzył na mnie uważnie, chcąc się przekonać, czy to do mnie dotarło.

Nagle naszło mnie wspomnienie z dzieciństwa. Miałam sześć lat i bawiłam się w ogrodzie rodziców. Wspięłam się między konary kasztanowca i wchodziłam coraz wyżej. Wokół mnie było coraz więcej gałęzi. Usiadłam między nimi i spoglądałam w dół przez gęstwinę rozłożystych liści. Po chwili zobaczyłam ojca, nigdy wcześniej nie wydawał mi się taki malutki. Zadarł głowę i zaczął coś do mnie mówić. Ponieważ dzieliła nas ogromna odległość, nachyliłam się, żeby mu odpowiedzieć. Spadłam. Gałęzie, po których wspinałam się na górę, teraz, łamiąc się, drapały mi skrócę, aż w końcu całym ciężarem ciała wylądowałam na ramieniu, ponieważ to ono pierwsze dotknęło ziemi. Złamałam lewy nadgarstek i przedramię w kilku miejscach. Mamy nie było w domu, a samochód ojca stał popsuty. Ojciec unieruchomił mi ramię za pomocą dużego patyka i bandaża elastycznego. Potem wsadził mnie na rower i na stojąco pedałował przez całą drogę do szpitala.

Nigdy nie przyszło mi do głowy, żeby uznać to za przejaw zaniedbania. Moi rodzice podchodzili do wychowywania dzieci liberalnie i swobodnie. Wydawało mi się, że my też, ale może się myliłam?

W każdym razie wtedy powiedziałam:

– Ja się nieraz poobijałam. Dzieci tak mają. Zresztą Joshowi nic się nie stało i nic mu nie groziło. To wszystko jest śmieszne.

Wyprostowałam się bardzo energicznie i natychmiast poczułam tępy ból w barku.

Jessie odezwał się dopiero po chwili:

– Nancy i Howard przeraziliby się, gdyby się dowiedzieli o twojej przygodzie z policją.

Wbrew sobie upierałam się przy swoim.

– Dlaczego? To nie była moja wina.

Jessie chciał już zakończyć temat.

– Ale tak to zostanie odebrane.

Wydałam z siebie gardłowy dźwięk, który miał wyrażać moje zniecierpliwienie. Nie miałam jednak pretensji do Jessiego, bo sam przecież nie mógł tak myśleć.

Sharon wstała i chcąc mnie trochę udobruchać, nachyliła się do mnie i powiedziała:

– Kochanie, pożyczę ci mój egzemplarz Mela Levine'a.

– Przepraszam, kogo? – Moje słowa zabrzmiały gderliwie i nieprzystępnie.

– Nie słyszałaś o nim? To jeden z najlepszych psychologów dziecięcych. *Odkryj zdolności swojego dziecka* to absolutnie genialna książka.

Zdobyłam się na grymas.

Jessie z beztroskim uśmiechem poszedł po talerze i kubki. Obietnicą przeczytania książki udało mi się odwieść Sharon od tematu terapii. W końcu przeszliśmy do wnikliwych rozważań o restauracjach. Tamten temat odszedł w zapomnienie.

Przeprosiliśmy Sharon, ponieważ nadszedł czas, by wyjść z Joshem do parku.

Sharon nie miała chyba ochoty rezygnować z naszego towarzystwa, ale ostatecznie pozwoliła nam cieszyć się popołudniem w rodzinnym gronie.

– Pamiętajcie, że was kochamy.

Jessie przyjął dość dziwaczną pozycję, obejmując Josha nogami. W ten sposób siedzieli na szczycie zjeżdżalni na terenie zacienionego placu zabaw imienia Diany Ross. Pomachali do mnie z góry. Odmachałam im, gdy już ruszyli w dół z piskiem. Przyczepne podeszwy butów i ciężar Jessiego trochę ich hamowały, ale obaj świetnie się bawili. Właściwie trudno było stwierdzić, który z nich jest chłopcem, a który mężczyzną. Josh uwielbiał, gdy ktoś go gonił po drabinkach linowych i po drewnianych chodnikach. Jessie nie potrafił mu odmówić. Zawsze trzymał się o krok za nim, ale nigdy go nie chwytał. Wydawał tylko przerażające dźwięki i wyciągał ręce w jego stronę.

Uwielbiałam chodzić z Joshem do Central Parku. Chodziliśmy tam codziennie, nawet jeśli z nieba lał się żar. Mały chłopiec bawiący się w blasku słońca miał w sobie coś, co wydawało mi się esencją dzieciństwa. Obrazu dopełniała postać dorosłego mężczyzny, jego ojca, który za nim biegał. Nawet pomimo bólu w barku napawałam się każdą sekundą tego popołudnia – po wydarzeniach ubiegłej nocy jakoś bardziej doceniałam takie chwile. Znowu byliśmy rodziną.

W końcu nakłoniliśmy Josha do zejścia z huśtawki wykonanej z opony od ciężarówki. W tym celu musieliśmy mu obiecać, że wrócimy tu następnego dnia z samego rana. Biegł 82 Ulicą kilka kroków przed nami, machając rękami, jakby naśladował wiatrak. My szliśmy za nim z uśmiechami na twarzy i z poczuciem rodzicielskiej dumy, którą napawała nas jego życiowa energia.

Przy wejściu do budynku spotkaliśmy naszą kulejącą długowłosą sąsiadkę. Właśnie wprowadzała po schodach swojego wielkiego, włochatego psa.

– Wszystko w porządku? – zapytała z cierpkim uśmiechem. – Ten dzieciak wciąż pakuje się w tarapaty.

Już wiedziałam, kto na mnie zakablował.

– To pani zadzwoniła po policję?

– Ja – odpowiedziała bez żadnego zażenowania ani poczucia winy. – Siedział tam zamknięty. – Uśmiechnęła się, dumna z siebie. – A w jego przypadku tak łatwo o wypadek.

Widziała kiedyś, jak Josh spadł ze schodka przy wejściu do budynku. Zdarzyło się to raz. Szukałam dobrej odpowiedzi, jednocześnie uszczypliwej i subtelnej, ale zanim zdążyłam coś wymyślić, kobieta i olbrzymi afgan zniknęli za drzwiami. Jak źle musi się żyć temu wielkiemu zwierzęciu w jej małym mieszkaniu!

Zanim trzasnęła drzwiami, rzuciła jeszcze:

– Niech pani na siebie uważa, Anno.

4

Jessie nie wspomniał więcej o terapii. Tydzień później nie pamiętałam już o tym, jak zareagował na uwagę Sharon. Może tak to jest, że szczęśliwe pary po prostu wymazują z pamięci wszelkie zdarzenia, które nie wpisują się w obraz dobrego małżeństwa. My byliśmy szczęśliwi. Nie próbuję nas bronić. Taka była prawda. Jak mogłam się jednak przekonać, gdy siedzieliśmy z jego rodzicami w Bemelmans Bar w hotelu Carlyle, każda prawda kryje w sobie coś mrocznego.

Każdy element tego lokalu doskonale pasował do rodziców Jessiego. Bemelmans był pół Francuzem, pół Niemcem, a przy tym autorem i ilustratorem znanej serii książeczek „Madeline", których akcja rozgrywała się w szkole zakonnej w Paryżu. Gdy zlecono mu pomalowanie baru, Bemelmans przyozdobił ściany wizerunkami zwierząt bawiących się w Central Parku, w tym między innymi słonia na łyżwach. To bez wątpienia dodawało lokalowi uroku. A Nancy była zagorzałym eurofilem.

Malunki przyćmiewał nieco luksusowy wystrój w stylu art déco: podświetlone szklane kolumny, czarne szklane blaty z metalowymi okuciami i siedziska w brązowej skórze – a to wszystko pod sufitem mieniącym się dwudziestoczterokaratowym złotem. Bar nie miał okien, co przywodziło na myśl romantyczne skojarzenie z czasami prohibicji.

Mieszkańcy Londynu mają w zwyczaju regularnie chodzić na piwo, a Howard i Nancy w każdy piątek w porze koktajlowej rezerwowali stolik w Bemelmans Bar (opłata serwisowa wynosiła dwadzieścia dolarów od osoby). Zaczęliśmy chodzić tam z nimi, jako ich „stałe towarzystwo". Zamawiali zawsze swoje ulubione koktajle letnie, lżejsze, ale za to większe objętościowo. Popijali je z konsekwencją godną lepszej sprawy aż do Labor Day[*], a potem przerzucali się na swoje ulubione mocniejsze drinki. Ponieważ data graniczna, niezależnie od pogody wyznaczająca koniec nowojorskiego lata, jeszcze nie nadeszła, Nancy miała przed sobą Old Cuban, czyli mojito przyrządzone z wieloletniego rumu i gorzkiego likieru z dodatkiem szampana, natomiast Howard delektował się gin-gin mulem, w skład którego wchodziły gin, piwo korzenne, świeża mięta i sok z limonki.

Gdy przyszliśmy, Nancy i Howard siedzieli już w rogu kanapy w kształcie litery S. Drinki stały przed nimi na stoliku, który dotykał ich kolan.

Howard mógłby uchodzić za zamożnego księgowego z Guildford, który wolny czas spędza na polu golfowym. Był postawnym człowiekiem, a swoją posturę zawdzięczał w równej mierze ćwiczeniom, jak

* Amerykańskie święto obchodzone w pierwszy poniedziałek września (przyp. tłum.).

i przesadnie obfitym posiłkom. Co rano grał w tenisa, a resztę dnia poświęcał na dyskusje o tym, czy następnego dnia należy rozegrać partię na zewnątrz, czy w hali. Poza tym skupiał się na spożywaniu posiłków w różnych lokalach na East Side, w szczególności w eleganckiej restauracji La Grenouille. Ponieważ ubierał się tak, że mógłby zostać chodzącą reklamą Brooks Brothers – zawsze miał na sobie sportową marynarkę lub blezer, luźne spodnie i mokasyny – robił dość nierealistyczne wrażenie, szczególnie w towarzystwie Nancy występującej w olśniewających i podkreślających sylwetkę kreacjach.

Poza ludźmi chorującymi na raka nigdy nie widziałam nikogo tak szczupłego jak Nancy. Cała tkanka podskórna już dawno zniknęła. Nos i kości policzkowe wyraźnie się wyróżniały, a oczy ginęły głęboko we wnętrzu czaszki. Czoło przykrywała długa grzywka w stylu lat sześćdziesiątych, w kolorze głęboki blond. Dzisiaj miała na głowie zamszową opaskę, która oddzielała grzywkę od reszty gładkich lśniących włosów ostrzyżonych na pazia. Opaska została dopasowana kolorystycznie do jasnobrązowych zamszowych spodni. Nie należy z tego bynajmniej wnioskować, że Nancy ubierała się tandetnie. Na jej rachunkach za zakupy widniały niezliczone zera, a podczas wizyt w Bergdorfie korzystała z pomocy osobistego doradcy. Do zamszowych spodni założyła białą kaszmirową koszulkę bez rękawów i masywne bransoletki ze złota. Połączenie tych wszystkich elementów miało w sobie coś czarującego.

Żyjąca gdzieś w moim wnętrzu czytelniczka „Guardiana" z Kentu uznawała te wydatki za przejaw snobizmu. Oczywiście w rzeczywistości jej pieniądze robiły na mnie ogromne wrażenie, podobnie zresztą jak ich ostentacyjne wydawanie. Pocieszałam się myślą o licznych operacjach plastycznych, którym Nancy z pewnością się poddała. Na Upper East Side operacje plastyczne traktowano jako naturalne rozszerzenie wachlarza normalnych zabiegów kosmetycznych. Ludzie wychodzili z założenia, że takim zabiegom nie poddają się tylko ci, których na to nie stać. Przyglądając się Nancy z bliska, doszłam do wniosku, że musiała dać sobie wszczepić implanty w policzki, poprawić powieki i delikatnie zmienić kształt ust (w żadnym razie nie przypominała jednak spuchniętego pawiana). Niemniej w jej przypadku żadne cięcia i naciągnięcia nie mogły pomóc na to, że pod skórą nie odkładał się nawet gram tłuszczu.

Owszem, zgodzę się, że z tego opisu sączy się jad. Uprzedzam więc, że nie jestem w tej kwestii obiektywna. Nancy była kimś więcej niż tylko jedną z wielu kościstych przedstawicielek świata Upper East Side, które jako osoba mieszkająca po niewłaściwej stronie Madison Avenue mogłam podziwiać i jednocześnie z zazdrością krytykować. Nancy miała odegrać kluczową i destrukcyjną rolę w tym, co mi się przydarzyło. W takich okolicznościach nikt nie zdołałby zachować obiektywizmu. Przyznaję, elegancji nie można jej odmówić. Wyglądała idealnie. Wyglądała jak kobieta, która ma władzę.

Zazdrościłam jej doskonałości. Nancy miała niezaprzeczalny urok, choć traciła go przy bliższym poznaniu. W jej towarzystwie czułam się w pewnym sensie nie na miejscu. Nie chodziło zresztą wyłącznie o ubranie. Nancy nawet nie próbowała kontrolować swojej fizyczności, i to mnie onieśmielało.

Chichotała jak dziewczynka, wyglądając spod swojej gęstej grzywki. W takich chwilach jej twarz łagodniała i nabierała uderzającego piękna. Światu ukazywała się wówczas atrakcyjna dziewczyna, którą Nancy niewątpliwie kiedyś była. Rzecz w tym, że teraz Nancy była macochą Królewny Śnieżki, która nie potrafi uwierzyć w to, co widzi w lustrze. Gdy kobieta po sześćdziesiątce pokazuje wszem wobec wnętrza swoich pach, odnosi się dziwne wrażenie, że jest naga. Nawet w tak niemiłosiernym upale.

Nancy siedziała między Howardem a Jessiem pochylona w stronę Jessiego, jakby chciała poczuć jego ciepło. Jessie przysunął się do niej. Zdawał się wyczuwać jej potrzebę.

Starałam się lekko uśmiechać. Trochę utrudniało mi to przekonanie, że teoretycznie ubrałam się niedostatecznie elegancko. Zawsze miałam ten problem, gdy wychodziliśmy gdzieś z Howardem i Nancy. Występowałam w swoim najbardziej wykwintnym stroju – w czarnych butach Steve'a Maddena na trzynastocentymetrowych drewnianych koturnach, kwiecistej jedwabnej bluzce i czarnych obcisłych spodniach. Upięłam włosy i założyłam duży naszyjnik z zielonym kamieniem. Mimo to z jakiegoś powodu moja blada skóra, mało wyraziste rysy twarzy, szare oczy i proste jasnobrązowe włosy nie mogły się równać z kreacjami i opalenizną Nancy.

Tamtego wieczoru nie mogłam przestać się na nią gapić. Aby to ukryć, wtrąciłam się w żartobliwą i radosną rozmowę Howarda i Nancy słowami:

– Mamy wam do opowiedzenia niesamowitą historię.

Zważywszy na wcześniejsze ostrzeżenie Jessiego, może się to wydawać głupie, ale odezwałam się zupełnie bez zastanowienia. Wtedy jeszcze nie analizowałam szczegółowo każdego swojego posunięcia. Nancy zafundowała nam najbardziej powściągliwy ze swoich uśmiechów. Howard poszedł jej śladem. Miał superbiałe zęby.

– Jessie, nic mi nie powiedziałeś. Cóż to za historia? Mam nadzieję, że nie chodzi o kolejną kontuzję sportową. Wam się zawsze coś musi przytrafić.

Z pełnym uśmiechem, w atmosferze szczęśliwości. Toast: dwa old cubany i dwa gin-gin mule zderzają się ze sobą.

Wymieniliśmy z Jessiem spojrzenia. Miałam zamiar zmienić temat i udać, że nie pamiętam, o czym chciałam opowiedzieć. Miałam zamiar zrobić z siebie idiotkę. W imię spokoju, harmonii i piątkowych koktajli w Bemelmansie.

Być może z winy dwóch gin-gin muli, które już wypił, a być może dlatego, że za bardzo przejmował się ich reakcją – w każdym razie Jessie wykonał ręką gest, któremu towarzyszył przesadnie zmartwiony wyraz twarzy, z której mogłam wyczytać: „Nie mów im o policji".

Uznałam, że Jessie nie ma racji. Historia o policjantach skaczących z dachu z pewnością rozbawi Howarda i Nancy. Nie mogłam się powstrzymać.

– No więc policjanci z NYPD zeszli z dachu na nasz taras… wtargnęli do naszego mieszkania… do naszej sypialni. Uzbrojeni!

Spodziewałam się śmiechu wyrażającego zdumienie i przerażenie jednocześnie. Tymczasem oni oboje milczeli.

– Wtedy byłam przerażona – ciągnęłam – ale teraz wydaje mi się to raczej zabawne.

Jessie uśmiechnął się dość głupkowato. Nie ulegało wątpliwości, że za dużo wypił.

– Tak, Nancy, możemy powiedzieć to sobie otwarcie. Anna weszła w konflikt z nowojorską policją. Służbom Jej Królewskiej Mości by się to nie spodobało.

Jessie zawsze potrafi, a właściwie potrafił, odnaleźć się w sytuacji, chyba że był pijany – wtedy wykazywał się jakby celową nieostrożnością. Prawdopodobnie w ten sposób odreagowywał to, że przez resztę czasu tak bardzo się pilnował.

Ponownie uśmiechnął się szeroko sam do siebie.

Howard zakaszlał nerwowo.

– Coś ty takiego zrobiła?

Wyczuwałam w jego tonie nutę jawnej agresji, ale... był przecież moim teściem.

– Po zmianie czasu Josh nie mógł spać. Najwyraźniej nowojorska policja nie ma zbyt wiele doświadczenia z takimi sytuacjami.

Nawet ta delikatna kpina z policji została źle odebrana.

– Policjanci wykonują kawał dobrej roboty dla Nowego Jorku. Poradzili sobie z przestępczością na Manhattanie. Chciałbym wiedzieć, dlaczego musieli wtargnąć do waszego mieszkania. – Z każdym kolejnym zdaniem Howard zdawał się tracić dobre maniery.

– Josh siedział w nocy na tarasie. Nie groziło mu żadne niebezpieczeństwo – zaprotestowałam.

Jessie chyba zasnął. Rzeczywiście miał za sobą trudny tydzień, ale mimo to przeszkadzało mi, że mnie nie wspiera.

– Tak czy owak, nic strasznego się nie stało, jak by to powiedziała moja matka. – Liczyłam na to, że tym frazesem poskromię trochę zapędy Howarda.

– Przecież to skrajnie niebezpieczne.

Nancy pozwalała Howardowi wyżywać się na mnie. Czekała. Zupełnie jakby zależało jej na tym, żebym się trochę zmęczyła, zanim ona ruszy do ataku. A może alkohol robił ze mnie paranoiczkę?

– Z moich doświadczeń wynika, że winę zawsze ponoszą kobiety. Czasami nienawidzę własnej płci – w jej słowach dało się słyszeć dumę. – Oczywiście jestem wielką fanką mężczyzn.

Jessie się roześmiał, a Howard uśmiechnął.

– Przepraszam – powiedziałam z naciskiem. Liczyłam, że to wystarczy, aby ją uciszyć.

Można było odnieść wrażenie, że mnie podrywa. Zafundowała mi uwodzicielski grymas, który ewidentnie dobrze działał na mężczyzn.

– Anno, kochanie. Skłonna byłam sądzić, że z uwagi na twoje... sama rozumiesz... trudności, będziesz otaczać Josha nieco lepszą opieką.

Przez trzy lata próbowałam zajść w ciążę, zanim ostatecznie zdecydowaliśmy się na zapłodnienie in vitro. Za pierwszy zabieg zapłaciliśmy z własnej kieszeni, drugą próbę sfinansowali moi rodzice. Nie mogliśmy ponownie prosić ich o wsparcie, sami też nie mieliśmy już pieniędzy, w związku z czym przed trzecią próbą Jessie musiał się zwrócić do Nancy i Howarda. Na szczęście tym razem się udało i urodził się Josh. Denerwowałam się na myśl o tym, że Josh został sztucznie wyprodukowany i że zapłaciła za niego bogata macocha

Jessiego. Zaczęło mi to przeszkadzać jeszcze bardziej, gdy ją poznałam.

Tymczasem ona wspominała o tym zupełnie bez żenady. Nie bawiła się ze mną w kotka i myszkę, jak to kobiety mają w zwyczaju, tylko przeprowadziła typowo męski frontalny atak. Moje milczenie potraktowała jako uznanie swoich racji.

– Wiesz, gdybyś potrzebowała pomocy – nachyliła się ku mnie, jakby chciała powiedzieć mi coś w zaufaniu, jak kobieta kobiecie – wiem, że niedaleko was prowadzi gabinet doskonała terapeutka. Ma świetną opinię.

Mówiła takim tonem, jakim mówi się o kawiarni, w której przy kawie można sobie zrobić manikiur. Ja oczywiście odebrałam to zupełnie inaczej.

Jessie podniósł głowę i pokiwał mi palcem.

– Ha, widzisz, Sharon ma rację. Powinnaś iść do psychiatry.

Opadła mu głowa.

– Nie bądź śmieszny – skomentowałam. – Czy moglibyśmy zmienić temat?

– Zamówimy następną kolejkę – wymamrotał Jessie.

Pojawił się kelner, a potem nasze drinki, ale atmosfera zupełnie się zmieniła. Pocieszałam się tylko myślą, że Jessie znów się z tego śmieje. Był zbyt pijany, żebym mogła porozmawiać z nim o tym w drodze powrotnej do domu. Zanim jednak nastał poranek, mój gniew wyparował. Wspomniałam tylko o docinku Nancy na temat terapii.

Jessie zbagatelizował całą sprawę.

– Nie chciała ci sprawić przykrości, Anno. Oni tu

wszyscy chodzą do terapeutów. To jak poranna gimnastyka. Specjalnie się nad tym nie zastanawiają.

Nie przekonało mnie to. Jako macocha Nancy była trudna. Co jednak mogłam na to poradzić? Mogłam najwyżej się nią nie przejmować.

5

Było nam kiedyś bardzo dobrze razem, Jessiemu i mnie. Pod wieloma względami byliśmy dla siebie stworzeni. Nadal uważam, że to prawda. Nadal potrafię cieszyć się naszym wspólnym szczęściem.

Wybieraliśmy się na przyjęcie. Po całym dniu w sportowych spodniach i adidasach wprost marzyłam o tym, żeby przez kilka godzin błyszczeć i niczym się nie martwić. Nowy Jork dostarczał wszelkich powodów po temu, żeby się elegancko ubierać. Szampan, rzucające się w oczy trójkątne obcasy, obcisła sukienka. Zamykając za sobą frontowe drzwi, a za nimi opiekunkę do dziecka, wprost niesamowicie elegancką studentkę z Columbii, poczułam nagły przypływ buntowniczego entuzjazmu.

Szliśmy w kierunku Amsterdam Avenue. Nasze palce splatały się w uścisku, a ramiona kołysały lekko. Wrześniowy wieczór był na tyle ciepły, że mogłam spokojnie obyć się bez sweterka. Pod wpływem nadziei i wielkich emocji związanych z faktem przebywania poza granicami własnego kraju zdecydowaliśmy się wypić parę drinków jeszcze przed przyjęciem. Nigdy nie chodziliśmy dwa razy w to samo miejsce.

Trzeba przecież wykorzystywać potencjał miasta pełnego barów. Tego wieczoru po prostu szliśmy – przyglądając się ludziom, przyglądając się barom i restauracjom. Na chodnikach panował ruch, nawet w poniedziałek wieczorem. Widok tak wielu ludzi wychodzących do miasta na kolację przepełniał mnie energią – single, pary, całe rodziny. W ogródku połyskującego czernią Hi-Life'u, baru i restauracji na rogu 83 Ulicy i Amsterdam Avenue nie było ani jednego wolnego miejsca. Wolnych stolików brakowało też naprzeciwko, u Freda, czyli w zadziwiająco popularnym lokalu, który równie dobrze mógłby się znajdować w Surrey (w środku na ścianie jedno przy drugim wisiały liczne zdjęcia psów). Z pewnym trudem utrzymywałam równowagę na obcasach, ale maszerowałam dzielnie, mijając kolejne przecznice. Mniej więcej na wysokości 98 Ulicy Amsterdam Avenue stawała się mniej nadęta, mniej wyrafinowana. Żydowskie delikatesy, włoskie restauracje, dziwne sklepy rybne i krzykliwe bary oferujące manikiur przy kawie. Wszędzie tłumy, wszędzie ruch. Skręciliśmy w prawo i 98 Ulicą przeszliśmy do Columbus Avenue. Z komina wychodzącego na ulicę wydobywała się para. Gdy okazało się, że tędy nie przejdziemy, cofnęliśmy się, mijając kobietę, zapewne tajskiego pochodzenia, pchającą wózek wypakowany po brzegi workami z praniem, zakonnicę na rowerze i policjanta z papierosem. Obok przepychały się żółte taksówki. Uszy wypełniał nam jednostajny szum ulicy. Nie zatrzymywaliśmy się. Nowy Jork pchał nas do przodu.

W końcu wybraliśmy bar oddalony o kilka przecznic od naszej ulicy. Z uwagi na swój beztrosko współczesny charakter z pewnością pękałby w szwach, gdyby znajdował się w Londynie lub w innym większym brytyjskim mieście. Tutaj, w mieście wielu możliwości, w ten akurat poniedziałkowy wieczór lokal nie cieszył się szczególnym powodzeniem. Natychmiast podeszła do nas rozpromieniona Chinka, cała ubrana na czarno. Wymieniliśmy z Jessiem uśmiechy. Jeszcze nie przestało nas zachwycać, że wszędzie możemy liczyć na życzliwe powitanie, a nie na gburowate pomruki. Tę pozornie uniwersalną prawdę – że wszyscy nowojorczycy obsługują klientów z uśmiechem na twarzy – potwierdzają oczywiście liczne wyjątki, ale w tamten uroczy wieczór nic nie miało zburzyć naszego idealistycznego wyobrażenia o Nowym Jorku.

Wybraliśmy sobie miejsce na brązowej skórzanej sofie ustawionej przy wielkich oknach wychodzących na ulicę. Chcieliśmy mieć widok na chodnik.

Podając nam menu, kelnerka życzliwie nas zagadnęła:

– Hej, jesteście z Anglii!

Byłoby naiwnością sądzić, że ten paszport nadal ma wartość.

– Tak, ale mieszkamy tutaj. – Delikatnie szturchnęłam Jessiego nogą, dumna, że dopięliśmy swego.

Jessie podzielał moje uczucia.

– Tak, moja żona jest Brytyjką. Ale ja właściwie jestem Amerykaninem. Mój ojciec pochodzi z Nowego Jorku, więc czuję się tu u siebie.

Można było odnieść wrażenie, że Jessie stara się udzielić entuzjastycznej odpowiedzi na entuzjastyczne pytanie. Ale może wcale nie o to chodziło...

– Ach, super! – Kelnerka mogła się tylko uśmiechnąć, ponieważ nic więcej nie powiedzieliśmy.

Słowa Jessiego rozbrzmiały ponownie w mojej głowie, dopiero kiedy w milczeniu rozstrzygaliśmy dylemat, czy pić pinot noir czy merlot. Po raz pierwszy przedstawił się jako Amerykanin. Przypominało to trochę zmianę biegów w samochodzie podczas szybkiej jazdy – łatwo nie zwrócić na to uwagi. Tak też właśnie wtedy zrobiłam, uznając to stwierdzenie za przejaw dążenia do poszukiwania płaszczyzny porozumienia z każdym rozmówcą.

Jego całkowicie odruchowe wyrzeczenie się obywatelstwa odeszło w niepamięć wraz z brzękiem stukających się kieliszków. Skupiliśmy się na streszczaniu wydarzeń mijającego dnia, co będąc poza domem, robiliśmy chętnie i z łatwością. Każdy kolejny dzień składał się na nasze nowojorskie doświadczenie, które powinno stanowić inspirację dla mojej sztuki – chociaż od przyjazdu jeszcze nic nie namalowałam. Właściwie nie miałam żadnej wymówki, ponieważ w pokoju Josha nie brakowało miejsca, a drewniane podłogi można było umyć bez trudu. Chociaż w moim nowojorskim życiu więcej się działo, z jakiegoś powodu brakowało mi weny.

– Jak ci minął dzień? – zwróciłam się do Jessiego.

– Mnóstwo pracy, głównie Liban.

Jessie mówił o problemach innych krajów tak, jak inni ludzie rozprawiali o marżach, zysku lub datach realizacji zleceń. Robiło to na mnie wielkie wrażenie i wzbudzało podziw. Głównie dlatego, że wydarzenia rozgrywające się w ciągu zwykłego dnia jego pracy miały charakter globalny. Robił coś naprawdę ważnego. Nabierając pewnego dystansu, jakiego nabywa się wraz z obniżaniem się poziomu pinot noir w kieliszku, uświadomiłam sobie, że Jessie jest tak atrakcyjny po części ze względu na swoją pracę.

Jessie westchnął.

– Stosy dokumentów, z których nigdy nic nie wynika.

W jego ustach zabrzmiało to dziwnie.

– Dyplomacja to jedyna droga. Zawsze to powtarzasz.

– Wiem. – Z jakiegoś powodu odsunął się ode mnie. – Ale w pewnym momencie uświadamiasz sobie, że tylko pieniądze dają prawdziwą władzę.

– Bzdura! W Anglii nie brakuje ludzi, którzy nie mają wcale olbrzymich majątków, a mimo to wiele od nich zależy.

– Tylko jeśli urodzili się kimś. A gdy zdobywasz majątek, zyskujesz też władzę.

Usłyszałam w jego głosie zaskakującą stanowczość. Zbiło mnie to z tropu. Przecież sam wybrał sobie karierę w dyplomacji, a nie w finansach.

– Jak Nancy – wtrąciłam.

Milczał przez chwilę, pewnie zastanawiając się nad przypadkiem Nancy.

– Owszem.

– Jak smakuje nasze flagowe pinot noir z Willamette Valley? – Kelnerka pochyliła nad nami swoją żyrafią szyję. Świetne wino, ale czy nie mogłaby uszanować naszej prywatności?

Jak się jednak okazało, Jessie chętnie skorzystał z okazji, żeby zmienić temat.

– Bogata nuta czarnej porzeczki. Co sądzisz, Anno?

– Tak, wspaniałe. Dziękujemy.

Głowa żyrafy wciąż wisiała nad nami.

– To *Bezdroża* zainspirowały nas do tego, żeby go spróbować – Jessie z entuzjazmem zwrócił się w jej stronę.

– Ach, uwielbiam ten film. Urodziłam się i wychowałam w Pasadenie.

– Naprawdę? A co panią skłoniło do przeprowadzki do Nowego Jorku? – Jessie napełniał nam kieliszki.

– Może wypije pani lampkę?

Nie, nie, nie!

– Jest pan przemiły. Niestety, muszę odmówić.

Czy to się kiedyś skończy? Anna, daj spokój, nie zachowuj się jak sztywna Brytyjka. Daj się ponieść amerykańskiej swobodzie! Jakoś nie mogłam się na to zdobyć.

– College. Zaczęłam właśnie studia na Columbii.

– Nasza niania studiuje na Columbii. Megan McCloughin?

Czy wyszłam z domu po to, żeby rozmawiać z jakąś studentką o naszej opiekunce do dziecka?! Przykro mi, ale zdecydowanie mi to nie odpowiadało.

– Jessie, czas już iść na przyjęcie.

W tym momencie żyrafa przeobraziła się w papugę.

– Idziecie na przyjęcie, jak fajnie! Gdzieś na Górnym Mahnattanie?

– Nie, na Dolnym. W pobliżu Williamsburg Bridge – odparłam krótko, mając nadzieję, że aluzja nie okaże się zbyt subtelna jak dla jankesa. Myliłam się.

– Ja mieszkam w Williamsburgu. Jest jakby totalnie artystyczny. To jakby najbardziej w nim lubię.

Byłam gotowa wylać na nią moje wino, gdyby jeszcze raz powiedziała „jakby".

– To takie świetne miejsce, zostańmy tu. Nie chce mi się łazić aż na Dolny Manhattan, żeby spędzać czas z bandą cudzoziemców – stwierdził Jessie.

Teoretycznie się z nim zgadzałam, tylko że ten bar nie miał już u mnie szans. Trzy osoby to już tłum, zwłaszcza jeśli jedną z nich jest nieposkromiona kelnerka.

– Całe rano spędziłam na rozmowach z Dirkiem i Argentynką ze sklepu spożywczego… a, i jeszcze z matkami w szkole. Chciałabym się trochę rozerwać. – W swoim głosie usłyszałam dziecinne marudzenie.

– W porządku. – Jessie uśmiechnął się ze zrozumieniem, głaszcząc mnie po dłoni. – Ale powinniśmy też spróbować lepiej poznać Amerykanów.

6

Miałam okazję poznać prawdziwą Amerykankę, urodzoną i wychowaną w Nowym Jorku. Z daleka sprawiała wrażenie idealnie zadbanej, doskonałej. Z bliska dostrzegało się jednak, że podobnie jak wielu nowojorczyków ma zniszczoną cerę. Syberyjskie zimowe wiatry, sierpniowy skwar i ogólne zanieczyszczenie powietrza – żadne pieniądze nie są w stanie zapobiec szybkiemu starzeniu się nowojorskich twarzy.

Dyrektorka międzynarodowego przedszkola, do którego uczęszczał Josh, była Amerykanką, podobnie jak większość jej podopiecznych. Międzynarodowość pozostawała raczej w sferze deklaracji niż faktów. Ubierała się w stylu godnym wiceprezesa korporacji, w podobnym stylu zarządzała też swoim „biznesem", czyli placówką edukacji przedszkolnej. Niewątpliwie miała czym zarządzać, ponieważ opłata za opiekę nad Joshem przez pięć dni w tygodniu od rana do godziny dwunastej w południe wynosiła 17 800 dolarów rocznie. Gwoli prawdy muszę dodać, że to nie my ponosiliśmy koszty czesnego. Byłam wdzięczna Nancy za to, że w ostatniej

chwili zdołała załatwić Joshowi miejsce w jakimkol-
wiek przedszkolu. Nancy zasiadała w zarządzie tej
placówki.

Dyrektorka, a właściwie jej asystentka, zadzwoniła
do mnie we wtorek wczesnym rankiem.

– Paula chciałaby, żeby pani do nas wpadła.

Zdążyłam się już nauczyć, że w takich pozornie
niezobowiązujących sformułowaniach należy do-
patrywać się drugiego dna. Dyrektorka chciała się
ze mną spotkać nie w dowolnym momencie w ciągu
kilku najbliższych tygodni, ale jeszcze dzisiaj. Zaproponowałam, że pojawię się na dziesięć minut przed
odebraniem Josha, czyli przed dwunastą.

– Dobrze. A może przyszłaby pani o jedenastej?

– Dobrze – odpowiedziałam jak echo, wykrzywia-
jąc się do słuchawki.

Stałam naprzeciwko niej. Nie dostrzegłam niczego,
co mogłoby świadczyć o tym, że znajduję się w gabinecie dyrektora przedszkola. Jedyne nawiązanie
do dzieciństwa, do dziecinnego życia, stanowiły dwie
elegancko oprawione fotografie jej własnego potom-
stwa. Było tu zbyt porządnie, zbyt czysto. Ona sama
też była zbyt porządna i zbyt czysta. Dlaczego nie ma
na sobie ogrodniczek umazanych farbkami? Dlaczego nie ma długopisu zatkniętego w rozwichrzonych
włosach?

Palcami zadbanych dłoni gładziła notatki, które
przygotowała na nasze spotkanie. Na „nasze małe
rendez-vous", jak to nazwała.

– Na pewno jest pani bardzo szczęśliwą mamą
– zaczęła.

Zostałam zaszufladkowana. Ona była Paulą, a ja
byłam mamą.

Skrzyżowałam nogi, licząc na to, że zobaczy mój tatuaż. Wpatrywała się we mnie intensywnie, więc ze zgrzytem odsunęłam krzesło od stołu i ponownie ustawiłam nogi równolegle do siebie.

– Właściwie jestem dziś w nie najlepszej formie. Mam za sobą intensywny wieczór – zaryzykowałam.

Ta informacja została odebrana bez uśmiechu i bez komentarza.

Czym prędzej zmieniłam więc temat:

– Josh szybko się odnalazł w nowym miejscu.

Paula spojrzała w swoje notatki z widoczną determinacją.

– Obawiam się, że doszło do incydentu.

Incydent. Na dźwięk tego słowa natychmiast znalazłam się myślami z powrotem w łóżku, znad którego dobiegały mnie okrzyki policjantów. Potem przypomniałam sobie jednak, że mówimy tylko o przedszkolu. Rozpaczliwie pragnęłam szklanki wody i kawy. Chciałam już stąd wyjść.

– Zachowanie Joshuy bardzo nas zaniepokoiło.

Cóż on mógł takiego zrobić? Spodziewałam się, że za chwilę na jej twarzy pojawi się uśmiech.

– Joshua celowo podwinął wczoraj dywan – powiedziała cicho i ostrożnie.

Zrobiła pauzę, pozostawiając mi możliwość ustosunkowania się do tego stwierdzenia. Nie miała zamiaru się uśmiechać.

W końcu dodała bardziej zdecydowanie:

– Rozwijając się, dywan spowodował poważne obrażenia u jednego z dzieci.

Ponownie zamilkła na chwilę, aby podkreślić powagę sytuacji. W ogóle się nie poruszyła. Ja również zamarłam w bezruchu.

– Dziecko uderzyło głową o kant biurka. Trzeba je było odwieźć do szpitala.

Paula znów przerwała, abym mogła przyswoić sobie treść jej słów.

– Strasznie mi przykro. Tak mi przykro. Czy z tym dzieckiem jest wszystko w porządku?

– Dziewczynka prawdopodobnie będzie miała bliznę.

– To okropne. O kogo chodzi? Muszę zadzwonić do jej rodziców.

Paula nie zamierzała dać się zbić z tropu moimi pomrukami współczucia.

– Kiedy nauczycielka zaczęła wypytywać go, dlaczego podwinął dywan... – nastąpiła kolejna pauza. – On zaprzeczył, że miał z tym cokolwiek wspólnego. Powiedział, że zrobił to wodny robal.

Zaśmiałam się. Josh miał obsesję na punkcie przypominających karaluchy pluskwiaków, które w okresie letnich upałów łaziły nam po mieszkaniu. Jaka zabawna i błyskotliwa wymówka! A może nie?

– Pani reakcja wydaje mi się niestosowna. Zdecydowanie niestosowna.

Jej wąskie czerwone usta zacisnęły się tak szczelnie, że prawie przestały być widoczne. Ścisnęła też dłonie w pięści na tyle mocno, na ile mogła sobie na to pozwolić elegancka kobieta. Przyszłam tu zupełnie nieświadoma swojego miejsca w panteonie edukacji przedszkolnej. Dopiero Paula mnie oświeciła. Jej wypowiedzi wydawały mi się absurdalne.

– Muszę powiedzieć, że sama Nancy Wietzman zgadza się ze mną w tej sprawie.

Wzmianka o Nancy mnie zaniepokoiła.

– Przepraszam bardzo, ale co Nancy ma z tym wspólnego?

– Anno, Nancy Wietzman, którą pani oczywiście zna, to jeden z naszych najbardziej szanowanych członków zarządu. Akurat czytała dzieciom bajkę, gdy doszło do tego incydentu.

– Naprawdę?

Jakoś nie potrafiłam sobie wyobrazić Nancy na małym krzesełku przed grupą małych dzieci. Wydało mi się to dziwne. Nie pasowało mi do pozostałych ambitnych i globalnych inicjatyw, którymi zajmowała się zwykle w ramach wolontariatu.

– Tak, Nancy bardzo angażuje się na rzecz naszej społeczności.

Paula stała się nagle agresywna. Już nie byłam mamą. Mamy się tak nie zachowują.

Próbowałam ratować sytuację.

– Tak mi przykro. Naprawdę. Josh nie powinien był podwijać dywanu – pospiesznie uniosłam dłonie.

Prawdopodobnie wyraziłam się zbyt mało stanowczo.

– Bądźmy poważne. Mnie to nie bawi, Anno. Trzy takie zdarzenia i kontaktujemy się z opieką społeczną. To poważna sprawa.

Jaka okropna myśl. Szybko jednak odsunęłam ją od siebie i próbowałam ją dalej przekonywać.

– Josh ma nieco przesadnie bujną wyobraźnię, ale to jedna z jego zalet. Na pewno zgodzi się pani ze mną.

– Nie powinien dawać się ponosić swoim fantazjom.

Poczułam ucisk w żołądku. Pochyliłam się, kładąc całe przedramiona na stole. Obudziła się we mnie tygrysica, wielka i silna, gotowa do ataku.

Paula odchyliła się do tyłu, biorąc przy tym głęboki wdech i uśmiechając się do mnie z zadowoleniem.

– Tutaj, w Tower Pre School, kształcimy odpowiedzialne, troskliwe i międzynarodowe istoty ludzkie. To w ich rękach znajdować się będzie przyszłość świata, przyszłość naszej planety. Chcemy zapewnić im warunki do wnikliwej analizy własnej motywacji i przygotować je do rozwiązywania problemów w ramach społeczności.

Co te słowa naprawdę oznaczały?

– Chciał po prostu zobaczyć, co się stanie, gdy podwinie dywan.

– Ależ Anno. On się musi nauczyć odpowiedzialności… – Paula zamilkła na chwilę.

Odpowiedzialność? Takie dorosłe słowo. Jak „prowadzenie domu", „ubezpieczenie na życie" czy „rozbudowany pakiet emerytalny". Nie czułam się na to gotowa. Właśnie dlatego chciałam uciec za granicę. Właśnie dlatego wyszłam za Jessiego.

Paula wciągnęła powietrze, by nadać swoim słowom odpowiednią doniosłość.

– Nancy wspomniała, że już wcześniej doszło do incydentu w domu.

Po jakie licho Nancy opowiedziała Pauli o interwencji policji? Cóż za brak taktu! Paula najwyraźniej zastosowała jakąś pokręconą logikę i uznała, że wykorzysta to jako kartę przetargową.

– Zależałoby nam na tym, żeby nie doszło do eskalacji problemów…

Pozwoliła tej myśli wypełnić przestrzeń między nami. Cisza wzmagała się, aż w końcu dorównała swoją głębią pustce tego pomieszczenia. Uświadomiłam sobie, że Paula czegoś ode mnie oczekuje.

Wyciągnęła kartkę papieru i podała mi ją nad stołem, bardzo ostrożnie, jakby właśnie przed chwilą pomalowała paznokcie. Zapewne oczekiwała, że podpiszę jakiś formularz zwalniający placówkę z odpowiedzialności.

Nadmiar i niedobór zajęć – wielkie wyzwanie, przed którym stają dziś współcześni rodzice. Jednodniowe warsztaty organizowane w ramach programu „Mama i ja" prowadzi Cynthia Wong. Koszt 350 dolarów (lunch w cenie).

Uśmiechnęła się tryumfalnie.

– Przypuszczam, że w przypadku Josha występuje problem niedoboru zajęć. Może jakieś zajęcia popołudniowe? Komputery?

Dlaczego miałabym się teraz zacząć tłumaczyć przed tą kobietą z moich umiejętności wychowawczych? Jak w ogóle do tego doszło?

– Cynthia współpracuje z Melem Levinem. Doskonale sobie radzi z układaniem programu zajęć dla dzieci poniżej piątego roku życia.

Słysząc wzmiankę o Melu Levinie, podniosłam się na równe nogi.

– Uważa pani, że jakiś psycholog powinien decydować o tym, jak mam wychowywać własne dziecko?

Powinnam się powstrzymać od tej uwagi. Paula – dziś jest mi łatwiej tak o niej mówić – doznała szoku.

– Wyczuwam zdecydowaną wrogość w pani głosie.

Stałam, opierając się o stolik.

– Josh podwinął dywan, ponieważ uznał, że to będzie zabawne. Boże broń, żeby miał poczucie humoru. Oczywiście, że nie powinien. Mam na myśli podwijanie dywanu, a nie poczucie humoru…

Gubiłam wątek, ponieważ jej twarz zdawała się napinać, rysy stawały się ostrzejsze, oczy ciemniejsze, a skóra bledsza.

Potem uświadomiłam sobie, że zza szyby obserwują mnie matki dwojga dzieci z grupy Josha. Bogacze tego miasta bardzo źle reagują na otwarte wyrażanie własnego zdania. W ich przekonaniu świadczy to o pozostawaniu blisko korzeni, blisko ulicy.

Wzięłam ulotkę i skierowałam się do wyjścia. Minęłam biurko asystentki i wyszłam przez masywne drzwi przeciwpożarowe prosto na świeże powietrze. W tym momencie zobaczyłam obok siebie jedną z najpiękniejszych kobiet, jakie kiedykolwiek widziałam. Miała na sobie białą koszulkę, prawdopodobnie założoną po raz pierwszy, oraz czarne skórzane spodnie. Uśmiechnęłam się, a potem oddaliłam się tak szybko, żeby nie mogła pójść za mną. Zadzwoniłam do matki. To taka wyluzowana osoba, na pewno będzie potrafiła zbagatelizować całą sprawę.

– Cześć, mamo.

– Anna. – Zabrzmiało to tak, jakby spodziewała się, że do niej zadzwonię.

– Co słychać?

– Barnie ma problemy z żołądkiem. Właśnie jadę z nim do weterynarza. Ale tata jest w domu.

– Tak naprawdę to chciałam chwilę porozmawiać z tobą – powiedziałam pospiesznie.

Tata ma nieco wybuchowy charakter, a głupota innych ludzi zwykle go denerwuje. Gdy się rozgniewa, bywa równie szorstki jak skóra na jego rumianej twarzy. Moja matka, oaza spokoju, zawsze potrafi poskromić jego złość. To skrajnie rozsądna kobieta. Niektórzy mówią, że aż zbyt rozsądna. Ale to właśnie jej rozsądkowi moi rodzice zawdzięczają swoje szczęście małżeńskie.

Pospiesznie – jak to miałam w zwyczaju czynić w rozmowach z matką już jako dziecko – opisałam jej całe zdarzenie. Spodziewałam się, że zaraz zacznie się śmiać. Ale nie zaczęła.

– Czy oni powariowali?! To oburzające. – Mówiła dokładnie to samo co ja. Czyżbym zamieniała się we własną matkę?

Nie oczekiwałam współczucia, w każdym razie nie od niej. Ona miała się nie przejmować. Zawsze tak robiła i teraz chciałam, żeby pozostała w tej typowej dla siebie roli.

– Mówię to z przykrością, ale to wszystko przejawy żydowskiego podejścia do życia. Wiesz, oni są tacy spięci, tak bardzo nastawieni na rywalizację.

– Mamo, jak możesz tak mówić? Przecież oprócz Jessiego nie znasz żadnego innego Żyda.

Moja matka potrafiła zachować rozsądek tylko w tych sprawach, które znała z własnego, skądinąd bardzo ograniczonego, doświadczenia.

– Mówię to z całym szacunkiem. Oczywiście są pewne wyjątki, jak choćby Jessie. Zresztą on jest Brytyjczykiem, prawda? Nie ma w nim nic żydowskiego.

Zaczerwieniłam się ze złości i zażenowania z powodu ignorancji mojej matki. Było mi tak strasznie wstyd, że zaczęłam bronić racji przedszkola.

W końcu wymówiłam się zdawkowo i zakończyłam rozmowę. Poszłam do jednej z niewielkich kawiarni na 72 Ulicy. Usiadłam przy stoliku na zewnątrz. Musiałam chwilę odpocząć i przypomnieć sobie, jak fajnie jest mieszkać w Nowym Jorku.

– Adoptuj wiernego towarzysza! – krzyknęła jakaś kobieta, wciskając mi w dłoń ulotkę. Miała na sobie zielony dres, który na ładnej dziewczynie w eleganckim klubie fitness mógłby wyglądać zupełnie nieźle. Ona była jednak dobrze po siedemdziesiątce. Jej twarz wyciągnęła się już dawno temu, zupełnie tracąc jakikolwiek wyraz. Długie białe włosy i połamane jaskraworóżowe paznokcie świadczyły o desperackich próbach zachowania dawnej świetności.

– Uwielbiam psy, ale niestety nie mam ogrodu – uśmiechnęłam się. To był jeden z uroków Nowego Jorku. Jakby wykraczając poza swój samolubny materializm, ludzie niesamowicie przejmują się losem zwierząt, różnymi innymi sprawami i problemami społeczności.

Chcąc udowodnić, że nie jestem tak nieprzystępna jak większość Brytyjczyków, dodałam jeszcze:

– Ale mamy wspaniały taras, który wprost uwielbiam.

Nowojorczycy uwielbiają wszelkie otwarte przestrzenie. Kolorowe doniczki stoją nawet na metalowych schodach przeciwpożarowych widocznych z naszego tarasu.

– Piękni ludzie adoptują towarzyszy. Brzydcy ludzie tego nie robią. Ty jesteś brzydka. Jesteś brzydka – krzyczała coraz głośniej.

Zarumieniłam się, czułam się upokorzona.

– Ona jest brzydka – kobieta krzyczała jeszcze z chodnika. – Ona jest brzydka – wskazywała na mnie paznokciem w kolorze waty cukrowej.

Spodziewałabym się, że kelner przyjdzie mi na ratunek. On tymczasem obserwował całą scenę z bezpiecznej odległości, z wnętrza kawiarni. Pomachałam w jego kierunku, prosząc o rachunek. Starał się na mnie nie patrzeć, jakbym była zadżumiona i nie można było wziąć ode mnie pieniędzy. Nie miałam innego wyjścia, jak tylko się stamtąd wymknąć. Zadzwoniłabym do jednego z moich londyńskich przyjaciół, ale zdawałam sobie sprawę, że irytowanie się takimi absurdalnymi rzeczami zostanie dziwnie odebrane.

Zadzwoniłam więc do Sharon Rosenbaum, ponieważ z jakiegoś powodu myśl o niej wydała mi się pocieszająca. Wbrew moim pierwotnym zamiarom, zamiast opowiadać jej o wydarzeniach z przedszkola, zaczęłam paplać o kobiecie od psów.

– Nie należy rozmawiać z wariatami. Pod żadnym pozorem.

Potem Sharon przeszła do innych spraw.

7

Mimo moich starań, by tłumaczyć Joshowi, jak przesadne jest zachowanie innych dzieci z przedszkola, mój syn stawał się neurotyczny. Doszedł do przekonania, że jest na wszystko uczulony: na psy, na kurz, na orzechy, na drożdże i na mleko. Lista ciągle się wydłużała, Josh miał obsesję. Stwierdził u siebie uczulenie na ryby, zielone warzywa, a następnie na wszelkie inne produkty, których nie lubił. „Jesteś uczulony?" stało się jego ulubionym pytaniem.

Było jedno z wielu pięknych nowojorskich popołudni. Sam początek października. Jesień się w tym roku nie spieszyła. Liście najpierw odrobinę zmieniały barwę, a potem stawały się psychodelicznie czerwone, żółte i pomarańczowe. Słońce świeciło optymistycznie. Już choćby z powodu światła Nowy Jork prezentował się wspaniale. Takie jasne popołudnia chętnie spędzałam w Central Parku. Chodziliśmy tam na spacer w stronę Żółwiego Stawu. Nachyliłam się, żeby odgryźć kawałek jabłka jedzonego przez Josha.

– Hej, nie rób tego. Masz zarazki.

– Po pierwsze, nie mów do mnie „hej". Po drugie, nie mam. Po trzecie, jesteśmy rodziną, więc wszystkim możemy się dzielić.

– O rany. Wszyscy mają zarazki – Josh upierał się przy swoim. Jego twarz oświetlało słońce, więc jego blond włosy połyskiwały metalicznie.

– Ludzie roznoszą szkodliwe zarazki tylko wtedy, gdy są chorzy. Ja nie jestem chora – wyjaśniałam cierpliwie.

– Swoje jedzenie trzeba trzymać przy sobie.

Westchnęłam.

– Ależ, oczywiście, że można dzielić się jedzeniem.

– Nie. NIE!

Chwycił jabłko i popędził ścieżką w stronę oryginalnego drewnianego pomostu wchodzącego w głąb stawu. Było to doskonałe miejsce do prowadzenia obserwacji zwierząt, które żyły w wodzie i na samym jej brzegu. Pomimo skarbów, do których zapewniał dostęp, pomost pozostawał nieco w cieniu imponującej makiety zamku – disnejowskiej interpretacji stylu austrowęgierskiego – stojącego na tle potężnych wieżowców Manhattanu.

Josh przełożył jabłko między sztachetkami balustrady otaczającej pomost i cisnął je do wody. Odwrócił się do turystki z przesadną liczbą aparatów na szyi i wyjaśnił:

– Moja mama ma zarazki. Babunia mówi nie.

Posiadaczka licznych aparatów odpowiedziała mu angielszczyzną rodem z południowo-wschodniej Anglii.

– Jakież to ciekawe. A skąd mama ma te zarazki?

Moją uwagę zaprzątnęła osoba „babuni". Moja matka była dla Josha „babcią", a do matki Jessiego mówił „Sally", ponieważ ona nie chciała, żeby ją nazywać babcią.

– On tylko żartuje. Takie nowojorskie poczucie humoru – wyjaśniłam pospiesznie, usiłując zdobyć się na śmiech.

Kobieta wykazała autentyczne zainteresowanie.

– Nie mają go, prawda? Mam na myśli poczucie humoru.

– Ależ mają. Muszę powiedzieć, że nowojorczycy są bardzo błyskotliwi i zabawni. – Usłyszałam, że ich bronię, jakby odruchowo starając się zachować wobec nich lojalność.

– Wnioskuję, że pani tutaj mieszka – drążyła dalej kobieta, z ciekawością typową dla turysty.

– Tak. Pewnie zostaniemy tu parę lat.

– Ale potem wracacie do Wielkiej Brytanii?

– Zdecydowanie tak.

Odpowiedziałam dokładnie tak, jak zrobiłaby to moja matka. Wrócić do domu, cało i zdrowo. Nie byłam przekonana, czy Jessie by się ze mną zgodził. Czy dla niego Anglia nadal była domem?

Z zamyślenia wyrwało mnie marudzenie Josha.

– Znowu boli mnie brzuch.

Chcąc odwrócić jego uwagę, a także zaspokoić własną niekłamaną ciekawość, zapytałam:

– Kto to jest babunia?

Josh spojrzał na mnie ze zdumieniem.

– No wiesz.

– Nie, nie wiem. Czy to twoja przyjaciółka z przedszkola?

– No wiesz, druga mama tatusia. Ta amerykańska.

– Słucham? – Dotarło do mnie, że powiedziałam to tym samym tonem, którego użyłam, żeby wyrazić swoje zdumienie na wieść o zaangażowaniu Nancy w czytanie dzieciom bajek. Szybko się poprawiłam.

– Ach tak. A kiedy ci powiedziała, żebyś ją tak nazywał?

– W przedszkolu, mamusiu – wyjaśnił niecierpliwie.

– Ach tak, przyszła wam poczytać.

– Przychodzi nam czytać codziennie.

Jak każdy czterolatek Josh miał skłonności do przesady.

– No coś ty? Na pewno nie codziennie.

– Dużo – powiedział stanowczo. – Ale naprawdę boli mnie brzuch.

– Gabinet lekarski – Jesus nie zdradzał najmniejszych oznak entuzjazmu. Trudno było dopatrzeć się pierwiastka boskiego w portorykańskim recepcjoniście mojego lekarza, podobnie zresztą jak u tysięcy innych nowojorczyków noszących to imię. Był to krępy ciemnoskóry mężczyzna o krótkim nogach, którego zawalone papierami biurko w kształcie litery C psychologicznie zmuszało do zajmowania pozycji siedzącej. Choć w jego głosie nieodmiennie pobrzmiewała niechęć, zawsze udawało mi się umówić na nieodległy termin. Korzystaliśmy z porad starszego żydowskiego lekarza, który przyjmował na parterze przedwojennej kamienicy przy Central Park West. Jak na nowojorskie standardy było to dość niezwykłe. Tym chętniej sięgnęłam wtedy po telefon.

Musieliśmy przejść pięć przecznic. Josh przez całą drogę marudził: „Chcę jechać taksówką". Za każdym razem, gdy to powtarzał, ja zaciskałam zęby.

W pewnym momencie wyrwał mi się, zbiegł z chodnika na jezdnię i wyciągnął rękę. Zanim zdążyłam do niego dobiec, zatrzymał taksówkę.

– 86 Ulica, między Columbus a Central Park West, proszę – mój syn zupełnie wymknął mi się spod kontroli.

– Josh – odciągnęłam go od drzwi – nie jedziemy taksówką.

Taksówkarz czekał, zakładając, że to dziecko będzie miało decydujący głos. Josh ponownie rzucił się do drzwi.

– Nie – usłyszałam złość we własnym podniesionym głosie. – Nie, nie jedziemy taksówką.

– Chcę taksówką.

Muszę przyznać, że w tamtym momencie czułam do niego wielką niechęć. Musiałam ciągnąć go za sobą wyjącego ulicą, aż w końcu dotarliśmy do lekarza. Naciskając dzwonek wewnętrznych drzwi, pomyślałam z ulgą, że w budynku nie ma portiera.

Jesus nie zwracał uwagi na Josha, chociaż ten wydzierał się wniebogłosy.

Lekarz wyszedł do poczekalni i między ustawionymi wzdłuż całej ściany szafami z dokumentacją poprowadził mnie do gabinetu.

Gdyby sądzić po jego wyglądzie i ogólnym stylu bycia, można by go wziąć raczej za malarza niż za przedstawiciela szacownego grona nowojorskich medyków. Jego sztywne siwe włosy toczyły między sobą wojnę domową. Notatki robił ręcznie, pokrywając kartkę atramentowymi zawijasami. Na początku rozmowy zawsze pytał pacjenta o wiek nie w latach, ale w miesiącach i dniach.

– Podaj mi, proszę, swój wiek.

– Mam cztery lata – ożywił się Josh. Przestał płakać, wcale też już nie wyglądał na chorego. Kręcił się w kółko na obrotowym stołku ustawionym przed biurkiem lekarza.

– Otóż nie. Masz cztery lata, trzy miesiące i sześć dni. Zgadza się?

– Nie, mam cztery lata – upierał się Josh.

– Jesteś pewien? – Lekarz uniósł krzaczaste brwi.

– Oglądałem wczoraj wieczorem wasze BBC. Zabawny program. Widziałeś go?

Zadzwonił telefon.

– Halo? – wypowiedziawszy to słowo z brytyjska, lekarz zrobił pauzę. Odłożył długopis i słuchał z uwagą. – Musisz potrzeć i powąchać. Tak. Trzymaj się.

– To moja córka, Elizabeth – wyjaśnił, odłożywszy słuchawkę. – Kupuje ananasa w Fairwayu. Zawsze do mnie dzwoni: „Tato, jak mogę stwierdzić, czy to się jeszcze nadaje do jedzenia?".

Spojrzał na Josha:

– No, skąd wiadomo, że ananas jest dojrzały?

– Się go je.

– Nie, nie. Się go wącha.

– Niech pan nie gada...

Mój syn należał do zagorzałych zwolenników nowojorskiego slangu. Ja tymczasem odczuwałam chwilowo bardzo silne przywiązanie do brytyjskich obyczajów. W Wielkiej Brytanii, żeby skorzystać z porady lekarza w ramach ubezpieczenia zdrowotnego, trzeba odczekać swoje w poczekalni przypominającej schronisko dla uchodźców, a potem wchodzi się do gabinetu na dwie i pół minuty. W tym czasie przedstawia się problem, odbiera receptę i wychodzi. Teraz jednak zaczynało mnie trochę denerwować, że w Stanach, zanim w ogóle przejdzie się do rzeczy, trzeba najpierw wziąć udział w obowiązkowym piętnastominutowym rytuale uzupełniania notatek i ogólnych pogaduszek bez ładu i składu.

– A co z awokado? Wiesz, jak stwierdzić, czy awokado jest dojrzałe?

– Co to jest awokado?

– Co to jest awokado?! – Doktor znów uniósł brwi.

– To teoretycznie owoc, chociaż trochę przypomina warzywo… Wiesz, dlaczego nazywa się je krokodylim owocem?

Josh bez słowa potrząsnął głową. Podczas wizyt u lekarza zawsze wpadał w trans, chociaż nie rozumiał nawet połowy z tego, co doktor do niego mówił.

– Bo ma chropowatą skórkę. Skąd pochodzi awokado?

Josh kręcił się na krześle w lewo i w prawo, jakby w ogóle nie usłyszał pytania.

Lekarz spojrzał na mnie.

– Z Karaibów? – nie potrafiłam się skupić, ponieważ całą moją uwagę pochłaniało to, że minęła szósta i że najwyższy czas zabrać najwyraźniej już zupełnie zdrowego Josha do domu.

– Nie, z Meksyku. Chociaż awokado, które kupujemy tutaj, w Fairwayu, pochodzi z Kalifornii albo z Florydy, ewentualnie z Gwatemali.

Nie odezwałam się. Lekarz też zamilkł na chwilę.

– Zobaczmy. Miałeś anginę trzydziestego pierwszego sierpnia dwa tysiące ósmego roku i od tamtej pory cię u mnie nie było. No dobrze. To jak się dzisiaj czujesz?

– Świetnie. – Josh uśmiechnął się szeroko.

Zdenerwowałam się – na Josha, że udawał; na siebie, że dałam mu się nabrać; i na tego lekarza, że tak gorliwie brał w tym wszystkim udział.

– Narzekał na bóle brzucha. Prawdopodobnie wszystko to sobie wymyślił – powiedziałam bez przekonania, krzyżując nogi.

Brwi lekarza uniosły się po raz kolejny.

– Dzieci nie wymyślają bólów. Jak twój brzuszek, Joshua?

– Jestem głodny.

– Zobaczymy; dobrze. – Lekarz przyłożył stetoskop.

– Jakie to fajne – wybełkotał Josh.

Siwa głowa wróciła do poprzedniej pozycji.

– Wszystko wydaje się w porządku.

– Tak, nic mu nie jest – powiedziałam miękko. – Przepraszam, że niepotrzebnie zabieraliśmy panu czas.

Lekarz podniósł rękę.

– Cóż mam pani powiedzieć?

Nie miałam pojęcia. Za chwilę miała na mnie spłynąć kolejna dawka mądrości, dostępna w cenie ubezpieczenia zdrowotnego.

– Chłopiec potrzebuje dużo przytuli od mamy. Bóle brzucha są objawem stresu, zmartwień... albo alergii. Dużo przytuli. Dobrze? – Zrobił pauzę, ale nie spojrzał na mnie, żeby sprawdzić, czy go zrozumiałam. – Tak czy owak, skontaktuję panią z Nathanem Pollockiem. To gastroenterolog. Polubi go pani, też przyjaźni się z Nancy Wietzman.

Tymi słowami przypomniał mi, że jego również poleciła nam Nancy.

Odprowadził nas do korytarza i zwrócił się do Jesusa.

– Daj pani numer Nathana Pollocka. A zatem... wszystkiego dobrego. – Szybko odwrócił się plecami, ale chwilę potem raz jeszcze na nas spojrzał. – Co my dzisiaj mamy? Wtorek? Dobrze. To proszę zadzwonić do mnie w piątek i dać mi znać, jak się miewa Josh.

Josh chciał iść do toalety. Jak zawsze weszłam z nim do kabiny. Rozpiął dżinsy i opuścił je do kostek, potem zdjął majtki i usiadł na muszli, żeby się wysikać.

– Co ty robisz? – Patrzyłam na niego zdumiona.

– Siusiam. – Rzucił mi obojętne spojrzenie.

– Ale usiadłeś – wyszeptałam.

– No, babunia powiedziała, żeby tak robić. Robi się mniej bałaganu.

Wydało mi się to dziwne. Było dziwne?

– Kiedy zabrała cię do łazienki?

– Nie pamiętam.

Westchnęłam.

– No dobrze, w porządku. Jesteś chłopcem. Powinieneś siusiać na stojąco. Nie słuchaj jej.

Josh spojrzał na mnie bezradnie.

Jessie śmiał się znad kieliszka z winem.

– Anna, zwariowałaś.

Schowałam bose stopy pod siebie. Odniosłam wrażenie, że uważa moje opinie za trochę bardziej niż tylko odrobinę niedorzeczne.

Podczas gdy Jessie otwierał butelkę wina, ja opowiedziałam mu całą historię, która rozegrała się nieco wcześniej u lekarza.

– Nie uważasz, że to dziwne?

– Ale co? – Uśmiechnął się szeroko. – Spokojnie, tylko żartuję, ty maniaczko!

– Zabrała go do toalety i kazała mu usiąść na sedesie. To próba zniewieścienia chłopca.

– Anna, to pewnie kwestia różnic kulturowych.

– Tak sądzisz?

– Tak.

Nie byłam przekonana.

– A co powiesz na to, że wspomniała w szkole

o historii z policją? Wykazała się skrajnym brakiem lojalności. Przepraszam... zdaję sobie sprawę, że to twoja macocha.

– Cóż, sama swego czasu bynajmniej nie uważałaś, że warto się tą sprawą przejmować.

Miał rację. Dałam sobie spokój. Wzięliśmy po łyku wina.

Jessie spojrzał na mnie najzupełniej poważnie.

– Nancy bardzo poważnie traktuje swoją działalność filantropijną. Bardzo się w nią angażuje.

Miałam co do tego wątpliwości.

– Co masz na myśli? Czytanie dzieciom?

– Prawdopodobnie robi to, żeby się lepiej orientować w rzeczywistości.

– Cóż, pewnie masz rację. – Wyciągnęłam nogi, rozluźniając się pod wpływem pierwszego kieliszka wina.

Powoli zapominałam o Nancy.

8

Nancy zaprosiła nas na uroczysty koncert charytatywny do opery. Przez telefon wygłosiła mowę pochwalną na cześć tenora – jej ulubieńca wszech czasów – Gwatemalczyka José Fuentesa. Wybierała się go posłuchać przede wszystkim dlatego, że miał zaśpiewać arię z *Cyrulika sewilskiego* Rossiniego, uważaną za niewykonalną.

Nie miałam zielonego pojęcia o operze. Jessie, który pobierał od Sally przymusowe lekcje wiedzy o sztuce operowej, nienawidził jej z definicji. Nigdy nie byliśmy razem na przedstawieniu operowym. Ja byłam w operze z rodzicami trzy, może cztery razy w życiu. Oni lubili ten rodzaj sztuki – to upodobanie stanowiło element tradycyjnie brytyjskiego stylu życia, podobnie jak wycieczka do Florencji i dobra gęś na Boże Narodzenie. Tymczasem Nancy podchodziła do sprawy zupełnie inaczej. Należała do głównych sponsorów Metropolitan Opera, zasiadała nawet w Radzie Doskonałości Artystycznej z tytułem Założyciela – co wiązało się z datkiem w wysokości co najmniej 500 tysięcy dolarów na sezon. Nie ulegało wątpliwości, że opera jest jej prawdziwą pasją.

Zanim odłożyła słuchawkę, dodała jeszcze:

– Ubierz się stosownie.

– Co to znaczy stosownie? – musiałam zapytać. Nie chciałam jej źle zrozumieć.

– Wybierz dowolną z twoich uroczych kreacji – rzuciła szybko Nancy.

– Josh wspominał, że czytasz opowiadania dzieciom z jego grupy – nie mogłam się powstrzymać.

– A, tak. Wprost uwielbiam im czytać. To mi daje tyle satysfakcji.

Jessie miał rację. Odbijało mi. Wróciłam myślami do opery.

Zadzwoniłam do Jessiego do pracy.

– Jak fantastycznie – ucieszył się. – Wyjście z Nancy do opery będzie wspaniałym doświadczeniem. Ona wie o operze wszystko. I wszystkich tam zna.

Wędrując Broadwayem, mijając kolejne Fairwaye, czułam się ubrana przesadnie elegancko. Miałam na sobie sukienkę, którą wkładałam na przyjęcia – wyszywaną czerwonymi kwiatami, na cieniusieńkich ramiączkach. Spodziewałam się zobaczyć Nancy w jednej z jej minimalistycznych kreacji i żałowałam, że nie mam na sobie spodni... dopóki nie weszliśmy do gmachu opery. Otwarte schody wiły się wśród pięter wyłożonych królewską czerwienią. Ledwo się je zauważało, ponieważ królował nad nimi masywny kryształowy żyrandol, konkurując z dwoma obrazami Chagalla. Nawet żyrandol nie mógł jednak odciągnąć wzroku od kobiet w długich sukniach z jedwabiu i tafty, okrytych futrzanymi szalami i płaszczami. Fale i loki na ich głowach nierzadko poupinane były w koki, a ich szyje zdobiły liczne klejnoty. Nie opierały się o poręcze schodów, lecz dumnie wyprostowane obserwowały ludzi wchodzących do holu na parterze. Trafiliśmy na bal w stylu transylwańskim z około 1800 roku.

– Ubrałaś się za mało elegancko – stwierdził Jessie.

Zachichotałam.

– Cóż, to wina Nancy. Mówiła o uroczej sukience, a nie o sukni balowej z dziewiętnastego wieku.

Ścisnął moją dłoń wyraźnie zmartwiony.

– Teraz już nic na to nie poradzimy.

Wpatrywałam się z podziwem w obfitość tkanin okrywających ciała tych kobiet. Najwyraźniej liczył się przede wszystkim metraż.

– Dosłownie nikt poza mną nie ma na sobie krótkiej, prostej sukienki.

Gdy znaleźliśmy się w środkowej części kuluarów na parterze, musiałam się zatrzymać. Potrzebowałam chwili, żeby się z tym wszystkim oswoić.

– Na tle tych ludzi wyglądasz jak dziewczyna do towarzystwa – powiedział Jessie niezadowolonym tonem, jednocześnie z niepokojem wypatrując na schodach Nancy i Howarda.

Żeby o tym nie myśleć, skoncentrowałam się na otoczeniu.

– Patrz na naszyjnik tej kobiety – wskazałam palcem. – Ależ olbrzymi!

– Nie pokazuj palcem.

Trudno się przed tym powstrzymać, gdy ma się przed oczami obrożę o grubości niemal 10 centymetrów wysadzaną diamentami. Starałam się wypatrywać Nancy, ale wszystkie kobiety wyglądały tu tak samo – były niesamowicie szczupłe i delikatne, choć nie najmłodsze i pomimo swej urody nieco wyniszczone.

– Och, dzięki Bogu, jest tam – odetchnął z ulgą Jessie.

Nancy stała jeden poziom ponad nami. Była ubrana w ciemnobrązową suknię do samej ziemi, która całkowicie odsłaniała ramiona, ale jakimś cudem trzymała się zupełnie dobrze na krawędziach jej łopatek. Nancy co rusz kiwała do różnych osób znajdujących się piętro wyżej lub piętro niżej, starając się zwrócić na siebie ich uwagę. Sznury diamentów spływały od płatków jej uszu aż do obojczyków. Suknia stanowiła zaledwie tło dla kolejnych brylantów. Kamienie zakrywały jej szyję i błyszczały na częściowo widocznych piersiach, które zapewne podniosła sobie specjalnie na tę okazję. Jej wygląd robił wrażenie nawet na mnie. Wokół niej ustawiło się spore grono wielbicielek. Dwie spośród nich wyglądały tak, jakby jeszcze nie skończyły szkoły. Śliczne dziewczęta o mlecznej cerze ozdobiły biżuterią przede wszystkim długie, lśniące włosy.

Jessie zostawił mnie trochę z tyłu.

– Tato, wyglądasz jak zwykle. Nancy, wyglądasz olśniewająco – usłyszałam jego słowa.

Rzeczywiście, tak wyglądała.

Nancy ucałowała Jessiego w oba policzki, delikatnie kładąc mu przy tym ręce na ramionach.

– Uroczy Jessie.

– Mój pozbawiony uroku syn – uśmiechnął się Howard. Miał na sobie dokładnie to samo co zawsze, najwyraźniej uważając blezer i luźne spodnie za strój odpowiedni na każdą okazję. Zaskoczyło mnie, że nie otrzymał szczegółowej instrukcji w tym względzie.

– Nancy, tak mi przykro, ale nie powiedziałaś, że suknia powinna być długa – chciałam odnieść się do brakujących metrów.

– Nie martw się, wyglądasz sexy – powiedział Howard.

Jedna z dziewcząt zachichotała. Nie byłam pewna, czy zażenował ją komentarz Howarda, czy moje nieokryte nogi. Próbowałam się roześmiać, ale z marnym skutkiem.

– Jessie, mam przyjemność przedstawić ci Pamelę Beard oraz Ashley Mellon. Te dwie piękne i inteligentne panny w tym sezonie po raz pierwszy wejdą na salony...

Naprawdę były piękne. Pamela miała ciemne włosy, które zawijały się za uszami w sposób typowy dla uczennicy. Jej jasne, szczere i niewinne spojrzenie doskonale komponowało się z naturalnym różem policzków. Ashley stanowiła dokładną kopię Pameli, tyle że w wersji blond. Miała na sobie bladokremową, zwiewną szyfonową sukienkę, która tworzyła przy ziemi kałużę tkaniny. Pamela występowała w jasnobłękitnej, siateczkowej sukience, która mogła być wyciągnięta z szafy babci, ale prawdopodobnie została celowo tak wystylizowana przez utalentowanego projektanta.

Nancy uniosła lekko ramiona, aby podkreślić wagę swoich słów:

– ...podczas *Bal Crîllon des Debutantes* w Paryżu.

Nie zdołałam powstrzymać się od kaszlu i w rezultacie wydałam się z siebie dziwny charkot. Wszystkie trzy panie delikatnie ściągnęły łopatki.

Nancy przybrała jakby nieco sztywniejszą pozę, po czym powiedziała:

– A to jest Anna.

– Żona Jessiego – dodałam. Czy należy to uznać za przewrażliwienie? Normalnie irytowało mnie, gdy ktoś przedstawiał mnie jako żonę Jessiego, zupełnie jakbym była tylko dodatkiem, a nie obiecującą artystką i absolwentką Royal College.

– Ta w krótkiej czerwonej sukience – dodał Jessie z szerokim uśmiechem.

Obie dziewczyny, jak na komendę, zachichotały w niekontrolowany sposób.

Ja też się roześmiałam.

Nancy ponownie przeniosła wzrok i uwagę na Ashley i Pamelę.

– Czyja to suknia? Pozwól, niech zgadnę. Chanel?

– Nancy, jak zwykle nieomylna – czym prędzej potwierdziła Pamela.

– Ashley, a ty masz kreację Christiana Diora z kolekcji vintage? Obie kreacje klasyczne i ponadczasowe.

Tak prezentowała się Nancy-dobra wróżka.

Howard nie słuchał tej rozmowy. Wodził wzrokiem wśród gości. Starałam się uchwycić spojrzenie Jessiego, ale on również rozglądał się za nowymi znajomościami. Nancy tymczasem mówiła dalej:

– Dziewczęta, wy na pewno wiecie wszystko o tym budynku. Musicie wesprzeć mnie w opowiadaniu o nim Annie.

Uśmiechnęłam się grzecznie.

– Obrazy są autorstwa Marca Chagalla. – Nancy wykonała nieznaczny ruch lewym przedramieniem, wskazując w ich kierunku.

Kiwnęłam energicznie głową na znak, że o tym wiem.

– Budynek powstał w latach sześćdziesiątych jako ukłon dla tradycji. Wykonano go z betonu i trawertynu.

Zrobiła przerwę, żebym mogła przyswoić sobie te informacje.

Ponownie skinęłam głową.

– Jakie inne słynne budynki wykonano z trawertynu? Anna, na pewno wiesz...

– Przykro mi, ale nawet nie wiem, co to jest trawertyn. Jestem zupełnie nieobeznana w temacie.

– Otóż trawertyn to materiał, który wykorzystywano przy budowie Koloseum w Rzymie, bazyliki Sacré-Coeur w Paryżu oraz Getty Center w Los Angeles – powiedziała Pamela z jasnym uśmiechem na twarzy.

– Proszę, wiesz, chociaż nie studiujesz architektury. Przypomnij mi raz jeszcze, jesteś na drugim roku studiów na Harvardzie i specjalizujesz się w...

– Stosunkach międzynarodowych.

Ta informacja zdumiała Jessiego. Podobnie jak ja sądził widocznie, że Pamela jest piękna, ale głupia. Nagle poczułam się trochę mniej pewna siebie.

– Mądra dziewczyna. Wy dwoje będziecie mieli mnóstwo tematów do rozmowy. Jessie studiował stosunki międzynarodowe w Anglii, a teraz pracuje przy Organizacji Narodów Zjednoczonych.

– Naprawdę? To fascynujące – powiedziała Pamela z dużym zainteresowaniem. Ta informacja najwyraźniej zrobiła na niej wrażenie. Zareagowała tak jak ja, kiedy poznałam Jessiego.

Nancy poprowadziła nas za sobą niczym procesję. Wysunęła się naprzód, opierając dłoń na ugiętym ramieniu Howarda. Za nią szła Pamela, żywo dyskutując z Jessiem na temat ONZ. Oboje byli pochłonięci rozmową. Patrząc na nich, zobaczyłam nas. Mnie, ładną młodą dziewczynę, i jego, eleganckiego dyplomatę. Ona zdawała się go ubóstwiać, on był wręcz urzeczony.

Zmusiłam się do tego, aby skupić uwagę na Ashley, która wraz ze mną zamykała ten korowód.

– Skąd znasz Nancy? – wymamrotałam.

– Jest dobrą przyjaciółką moich rodziców. Wszyscy troje przyjaźnią się też blisko z rodzicami Pameli. Ojciec Pameli i Nancy byli kiedyś małżeństwem.

– O rany, to zakrawa na kazirodztwo.

Nie miałam zamiaru tego powiedzieć. Ashley była zszokowana.

– Wszyscy tu wszystkich znają. Świat jest mały.

Dotarliśmy do stołu ustawionego w rogu prywatnej restauracji. Wśród kryształów i białych nakryć w wiaderkach z lodem chłodziły się dwie butelki szampana. Trzeba było zawołać kelnera, aby przysunął krzesła. Bez jego pomocy Nancy, Ashley i Pamela nie zdołałyby usiąść w swoich obfitych sukniach.

Gdy kieliszki zostały napełnione, Nancy wygłosiła toast:

– Chin-chin, moi drodzy. Dziękuję wam bardzo za to, że przyszliście. Na pewno nie będziecie rozczarowani.

– Nie mogę się doczekać – rzuciła Pamela. – Dotychczas tylko raz miałam okazję go słyszeć.

– Ja też nie mogę się doczekać – powtórzył jak echo Jessie, uśmiechając się do niej.

Poczułam lekkie ukłucie zazdrości.

Wąskie usta Nancy rozchyliły się w nietypowym dla niej szerokim uśmiechu, odsłaniając wybielone zęby, a nawet fragment języka.

– Zabraknie ci słów, Jessie.

Uśmiechała się tak promiennie, jakby właśnie wspominała miesiąc miodowy. W słabym świetle wyglądała młodziej, szczuplej i jeszcze bardziej czarująco.

– Tego się nie da opisać słowami.

– Domyślam się, że lubisz operę? – Jessie zwrócił się do Pameli z zainteresowaniem w głosie. Wydawał się nią zauroczony. Zresztą jaki mężczyzna nie byłby zauroczony...

– Uwielbiam. Słyszałam José Fuentesa w La Scali, jego wysokie c jest zaiste porywające.

Czy Pamela rzeczywiście taka właśnie była? Czy tylko próbowała przypodobać się Nancy? Jessie ściągnął brwi, usiłując zrozumieć znaczenie tych słów.

Pamela dostrzegła ten grymas.

– Wysokie c decyduje o klasie tenora. To ich od siebie odróżnia. To, jak sobie radzą na skraju skali.

Nie mogłam włączyć się do tej rozmowy. Oczekiwałam darmowej rozrywki, a znalazłam się na wykładzie dla zaawansowanych.

Nancy skomentowała wypowiedź Pameli, mówiąc nadspodziewanie głośno:

– Proszę, jak dobrze wykształcone są Amerykanki ze Wschodniego Wybrzeża. Dziś w Europie nie ma już tak kulturalnych, tak cywilizowanych kobiet.

– Owszem, zgadzam się, dotyczy to również mnie.

Nancy uśmiechnęła się szybko i lekko się zaśmiała:

– Och, Anno, ty łobuzico, słyszałam, że znowu napytałaś sobie biedy.

Mimowolnie się zarumieniłam. Czy chodziło jej o podwinięty dywan?

– Przeklinać przy Joshui. – Karcąco pokiwała palcem w moją stronę.

Samica alfa.

– Przepraszam, ale nie wiem, o czym mówisz.

Jessie rzucił mi zatroskane spojrzenie, na które odpowiedziałam bezczelnym grymasem.

– Joshua powiedział dzisiaj na głos „kurwa" – wymówiła to ostatnie słowo w taki sposób, że zabrzmiało jak jakiś szczególny ozdobnik. A może po prostu właśnie tak to wychodziło w jej wydaniu.

– Nie wiedziałam o tym – znowu znalazłam się w defensywie. – Dzieci podchwytują brzydkie słowa, Nancy. Taka już ich natura.

– Anno – Jessie zdawał się zmartwiony – czy Josh przeklina?

Poirytowana jego zainteresowaniem, ruszyłam do kontrataku.

– To zupełnie normalne, że dziecko eksperymentuje z niecenzuralnymi słowami. – Zwróciłam się do Nancy. – Chociaż zdaję sobie sprawę, że ciebie to prawdopodobnie szokuje.

– Urodzenie dziecka nie daje człowiekowi umiejętności odróżniania dobra od zła – uśmiechnęła się uroczo do otaczającego ją kręgu gości.

W ustach osoby w zbroi z diamentów słowa te nie zabrzmiały aż tak oburzająco. Obciągnęłam dół mojej czerwonej sukienki.

– W każdym razie, nic takiego się nie stało. Rozmawiałam z Paulą i z jego wychowawczyniami. Wiem, jak należy postępować.

– Dziękuję ci, Nancy – w głosie Jessiego zabrzmiała szczerość.

Gdy Paula mnie do siebie wzywała, mogłam się przynajmniej bronić. Najwyraźniej wszyscy uważali, że to ja odpowiadam za poczynania Josha. W przypadku tego najnowszego „incydentu" zostałam jednak pominięta.

Howard podniósł się gwałtownie.

– Trzeba już iść, Nancy.

Spojrzałam na niego z wdzięcznością. Odwzajemnił mój uśmiech.

Howard i Nancy poszli przodem.

– Chryste! Nie mogę uwierzyć, że ona to zrobiła. – Ścisnęłam rękę Jessiego, żeby przypomnieć mu o nas i o naszej wizji fajnego życia.

On jednak spojrzał na mnie surowo.

– Josh został przyjęty do tego przedszkola z polecenia Nancy. Ona zasiada tam w zarządzie. Jak sądzisz, jak się musi teraz czuć?

– Nie bój się, już ona wie, jak walczyć o swoje. I to publicznie. Myślałam, że staniesz w mojej obronie.

Oczekiwałam przeprosin.

– Jak mogłem to zrobić, jeśli Josh przeklina w przedszkolu? – był autentycznie poirytowany.

– Przecież ja go nie nauczyłam przeklinać.

– A niby od kogo się nauczył?

Westchnęłam.

– Gdzieś podchwycił. Może ode mnie, ale...

Spojrzałam w dół na moją czerwoną sukienkę.

Na szczęście opera pozwoliła mi uciec do krainy marzeń. Historia o Kopciuszku, tyle że rozgrywająca się w Sewilli z bohaterami w wiktoriańskich kostiumach. Właściwie można powiedzieć, że wszyscy zabiegali o rękę Rozyny, włącznie z jej opiekunem, Doktorem Bartolo. W świecie Rossiniego nie udaje się to nawet Hrabiemu, choć to on w końcu bierze sobie dziewczynę za żonę. Bez problemu nadążałam za fabułą, czytając napisy wyświetlane na ekranie umieszczonym na oparciu fotela przede mną. Zauważyłam, że tylko Howard i ja czytamy te napisy. Z fascynacją wsłuchiwałam się w potężne głosy wypełniające salę.

José Fuentes (wcielający się w postać Figara) śpiewał swoją arię z wielką łatwością, jakby w ogóle nie musiał brać kolejnych wdechów. W jego ustach brzmiała tak lekko, tak radośnie. Byłam zachwycona.

Poza tym historia wydała mi się zabawna, momentami śmiałam się w głos. Tymczasem Nancy i Pamela nieustannie przykładały sobie materiałowe chusteczki do policzków, zbierając nimi łzy bezszelestnie napływające do kącików ich oczu. W pewnym momencie nawet trzymały się za ręce, tak głębokim doznaniem było dla nich wspólne doświadczenie arii „nie do zaśpiewania". Jak się dowiedziałam później, gdy podążaliśmy do garderoby José Fuentesa, szczupły i przystojny Gwatemalczyk wykonał ją w taki sposób, który dokładnie trafiał w gusta konserwatywnych do bólu mieszkańców Upper East Side.

Nancy jakby zapomniała o moim występku. Trzymając róg swojej sukni, sunęła entuzjastycznie wśród niezbyt zadbanych korytarzy prowadzących do pomieszczeń położonych za sceną. Szliśmy wszyscy za nią, Howard i ja na samym końcu. Przed drzwiami do garderoby José zdążyła się już ustawić kolejka. Nie grupka przyjaciół czy paru innych śpiewaków, lecz rządek kobiet. Czyżby opera miała aż tyle hojnych sponsorek, którym przyznawała prawo oczekiwania tu na swoją gwiazdę?

Pamela była wyraźnie podekscytowana.

– To Placido i jego brat. Och.

Gdy już mi go wskazano, uświadomiłam sobie, że elegancki mężczyzna siedzący na szarym biurowym krześle po naszej lewej stronie to faktycznie Placido Domingo. Nie mogę powiedzieć, że rozpoznałabym go w tłumie na Broadwayu. Nancy rzuciła się w jego stronę, jakby go dobrze znała. Tymczasem on odwrócił się plecami i podjął rozmowę z parą siedzącą obok.

Nancy szybko wróciła do kolejki.

– Jest z rodziną – powiedziała, próbując wyjaśnić mi całą sytuację, ponieważ tylko ja nawiązałam z nią w tym momencie kontakt wzrokowy.

Drzwi do garderoby José Fuentesa pozostawały szczelnie zamknięte.

Jessie udawał, że czyta informacje rozwieszone na ścianach. Zdawał się zafascynowany. Show-biznes najwyraźniej go pociągał. Ja tymczasem odczuwałam lekkie zażenowanie tym, że stoimy w kolejce, żeby ponadskakiwać tenorowi. Pamela przyglądała się chwilę własnej twarzy w kompaktowym lusterku marki Chanel, po czym z kremowej satynowej torebki wyjęła szminkę i poprawiła sobie usta. Jessie odwrócił się i zaczął się jej przyglądać.

W końcu drzwi się otworzyły i pojawił się w nich drobny ciemnowłosy mężczyzna w kaszmirowym kremowym pulowerze, jakby trochę gejowskim. Kobieta z początku kolejki rzuciła się do przodu.

Przed nami znajdowały się jeszcze cztery osoby. Zamiast się przepychać, Nancy postanowiła zaczekać. Dotarliśmy do José jako ostatni z grupki jego fanów.

Jedną rękę trzymając przy swojej migoczącej szyi, drugą dotknęła tenora.

– José, Nancy Frelinghuysen Hughes.

Nancy przywołała swoje panieńskie nazwisko.

Ponieważ Fuentes cały czas patrzył na nią tępo, dodała pospiesznie:

– Spotkaliśmy się ostatnio w La Scali.

– Ach, taaaak. Nancie… jak siiię masz?

Ucałowali się w oba policzki. Trudno powiedzieć, czy on rzeczywiście miał zamiar ją pocałować, czy to ona stworzyła taką sytuację.

– To było... Jestem poruszona... Cóż za niesamowite przeżycie. Dziękuję, José. – Jej zachwyty brzmiały bardziej jak słowa spowiedzi dobiegające zza kratki konfesjonału.

Nancy starała się stworzyć atmosferę intymności. Howard pokrzyżował jej plany, wyciągając malutki aparat cyfrowy i podając go Jessiemu. Nie pytając artysty o zgodę, Nancy ustawiła się prędko po jego prawej stronie i przesunęła Howarda na lewo. José bez większego wysiłku utrzymał uśmiech na twarzy przy dwóch pierwszych ujęciach. Potem Jessie zdecydowanym ruchem zamknął obiektyw, ale Nancy skinieniem ręki nakazała mu zrobić więcej zdjęć. Uśmiech José przeszedł z łuku do linii prostej.

– *Con mucho gusto* – powiedziała Nancy, gestykulując przy tym jak nastolatka. – *José, adios*.

Tym razem to ona ucałowała go w oba policzki. Dopiero gdy odwróciliśmy się do wyjścia, uzmysłowiłam sobie, że Nancy nie przedstawiła mu nikogo z nas, nawet uroczych panien doskonałych.

Pierwszą taksówkę odstąpiliśmy dziewczętom. Nancy pomachała im radośnie, a potem zwróciła się do Jessiego.

– Mam nadzieję, że dzisiejszego wieczoru coś zrozumiałeś.

Między naszą czwórką zapadła grobowa cisza. Wyczuwałam, że Howard wie, co Nancy miała na myśli, ale nie zamierza ułatwiać Jessiemu zadania.

– Tak, Nancy...? – W jego grzecznym tonie dało się słyszeć zakłopotanie. – Bardzo ci dziękuję za dzisiejszy wieczór. Niesamowite doświadczenie. Jesteśmy ci bardzo wdzięczni.

Ujęła go za obie ręce. W tym momencie wyglądała jednocześnie świetliście i mrocznie, uroczo i szaleńczo.

– Możesz stać się członkiem ważnej amerykańskiej dynastii. – Zrobiła krótką pauzę. – Dynastii, którą Frelinghuysenowie założyli w 1753 roku. Trzy wieki temu. Rozumiesz, co to oznacza?

Jessie spojrzał na Howarda, licząc na jego pomoc. Ostatecznie Jessiego nie łączyły z Nancy żadne więzy krwi. Nie należał do dynastii, o której mówiła. Howard uciekł wzrokiem w bok. Wiedział, że na tym etapie wieczoru Nancy zamierza wygłosić swój wykład. Wszystko zostało dokładnie ukartowane.

Nancy intensywnie wpatrywała się w Jessiego.

– To mogłaby być twoja dynastia. Mógłbyś być kimś. Właśnie tego dla ciebie chcę.

Nie odrywała od niego swoich stalowoszarych oczu.

– Nie chcesz mieć prawdziwych pieniędzy? Funkcjonujesz w małym świecie, w którym wszyscy zabiegają o sukces, a w ostatecznym rozrachunku o zarobki. Mógłbyś wznieść się ponad te banały. Zajmowałbyś się tym, jak rozdawać pieniądze. Na tym polega prawdziwa wielkość.

Wypowiadając te słowa, wsunęła się z gracją do wnętrza swojego czarnego samochodu, który właśnie podjechał. Howard bez słowa wsiadł za nią, w ostatniej chwili machając nam na pożegnanie.

– Cholerna suka – powiedział Jessie, gdy ich samochód odjechał, pozostawiając nas na chłodzie w oczekiwaniu na taksówkę. – Pieprzona intrygantka.

Jessie nigdy nie przeklinał. Jego reakcja potwierdzała to, w co chciałam wierzyć. Nie zastanawiałam się nad całą tą historią z punktu widzenia Nancy. Jakie to miało znaczenie, czego ona chciała? Chwyciliśmy się za ręce i objęliśmy. Jessie pociągnął mnie przez ulicę do irlandzkiego baru, który słynął jako miejsce spotkań śpiewaków, aktorów i dziennikarzy. Odnaleźliśmy własny raj na prawym skraju mahoniowego blatu. Ja siedziałam na wysokim krześle barowym, a Jessie stał obok mnie.

– Dobra, potrzeba nam mojito – oświadczył Jessie, stukając palcami po powierzchni blatu.

– To było niesamowite doświadczenie – powtórzyłam. Mogłam się zdobyć na szczerość, ponieważ teraz to on był zły na Nancy.

– Nancy to cholerne doświadczenie. – Pstryknął palcami na barmana, ten jednak świadomie zignorował jego gest. W końcu Jessie dał sobie spokój, godząc się z bezcelowością tych zabiegów.

– Jak śmie cię tak upokarzać?!

– Upokarzać mnie? – wybuchł. – Nie upokorzyła mnie. Była żałosna. Wcale nie czuję się upokorzony.

Prawie się roześmiałam, ponieważ Jessie wyglądał komicznie. Jego irytacja wydawała mi się nieproporcjonalna do wystąpienia Nancy. Pokiwałam głową i pogłaskałam go po ramieniu.

– Nie, po prostu jej, do diabła, nienawidzę. – Wydał z siebie nerwowe westchnienie i zaczął wymachiwać wyciągniętym palcem w stronę barmana. – Poproszę tutaj. Czekamy już cholernie długo.

Po raz kolejny wyładował swoją złość na mnie:

– Jak, do cholery, tata z nią wytrzymuje?

Nie mogłam się nie uśmiechnąć. Tak łatwo być wielkodusznym, gdy to twoje jest na wierzchu.

– Ma w sobie coś łagodnego... chociaż w sumie może jednak nie ma.

– Hej, hej! Tak, dwa mojito.

W przepełnionym energią miłym chaosie baru wspinaliśmy się na wyżyny złośliwości, obrażając Nancy i cały wieczór w operze. Wziąwszy szczególnie duży łyk, Jessie zaczął przedrzeźniać jej majestatyczne zachowanie:

– Tu nie chodzi o to, żeby zarabiać pieniądze, Jessie. Tu chodzi o to, żeby je rozdawać. Ta, jasne!

– Cały ten wieczór to jedno wielkie przedstawienie. – Mogłam to powiedzieć z szerokim uśmiechem, ponieważ miałam przed sobą świetne mojito, a u boku mojego ukochanego męża.

Jessie zrobił się markotny i nerwowy.

– Zostawiła te biedne dziewczyny całkowicie na uboczu, żeby zdobyć swoje cenne zdjęcie. One wykazały więcej godności i nie dały się wciągnąć w to szaleństwo.

– Czyżby? Bawiły się równie dobrze jak ona – dodałam z rozbawieniem. – Ta Pamela natychmiast by się na ciebie rzuciła, gdybym choć na chwilę zniknęła w toalecie.

– Anna, nie bądź śmieszna – powiedział ze słabym uśmiechem, który wyraźnie świadczył o tym, że zdawał sobie sprawę z jej zauroczenia jego osobą.

– Bardzo ci to schlebiało? – zapytałam bez entuzjazmu, oczekując zaprzeczenia.

Jessie dopił swoje mojito.

– A komu by nie schlebiało – zaśmiał się. – Chętnie umówiłbym się na randkę z Pammy. Oczywiście w moim życiu sprzed Anny.

Oboje się uśmiechnęliśmy.

Jessie dodał:

– Tymczasem będę się musiał zadowolić tym, że załatwię jej staż.

Właśnie zabierałam się do drugiego mojito, które Jessie zamówił już wcześniej.

– Ona naprawdę chce pracować w ONZ?

– Bardzo jej na tym zależy. Marzy o karierze w dyplomacji – powiedział Jessie zupełnie poważnie. – Nancy ma tak destrukcyjny wpływ, że w jej towarzystwie wszyscy koncentrują się na pozorach.

Siedząc na krześle barowym, psiocząc na Nancy i zachwycając się operą, nawet w mojej krótkiej czerwonej sukience czułam się szczęśliwa.

9

Paula i Nancy stały w korytarzyku przed wejściem do sali Josha, między szafkami a szklany-
mi oknami. Obie wyglądały tak samo nienagannie jak zwykle. Paula miała na sobie szary wełniany
kostium ze spodniami, zbyt gruby jak na wczesnoje-
sienną pogodę. Była zadbana w każdym calu: srebrne
kolczyki i srebrna bransoletka, czerwone usta i paznokcie pomalowane lakierem w kolorze kości słonio-
wej. Nancy natomiast ubrała się w kremową filcową
marynarkę szytą na miarę, wąskie czarne spodnie
i czarno-kremową jedwabną bluzkę z falbankami.

Tylko jeden szczegół sprawiał, że przedstawiały
sobą widok nietypowy i niecodzienny. Bardzo szybko uświadomiłam sobie powagę sytuacji zaistniałej
z mojej winy, choć niezależnie od mojej woli. Na starannie ułożonych włosach Pauli dostrzegłam parę
ogromnych okularów ochronnych, z jakimi miałam
do czynienia po raz ostatni w szkolnym laboratorium
chemicznym. Chociaż gdy się nad tym dłużej zastanawiam, pewnie widziałam takie okulary podczas wizyt
u stomatologa. Nancy też miała na głowie okulary
ochronne. Wydawały się za duże w stosunku do jej
wąskiej twarzy.

Obie kobiety przybrały wyraz twarzy właściwy raczej dla naukowców z NASA, którzy prowadzą właśnie skomplikowany eksperyment. Żadna z nich nie zwróciła na mnie uwagi.

Czy udało im się kupić te okulary w chwili ogłoszenia stanu wyjątkowego, czy może, z myślą o takich sytuacjach, trzymały je zawsze w gotowości w górnej szufladzie biurka? Niestety nie mogłam ich o to zapytać.

I cóż tu u licha robiła Nancy? Można było odnieść wrażenie, że ostatnio aktywnie uczestniczy w codziennym życiu przedszkola. A co z jej pozostałymi projektami?

Paula zostawiła w mojej poczcie głosowej przeraźliwą wiadomość: „Oczywiście, to się zdarza. Niestety już wcześniej mieliśmy do czynienia z wszami. Tym razem jednak Joshua sprowadził na naszą społeczność plagę robactwa".

W Wielkiej Brytanii wszawica u dzieci to zupełnie normalna sprawa. Nawet w Nowym Jorku wszy były czymś powszechnym. Trudno było mówić o jakiekolwiek winie Josha, a mimo to miałam wrażenie, że nad naszymi głowami gromadzą się coraz ciemniejsze chmury: dywany, kurwy i wszawica. Nie szło nam najlepiej.

Trzy energiczne matki ustawiły się w rządku niczym Aniołki Charliego, każda w innych dżinsach i każda na innych obcasach. Pojawiły się u drzwi do sali jednocześnie. Połowa dzieci została już wyprowadzona.

Blondynka, Jennifer, właśnie miała uścisnąć Paulę. Uścisnąć tę, której ściskać nie wolno. Wtedy Paula dostrzegła mnie. Spojrzała na mnie z obrzydzeniem. Inaczej się tego nie da określić.

Jennifer odwróciła się, żeby porozmawiać z Paulą i Nancy.

– Mam całą listę agencji specjalizujących się w odwszawianiu: Lice FB1, Head Sanitizers, Lice Crusaders. Trzeba się z tym rozprawić.

Nancy uśmiechnęła się lekko.

– Jesteś taka dzielna.

– Ja zdecydowanie wybieram Lice Eradicators – podkreśliła brunetka, zwracając się do Nancy po uznanie dla swojej decyzji. – Oni wysyłają ekipę, która przez cały dzień oczyszcza nie tylko zainfekowane włosy, ale również całe otoczenie.

Pozostałe dwie zdawały się rozczarowane, że nie odnalazły tej firmy, mimo to chętnie chłonęły informacje.

– Na tym nie można oszczędzać – zadeklarowała uroczyście Paula.

Brunetka mówiła dalej, zupełnie jakby przedstawiała właśnie przepis na swoje ulubione ciasteczka.

– Wiecie, najpierw przeprowadzają detoksykację włosów i ciała. Potem trzech ekspertów od wszawicy ogląda wszystkie włosy, jeden po drugim. Następnie wysyłają ekipę do mieszkania i do samochodu, żeby wszystko zostało sprawdzone i spryskane. Dają stuprocentową gwarancję. Niestety kosztuje to dwa tysiące dolarów, ale zapłaciłabym nawet trzy razy więcej, żeby tylko mieć spokojną głowę.

Trio w dżinsach kiwało energicznie głowami, wpisując do swoich blackberries namiary na ekspertów od zwalczania wszy. Odnosiłam wrażenie, że Paula nie zapłaciłaby aż tyle za odwszawianie swojej córki, ale jednocześnie wiedziała doskonale, że jej klienteli – starannie odchowanemu potomstwu bankierów – spokój ducha kojarzy się wyłącznie z pieniędzmi.

– Lice Eradicators zostaną tu wprowadzeni zaraz po wyjściu dzieci – powiedziała stanowczo Nancy – Macie moje słowo, że żadna książka, żadna zabawka i żadne włókno w dywanie nie zostanie pominięte.

Paula milcząco przytaknęła. Jennifer i jej koleżanki zdawały się uspokojone. Mijając nas, weszły do sali, po czym wyprowadziły stamtąd swoje córeczki. Paula przytrzymała córkę Jennifer przy drzwiach, zaglądając w jej blond włosy. Okulary szczelnie zasłaniały jej twarz.

– Wydaje się, że nie ma – stwierdziła.

– Świetna wiadomość – zaintonowała Nancy.

Ta wymiana zdań miała stanowić pocieszenie dla rodziców.

– Tak czy owak, wolałabym ją poddać zabiegowi – stwierdziła Jennifer.

Jej córka stała cierpliwie między trzema kobietami.

– Oczywiście. – Nancy dotknęła jej ramienia.

Paula wyszeptała w tym samym czasie:

– Lice Eradicators podpisują umowę o zachowaniu poufności. Obsługiwali dzieci w najlepszych prywatnych placówkach w mieście. – Przyłożyła palec do ust.

– Gdy to wszystko się skończy, przyda nam się mała przerwa.

– Oczywiście, proszę ją przyprowadzić, gdy uzna to pani za stosowne. – Nancy miała taki wyraz twarzy, jak gdyby chciała pocieszyć kogoś przeżywającego żałobę.

Matka i córka zniknęły. Ich kierowca, który przez cały czas opierał się o latarnię stojącą na chodniku przed bydunkiem, sprawnie obszedł czarnego lincolna town car, otworzył drzwi, obszedł auto ponownie i wycofał się ze ślepej uliczki. Paula machała cały czas, gdy samochód wykonywał zawracanie na trzy. Przestała, dopiero gdy straciła go z oczu.

Odwróciła się do mnie, rzucając mi lodowate spojrzenie. Można było odnieść wrażenie, że wyładowuje na mnie całą swoją wściekłość za to, że musi bronić dobrego imienia placówki i uspokajać rodziców.

– To pani sprowadziła te zmartwienia na wszystkich moich rodziców, na całą moją szkolną społeczność.

Wyczuwałam, że w rzeczywistości chce powiedzieć: „to ty sprowadziłaś na mnie te wszystkie kłopoty. Z tymi bogatymi sukami i tak się ciężko rozmawia, nawet jeśli nic akurat nie podsyca ich neurozy. A to wszystko twoja winna, Anno".

Nancy stała za nią jak jej osobisty ochroniarz.

– To okropna sytuacja, Anno. Mam nadzieję, że to rozumiesz. Taki incydent może skłonić rodziców do zabrania dzieci z tego przedszkola.

Znowu to słowo „incydent". Nancy była teoretycznie moją teściową. Dlaczego mnie nie broniła? Co się stało z wartościami rodzinnymi?

– Paula, Nancy, bardzo mi przykro, że w szkole są wszy. Ale przecież nie można stwierdzić, które spośród dwadzieściorga dzieci je przyniosło. Nie możecie winić za to Josha.

Ani mnie, chciałam dodać. Łatwiej było rzucić oskarżenie na mnie niż na Jennifer i jej małą długowłosą piękność.

Paula zignorowała ten oczywisty fakt.

– Proszę sobie kupić takie okulary. – Zdjęła swoje i podsunęła mi je pod nos.

Stały się symbolem jej determinacji, jej dyrektorskiej zdolności do wychodzenia z każdej opresji obronną ręką. Wszawica nie zszarga reputacji jej przedszkola. Pod jej rządami wizerunek Tower Pre-School nie może ucierpieć. Lojalność rottweilera, jaką się wykazywała, budziła podziw nawet we mnie.

– Dobrze, kupię sobie takie – powiedziałam pojednawczo. Chciałam jej dotknąć, żeby ją w ten sposób pocieszyć.

Ona jednak już zdążyła skierować się w stronę swojego gabinetu, z okularami na nosie.

Nancy ostrożnie zdjęła okulary i włożyła je do dużej czarnej torby Chanel. Zauważyłam ją dopiero teraz. Leżała na podłodze, oparta o szafki.

Potem zwróciła się do mnie:

– Anno, tak bardzo chciałabym ci pomóc. Ale najpierw ty musisz pomóc sama sobie.

Wypatrzyłam Josha po drugiej stronie dziedzińca, w gabinecie Pauli. Wyglądał jak półtora nieszczęścia. Głowę owinięto mu prześcieradłem, druga płachta materiału okrywała resztę jego ciała. Został wyrzutkiem nowojorskiego świata. Był równie nieszczęśliwy jak te wszystkie kobiety, które przymusza się do zakrywania twarzy i ciała.

Odwróciłam się do Nancy.

– Przykro mi, ale każda matka wie, że nie da się uchronić dziecka przed wszawicą. Wszy łapie się od innych dzieci.

– Wiem, na pewno rozumiesz, co mam na myśli.

Nie rozumiałam, naprawdę nie rozumiałam.

Odwróciła się do mnie plecami. W jednej ręce trzymając torbę, a drugą machając mi na pożegnanie, skierowała się do swojego czarnego lincolna.

To wszystko wytrąciło mnie z równowagi. Szybko ją jednak odzyskałam, gdy zobaczyłam łzy spływające po twarzy Josha.

– Mamusiu – wykrzyknął, gdy tylko przekroczyłam próg gabinetu Pauli.

Upokorzenie, wstyd, smutek wynikający z odizolowania od innych, wmówione poczucie winy – to wszystko malowało się na jego twarzy.

– Ja... Ja... Ja mam wszy. Aaaaaaaaaaaaaa-aaaaaaaaaa... – łkał beznadziejnie, co chwila próbując złapać oddech.

Byłam zła na Paulę, że go na to wszystko naraziła i jeszcze dała mu do zrozumienia, że wszawica to coś bolesnego.

– Słoneczko, tak mi przykro. Mnóstwo dzieci łapie wszy. One nie bolą, prawda? Tylko trochę swędzą. Można się ich łatwo pozbyć, wiesz? Obiecuję. Pomyślimy, jak by ci tu można poprawić humor. Może czekolada?

Paula stała nad nim. Widać było, że w żadnym razie nie zamierza pocieszać ani Josha, ani tym bardziej mnie. W milczeniu podała mi ulotkę.

Lice Eradicators, jedyny profesjonalny prywatny salon odwszawiający w Nowym Jorku. 100% gwarancji. 100% poufności. Pozytywna opinia wielu najbardziej prestiżowych nowojorskich szkół prywatnych.

– Spryskają wam całe mieszkanie.

Miałam tego dość. Męczyła mnie już sama myśl o tym wszystkim. Zamierzałam ograniczyć się tylko do wyprania pościeli Josha.

– Proszę go nie przyprowadzać z powrotem, dopóki oni nie dadzą stuprocentowej gwarancji.

10

S haron zjawiła się u nas najwyraźniej mocno poruszona, choć starała się tego nie okazywać. Jej niepokój uwidaczniał się jedynie w postaci dodatkowych zmarszczek wokół oczu oraz dwóch pionowych głębokich bruzd między brwiami. Poza tym zdawała się doskonała jak zwykle. Miała na sobie jasnozielony sweter i czarne dżinsy – idę o zakład, że gdzieś w ich czerni połyskiwała zieleń. Włosy miała starannie ułożone, rzęsy pociągnięte tuszem. Coś jednak było nie w porządku.

Jej mąż Isaac był człowiekiem neutralnym. Nosił neutralne ubrania – beżowe kaszmirowe swetry, koszule w kratkę w delikatnych odcieniach błękitu. Nigdy nie zabierał głosu niepytany. Jessie i ja odnosiliśmy wrażenie, że wolał, aby to Sharon prezentowała ich wspólne opinie szerszej publiczności.

Ten dzień nie różnił się od innych. Sharon po raz kolejny wyraziła zachwyt naszym tarasem, choć mieścił się na nim jedynie mały kwadratowy stolik dla czterech osób. Nasza czwórka wcisnęła się w niewielkie przestrzenie przy jego krawędziach, a dzieci usiadły na stołeczkach w rogu tarasu.

Sharon pytała wcześniej, czy może zaprosić swoją przyjaciółkę Yolandę. Na razie jej jednak nie było. Najwyraźniej Yolanda miała w zwyczaju się spóźniać. Nie potrafiłam pojąć, jak Sharon może tolerować taką niesumienność. Kimże jest ta półbogini? Powątpiewałam, czy tego dnia będzie nam dane poznać ją bliżej, ponieważ zdążyliśmy już skonsumować gofry i właśnie popijaliśmy drugie latte.

Razem z Jessiem zdołaliśmy odwieść Sharon od tematu Josha i „incydentów" z jego udziałem. Pomimo obecności dzieci na tarasie Sharon nie miała oporów, by o tym rozmawiać. Gdy raptownie zmieniła temat na swój ulubiony, czyli edukację, Jessie i ja wymieniliśmy ukradkowe spojrzenia. To było bardzo zabawne.

– Ten wspaniały brunch to doskonała okazja, żeby wam o czymś powiedzieć – zrobiła dramatyczną pauzę. Miałam wrażenie, że ton jej głosu podniósł się pod wpływem drugiej kawy. Nigdy nie widziałam, żeby piła dwie kawy z rzędu.

– O czym? – nie mogłam się powstrzymać przed wypowiedzeniem tego z lekką nutką ironii. – Nie jesteś chyba w ciąży?

– Ależ nie! – zaprotestowała, zapominając o obecności swoich dzieci. – Podjęliśmy zdecydowanie ważniejszą decyzję, prawdopodobnie najważniejszą decyzję w życiu.

Czekała. Twarz Jessiego zastygła w półuśmiechu – częściowo zalotnym, a częściowo wyrażającym rozbawienie. Zauważyłam, że Isaac wpatrywał się w tym momencie w doniczki z kwiatami Josha.

– Zdecydowaliśmy się skorzystać z usług Moniki Clements.

– Monica... czyli? – zapytał Jessie, chcąc mnie ratować z opresji.

– Konsultantka do spraw edukacyjnych. Muszę powiedzieć, że nie chodzi o jakąś tam konsultantkę, tylko o najlepszą konsultantkę na całym Manhattanie. To guru podań do zerówki.

Jessie zupełnie niechcący podważył doniosłość tej wiadomości, sięgając do talerza z goframi.

– Ktoś może ma ochotę na jeszcze jednego?

Sharon zignorowała jego propozycję zdawkowym gestem.

– Monica to...

Starała się nawiązać kontakt wzrokowy z Isaakiem, licząc na jego wsparcie lub pomoc w doborze sformułowania – nie jestem pewna, o którą z tych dwóch rzeczy jej chodziło.

– Nie tylko pomaga przygotować odpowiednią listę szkół, ale też aktywnie promuje twoje podania – wyjaśnił Isaac, po czym dodał przepraszająco – cóż, to Sharon wpadła na ten pomysł. Przypuszczam, że z uwagi na okoliczności to rzeczywiście okaże się istotne.

Nie potrafiłam jednoznacznie rozstrzygnąć, czy wzmianka o okolicznościach odnosiła się do stanu psychiki Nathana, czy do stanu nowojorskiego szkolnictwa prywatnego (powszechnie uważano, że przy naborze do tych placówek panuje większa konkurencja niż wśród kandydatów na uczelnie należące do Ivy League). Wynikało to z faktu, że w przekonaniu rodziców edukacja wczesnoszkolna miała absolutnie kluczowe znaczenie i w dużym stopniu decydowała o tym, czy dziecko dostanie się w przyszłości na Harvard lub Yale.

Jessie przemyślnie trzymał się tematu edukacji.

– Słyszałem o strasznych problemach z miejscami w zerówkach. Rany, my się jeszcze w ogóle nad tym nie zastanawialiśmy.

Sharon dostrzegła swoją szansę i postanowiła ją wykorzystać.

– Ciągle to powtarzam Annie. W kółko. Nie możecie czekać ze składaniem podań do końca wakacji. Większość list będzie już wtedy zamknięta.

– No dobrze, to może opowiedz nam o tej Monice – dotknęłam delikatnie jej ramienia.

– Gwarantuje dziecku miejsce w jednej z najlepszych szkół. Moja spokojna głowa i przyszłość mojego syna Nathana to rzeczy, na których w żadnym razie nie można oszczędzać.

Kiedy zakończyła swój wywód, Isaac pokiwał lekko głową, być może po to, żeby wyrazić taktyczne poparcie dla jej stanowiska.

Jessie zwrócił się do niego z zaciekawieniem.

– Czy to jest bardzo drogie?

– Potwornie – odpowiedział Isaac. Chyba mu ulżyło, że może to powiedzieć na głos. – Dwanaście tysięcy dolarów.

– O mój Boże! – wyrwało się Jessiemu.

Sharon zmarszczyła brwi.

Uniosła ramiona, ściągając je do tyłu do neutralnej pozycji jogi.

– Dla mnie osobiście nie ma znaczenia, ile trzeba będzie zapłacić za to, żeby Nathan chodził do jednej z najlepszych szkół w mieście.

Jak na komendę Jessie i ja pokiwaliśmy głowami. Zdawaliśmy sobie sprawę, że Sharon się zdenerwowała. Isaac nie miał jednak zamiaru bronić jej racji.

Obrócił krzesło w stronę Josha i Nathana.

– Hej, chłopaki! Pójdziemy do parku?

Sharon zmarszczyła czoło.

– Isaac, to nie czas ani miejsce.

Issac miał jednak inne zdanie.

– Chodźmy do parku. Yolanda nie przyjdzie.

– Tu nie chodzi o Yolandę. Chodzi o to, że uciekasz od ważnych życiowych problemów.

– Sharon, po prostu staram się nie… – szukał właściwego słowa, ponieważ w przeciwieństwie do swojej żony nie miał ich zawsze na podoriędziu – roztrząsać kwestii kolosalnego wydatku. A tymczasem tak bardzo zbliżamy się do…

Wszyscy czekaliśmy, co powie, nawet Sharon.

– …krawędzi – dokończył wreszcie.

Jessie i ja spojrzeliśmy po sobie, zastanawiając się, jaką krawędź ma na myśli.

Twarz Sharon pokryła się czerwonymi plamkami.

– Nie wydaje mi się, aby to był stosowny moment na rozmowę o naszych finansach. – Drapała palcami wnętrze lewej dłoni.

– Chętnie się trochę poruszam – powiedział Jessie, starając się wybadać nastroje.

Isaac jakby go nie usłyszał.

– Jesteśmy w gronie przyjaciół. Ja osobiście chciałbym porozmawiać o tym, że jesteśmy spłukani, zwłaszcza że moja żona postanowiła nie przyjmować tego faktu do wiadomości.

Sharon i Isaac zajmowali mieszkanie na jednym z ostatnich pięter wysokiego wieżowca usytuowanego naprzeciwko Lincoln Center. Mieszkanie było malutkie: w salonie znajdowała się tylko niewielka podniszczona sofa, telewizor i szklana szafka, pokój dziecięcy mógł pomieścić piętrowe łóżko i jedną szafę na ubrania i zabawki. Ale z okien w kuchni roztaczał się fantastyczny widok na korony drzew w Central Parku. Sharon i Isaac musieli płacić za wynajem co najmniej 6 tysięcy dolarów miesięcznie. Isaac prowadził własną firmę finansową. Szczegóły pozostawały dla nas tajemnicą, nie wiedzieliśmy, co dokładnie robi. Finanse nieodłącznie kojarzyły się z pieniędzmi, a my zawsze odnosiliśmy wrażenie, że nasi znajomi to bogaci ludzie.

W związku z tym byłam przekonana, że Isaac przesadza. Na szczęście nie musieliśmy drążyć tematu, ponieważ rozległ się dzwonek do drzwi i Jessie ze zgrzytem przesunął swoje krzesło po pomalowanej na szaro podłodze tarasu.

Po chwili w rozsuwanych drzwiach pojawiła się Yolanda. Na jej szerokiej twarzy wyraźnie zarysowywały się kości policzkowe. Yolanda była dość niska, a jej kształtne ciało przywodziło na myśl seksualną otwartość i swobodną naturę. Ramiona tonęły w ciemnych falach włosów. Stała na schodach tarasu w czerwonej koszulce z głębokim dekoltem. Można by przypuszczać, że ma latynoskie korzenie, potem jednak dowiedziałam się, że jest Greczynką. Po przedstawieniu nas sobie Yolanda została poczęstowana kawą i gofrem, po czym zdjęła białe kalosze na wysokim obcasie i usiadła, chowając pod krzesło pomalowane na jaskraworóżowy kolor palce stóp. Chwilę później wyciągnęła z torby pudełko Tupperware. W środku znajdowały się biszkopciki czekoladowo-krówkowe, które sama upiekła rano.

Natychmiast poczułam sympatię do tej „normalnej", pewnej siebie, roztrzepanej osoby. W Nowym

Jorku rzadko się spotyka takich ludzi. Miałam ochotę ją uścisnąć. Nigdy dotąd tak bardzo nie zależało mi na tym, żeby się z kimś zaprzyjaźnić. Wyobrażałam sobie, jak by zareagowała na moje historie o Nancy, Pauli i wydarzeniach z przedszkola.

– Sharon wspominała, że świetnie malujesz. – Nachyliłam się w jej stronę. Zauważyłam, że dużo gestykuluję, bezwiednie naśladując jej zachowanie.

– Och, dobrze by było – westchnęła, dając w ten sposób wyraz zupełnie nietypowemu dla nowojorczyków brakowi uznania dla własnych dokonań. – Uwielbiam malować. To moja największa pasja. Ale w dorosłym życiu pracuję w agencji, która reprezentuje aktorów.

– O, niesamowite!

Zaśmiała się gardłowo.

– Łał, jakie piękne mieszkanie.

W jej głosie zabrzmiał prawdziwy entuzjazm.

– Bardzo nam się podoba. Brązowy piaskowiec to taki stereotyp. Tak sobie wyobrażaliśmy Nowy Jork, zanim się tu przeprowadziliśmy.

– Ja też – jej usta rozsunęły się w szerokim uśmiechu, sięgając aż za linię włosów.

– Skąd pochodzisz?

– Z Long Island. Przeprowadzka do wielkiego miasta to był nie lada wyczyn.

Zwróciła się do Jessiego.

– Wprost nie mogę uwierzyć, że Anna urodziła dziecko. Jest taka szczuplutka.

Pochlebstwo otwiera zwykle wszystkie drzwi.

– Tak, nadal jest piękna – uśmiechnął się Jessie.

Ta normalna osoba wydobywała z nas obojga to, co w nas najlepsze i normalne. Gdy niechętnie rezygnując z jej towarzystwa, udałam się do toalety, w lustrze zobaczyłam swój uśmiech, a także kremy Origins, prezent pożegnalny od matki, ustawione w rządku na białej półce.

Pojawienie się Yolandy w żaden sposób nie zmieniło zachowania Sharon. Skupiała się teraz na prywatnej rozmowie z Isaakiem. Podkreślała kolejne zdania ożywionymi ruchami głowy.

Yolanda nie zwracała najmniejszej uwagi na ich coraz bardziej zajadłą dyskusję.

– Musicie kiedyś odwiedzić Williamsburg. Musielibyśmy gdzieś razem wyjść, bo moje mieszkanie jest zdecydowanie mniejsze od tego.

Z góry dobiegły mnie krzyki Nathana, więc licząc na to, że w ten sposób uda nam się zatrzymać nieco dłużej naszą nową przyjaciółkę, zaproponowałam wyjście do parku. Wszyscy byliśmy już gotowi, kiedy Yolanda poprosiła o możliwość skorzystania z łazienki. Jej zmysłowe kształty wraz z przepastną ciemnozieloną torbą zniknęły w naszej malutkiej łazience w kafelkach w stylu retro.

Widziałam, jak Yolanda wciska się do środka. Był to jednak tylko jeden z milionów obrazów, które zwykle gromadzą się w mózgu, czekając na przywołanie. Chcę przez to powiedzieć, że specjalnie się nad tym nie zastanawiałam. Wtedy nie zwróciłam na to uwagi i natychmiast o tym zapomniałam.

11

Zniknęły wszystkie słoiczki z kremami. Aż przetarłam oczy ze zdumienia, ponieważ ich zniknięcie musiało być efektem jakiejś sztuczki iluzjonistycznej. Półka była pusta. Gdy tylko wstałam z toalety, zaczęłam rozglądać się wokół wanny i po podłodze, zajrzałam do szafki za lustrem. Nigdzie ich nie było. Uchyliłam drzwi od łazienki. Josh i Jessie tarzali się na sofie, wydając z siebie radosne okrzyki.

– Moje kremy zniknęły – wymamrotałam. – Josh, bawiłeś się nimi?

Josh nie odpowiedział.

– Josh, zapytałam cię, czy wziąłeś mamy słoiczki z kremami z łazienki.

– Nie, jakie kremy? – wyraził stosowne zdumienie.

– Jesteś pewien, Josh?

Jessie stwierdził, że musiałam je gdzieś zostawić. Mogłabym przyznać mu rację, ponieważ zdarzało mi się zostawiać drobiazgi w innych torebkach albo w różnych przypadkowych miejscach. Ciągle coś gubiłam. Byłam jednak również do bólu szczera, to chyba moja wada. W tamtym momencie jakoś nie pamiętałam o nauce płynącej z tych wszystkim filmów, w których prawda mogłaby na zawsze pozostać

tajemnicą, gdyby nie jakiś wyrywny poczciwy czło-
wieczyna: „Nie, proszę pana. Nie tak to było. Nie
tak".

Wróciłam ponownie do łazienki i zaczęłam szukać od nowa. Ponownie spojrzałam na półkę, jakbym liczyła, że odda mi moje kremy. Zajrzałam nawet
do szlafroka, który wisiał za drzwiami. Być może jakimś cudem wpadły do kieszeni?

Mieszkańcy ogromnych domów, w których łazienki urządza się w pomieszczeniach rozmiarów standar-
dowego pokoju, mogliby mi nie uwierzyć, ale w tej
łazience naprawdę nic nie mogło się zapodziać, ponieważ mierzyła metr dwadzieścia na półtora i znajdowała się w niej tylko jedna półka i jedna szafka.
Kremy nie mogły się nigdzie schować. Tym bardziej
że przed wyjściem do parku widziałam, że wszystkie
stały na półce. Na swoim miejscu.

Nagle wróciło tamto wspomnienie. Ten obraz...
jeden spośród miliona innych. To zmysłowe ciało...
ta przepastna torba znikająca w łazience.

– Yolanda ukradła moje kremy – powiedziałam
to na głos sama do siebie, bo wprost nie mogłam w to
uwierzyć.

Skandaliczne zachowanie, naruszenie prywatności, podłość – żeby tak przyjść do mojego domu
i ukraść mój prezent. Cóż za bezczelność! Jakie rozczarowanie! Jak mogła mnie okraść ta wspaniała osoba, z którą tak bardzo pragnęłam się zaprzyjaźnić?
Koniec marzeń o bliższej znajomości. Koniec marzeń
o jakichkolwiek prawdziwych przyjaźniach w Nowym
Jorku.

Jessie przerwał zabawę z Joshem. Wstał.

– O czym ty mówisz? Musiałaś je zgubić.

Tak najłatwiej było powiedzieć. To byłaby taka prosta odpowiedź. Tylko że nie była. Bo to nie była prawda.

Prawdę kryło w sobie odbicie moich kremów w lustrze. „Modern Friction" – peeling numer jeden w Ameryce. „Modern Friction for the Body". „Ginger Rush Body Cream". „Youthtopia firming cream with Rhodiola". „Youthtopia firming eye serum with Rhodiola". I wreszcie crème de la crème, czyli „White Tea Skin Guardian". Wszystkie zniknęły.

– Nie mogę uwierzyć, że zabrała moje kremy. Po prostu nie mogę w to uwierzyć.

To odkrycie mnie załamało. Nie dlatego, że Yolanda okazała się nieuczciwa, ale dlatego, że tak bardzo się co do niej pomyliłam. Że tak bardzo chciałam się z nią zaprzyjaźnić.

Usłyszałam głos Jessiego dochodzący z salonu:

– Zwariowałaś, zaraz zaczniesz oskarżać Sharon.

Nie spojrzałam na niego. Cały czas wpatrywałam się w półkę.

– Nie, to nie Sharon. Ona nigdy nie połaszczyłaby się na czyjś używany krem.

Twarz Jessiego lekko zaczerwieniła się ze złości.

Podziwiałam go, jego ciemne włosy, szare oczy, inteligencję.

– Chciała mojego męża i moje mieszkanie, więc wzięła sobie moje kremy.

Zarumieniłam się. Może to typowo kobiece podejście, ale wiedziałam, że nie jestem daleka od prawdy. Musiałam się przekonać, czy moje przeczucie okaże się słuszne.

– Zadzwonię do Sharon – powiedziałam zdecydowanym tonem, choć w rzeczywistości nie byłam aż tak przekonana o słuszności tej decyzji.

Jessie podszedł do drzwi łazienki i otworzył je na oścież. Zaskoczyła mnie gwałtowność jego ruchów.

Nagle jakby stracił rezon.

– W porządku. Skoro chcesz upokorzyć siebie i mnie, to dzwoń. Powiedz jej, że twoim zdaniem jej bliska przyjaciółka jest złodziejką. Zapytaj przy okazji, czy w najbliższym czasie znowu przyjdą do nas na brunch? – jego słowa cięły jak brzytwa. – Powinniśmy próbować dostosować się do otoczenia. Stać się jego częścią. To jest teraz nasz dom.

– To nie Sharon jest złodziejką.

Zapadła między nami cisza – wypełniał ją wściekły gniew, który nas od siebie odpychał.

– Naprawdę zwariowałaś – powtórzył chłodno Jessie. – Nancy ma rację. Powinnaś iść do terapeuty.

Wzmianka o Nancy podziałała mi na nerwy.

– Dlaczego wszystko nagle sprowadza się do niej?

– Nie bądź śmieszna. Masz paranoję.

– Nie wierzę w to, co właśnie usłyszałam.

Wstrząsnęło mną, jak chłodno mnie potraktował, jak łatwo spisał na straty. Na złość jemu zadzwoniłam do Sharon. On na złość mnie poszedł na górę.

– To szaleństwo – byłam naprawdę zdenerwowana. – Ale miałam w łazience kilka kremów i już ich tam nie ma.

Liczyłam na to, że Sharon podchwyci moją sugestię.

– Przepraszam, ale co chcesz przez to powiedzieć? Nathan nie jest złodziejem.

– Nie, skądże, nie.

Sharon zamilkła.

– Yolanda musiała przez pomyłkę wrzucić je sobie do torebki...

Uświadomiłam sobie to, co doskonale wiedział Jessie i cała reszta świata – nie wolno rzucać oskarżeń przeciwko przyjaciółce przyjaciółki.

– Co konkretnie chcesz przez to powiedzieć?

Czego właściwie od niej oczekiwałam? Nie zastanawiałam się wcześniej, jak zamierzam poprowadzić tę rozmowę. Naiwnie liczyłam na to, że osoba, która bez ogródek opowiada wszem wobec o tym, że jej dziecko chodzi na terapię, zareaguje na moją skargę bardziej liberalnie, z większym zrozumieniem.

– Oczekujesz, że dam ci numer do mojej przyjaciółki, żebyś mogła oskarżyć ją o kradzież?

Wzięłam głęboki wdech. Zapadła między nami przeraźliwa cisza.

– Chyba sobie żartujesz.

– Przykro mi, Sharon. – Czy ja zwariowałam? Strasznie się bałam, że Jessie stoi za mną i słucha tej rozmowy.

– Muszę powiedzieć, że jestem zszokowana.

– Przykro mi, Sharon – powtórzyłam.

Jakby chcąc się mnie pozbyć, Sharon rzuciła pospiesznie:

– Jej numer komórki to 646 555 6657.

Odłożyła słuchawkę. W końcu zadzwoniłam do Yolandy i zostawiłam jej wiadomość.

12

Josh ugryzł inne dziecko. W rezultacie dziecku lekarze musieli założyć szwy, a ja czułam nieodpartą potrzebę zanurzenia ust w mojito. Tymczasem siedziałam ponownie w gabinecie Pauli. Z tą tylko różnicą, że tym razem to nie ona czekała na mnie, tylko ja na nią. Siedziałam w jej nieskazitelnym pokoju, z przygnębieniem spoglądając na wieżowiec po drugiej stronie podwórka, który zasłaniał wszelki inny widok. Po blisko piętnastu minutach weszła Paula. Zwykle stosowała politykę otwartych drzwi, ale dzisiaj zamknęła je za sobą.

– Anna, witam.

Nie robiła wrażenia rozgniewanej, zupełnie jakby zapomniała o ostatnim „incydencie". Nie miała też ze sobą żadnej literatury ani notatek. Inaczej niż poprzednio nie wślizgnęła się za biurko, tylko usiadła na krześle stojącym obok mojego. Przez kilka chwil siedziała dziwnie spokojnie i cicho. Przygotowałam się na pogadankę pełną słów zaczerpniętych z właściwego dla niej żargonu. Jej milczenie wydało mi się jednak jeszcze bardziej niepokojące.

W końcu westchnęła.

– Wie pani, jestem samotną matką – powiedziała łagodnie.

Pokiwałam głową. Miałam nadzieję, że odbierze to jako gest zrozumienia.

Złożyła ręce jak do modlitwy.

– Samotne wychowywanie dziecka w tym mieście to trudne zadanie. Naprawdę trudne.

Ta rozmowa dokądś prowadziła, ale nie miałam pojęcia dokąd. Próbowałam to ustalić poprzez odniesienie się do konkretnych faktów.

– Paula, jestem zszokowana tym, co zrobił Josh. Czeka go za to surowa kara.

Spodziewałam się, że wejdzie mi w słowo, ale tego nie zrobiła. Pospiesznie mówiłam więc dalej:

– Tak mi przykro. On wie, że nie wolno robić krzywdy innym dzieciom. Nie rozumiem, dlaczego to zrobił. Nigdy wcześniej nie zrobił nikomu krzywdy.

Paula machnęła ręką. Czyżby się ze mną zgadzała? Czyżby bagatelizowała całe zdarzenie?

– Nie zawsze wiemy, co jest najlepsze dla naszych dzieci. Nawet ja nie zawsze wiem, co jest najlepsze dla mojego dziecka. Ale przynajmniej zdaję sobie z tego sprawę.

Rany! Nie potrafiłam jej rozgryźć. Zupełnie nie wiedziałam, o co chodzi.

– Paula, ja doskonale zdaję sobie sprawę z tego, że Josh postąpił niewłaściwie. – Czy za bardzo nie próbuję się bronić?

– Wiem, wiem – powiedziała, jakby chcąc mnie pocieszyć.

Gdzie się podziała cała jej dawna agresja? To nowe łagodne oblicze Pauli wyprowadzało mnie z równowagi.

– Nie ma się co wstydzić, że się potrzebuje pomocy, Anno. Każdy z nas czasem potrzebuje pomocy w życiu.

Ponownie złożyła dłonie w geście modlitwy.

– Wie pani, spotykam się z terapeutą. Moi przyjaciele, bardzo mądrzy ludzie, też chodzą na terapię. Tak dobrze radzę sobie z tak wieloma skomplikowanymi sprawami w dużej mierze właśnie dzięki świetnej psychoanalizie.

Cholera! Czyżby sugerowała, że powinnam iść na terapię?

Na jej twarzy pojawił się – muszę to przyznać – autentyczny uśmiech.

– A pani ma to wielkie szczęście, że ma pani u swojego boku kogoś tak niesamowicie silnego psychicznie i ustosunkowanego jak Nancy Wietzman.

Na dźwięk nazwiska Nancy poczułam skurcz w żołądku.

– Przepraszam, czy pani rozmawiała na ten temat z Nancy? – Starałam się, żeby zabrzmiało to swobodnie, żeby w moim głosie nie było słychać niepokoju ani obawy. Zanim ponownie się odezwałam, po raz kolejny zagryzłam wargi. – Rozumiem, że musi pani okazywać lojalność wielu osobom, ale jako matka Josha uważam, że informacje na temat jego zachowania podczas zajęć należy traktować jako poufne.

Paula skrzywiła się w taki sposób, że mogłam dostrzec włoski nad jej górną wargą.

– Nie podoba mi się pani wroga i niestosowna postawa. Postępuję lojalnie wobec wszystkich rodziców i dzieci tworzących naszą społeczność. To moja pierwsza, najważniejsza zasada.

Poczułam, że zaczynam się pocić. Miałam nieodparte wrażenie, że dzieje się coś bardzo niedobrego. Mimo to brnęłam dalej:

– Nie powinien gryźć innych dzieci, ale nie jest przecież pierwszym czterolatkiem, który zrobił coś takiego. Osobiście kojarzyłabym to z faktem, że podejmowane tu próby poskramiania energii chłopców mogą wzmagać w nich skłonność do agresywnych zachowań.

Paula się nie odezwała.

Zdecydowałam się na ostatnią, dość rozpaczliwą próbę uniku.

– O, rany – spojrzałam wymownie na zegarek. – Powinnam już iść i odebrać Josha. – Wstałam. – Paula, dziękuję pani za poświęcony czas.

– Przykro mi, Anno, ale musi pani usiąść.

Przycupnęłam na brzegu krzesła, chcąc w ten sposób zademonstrować swoje niezadowolenie. Wzdrygnęłam się, ponieważ Paula dotknęła mojego ramienia.

– Wszystko będzie dobrze, Anno. Chciałabym, żeby... się pani nie denerwowała.

– Co się stało, Paula? Proszę mi wreszcie powiedzieć, o co chodzi?

Jak ja żałuję tych słów! Nie żeby to coś zmieniło, że je wypowiedziałam. Mój los był już przesądzony. Ale kiedy próbuję zasnąć, tamte słowa ciągle jeszcze dzwonią mi w uszach.

Przymilne głaskanie się skończyło.

– Zgodnie z zasadami obowiązującymi w naszej placówce w przypadku wystąpienia trzech incydentów w krótkim czasie nie mamy innego wyboru, jak tylko zgłosić sprawę opiece społecznej. Tak właśnie zrobiliśmy i wówczas dowiedzieliśmy się, że do pewnego incydentu doszło już wcześniej również w domu.

– Słucham? Czy pani mówi o tym, że Josh siedział na balkonie? To był skutek zmiany czasu. Nic mu nie groziło. To było wielkie nieporozumienie. Mogę to wyjaśnić...

– Anno, proszę. – Uniosła rękę jak policjant, który chce zatrzymać ruch. – Jak już powiedziałam, na szczęście ma pani Nancy.

Wstała. Nie do końca rozumiałam, dlaczego to zrobiła, ale sama też wstałam. Podeszłyśmy razem do recepcji.

Na krześle recepcjonistki Cynthii siedziała Nancy. Siedziała ze skrzyżowanymi nogami, jedną opartą na podpórce dla stóp, a drugą w powietrzu, obracając się w tę i z powrotem. Powoli podniosła się z krzesła i z gracją zbliżyła do nas.

– Anno, chodźmy na kawę.

Rzuciła Pauli znaczące, choć jednocześnie nieprzeniknione spojrzenie i wzięła mnie pod rękę. Znalazła się bardzo blisko mnie. Przypomniało mi się, że dokładnie tak samo blisko przysunęła się do Jessiego wtedy, w Bemelmansie. Nie potrafiłam rozstrzygnąć, czy próbuje mnie pocieszyć, czy chce mi powiedzieć coś bardzo ważnego. Byłam tym wszystkim tak zaskoczona, że po prostu podporządkowałam się jej w milczeniu.

– Nancy... – Piłam kawę z polistyrenowego kubka w kawiarni zlokalizowanej na parterze apartamentowca, na rogu niedaleko przedszkola. – Nie za bardzo rozumiem, dlaczego tak się w to angażujesz. Nie chodzi mi o samo przedszkole, tylko o zachowanie Josha.

Siedziałyśmy po dwóch stronach mało stabilnego okrągłego metalowego stolika przy czarnym lśniącym barze. Był tak mały, że nasze dłonie praktycznie się stykały. Trzymałam kubek oburącz. Nancy chwyciła jedną z moich dłoni i odciągnęła ją od naczynia. Z trudem zapanowałam nad sobą, żeby jej tej ręki nie wyrwać.

– Zależy mi na tobie, na Joshu i na Jessiem. Jesteście moją rodziną.

Jej zielone oczy wpatrywały się we mnie uporczywie. Westchnęłam zaniepokojona.

– Jak sądzisz, co zrobi opieka społeczna? Skończy się na zwykłej notatce?

– Prawdopodobnie... Nie martw się tym. Cokolwiek się wydarzy, mogę ci pomóc.

Uśmiechnęła się do mnie ciepło.

– Zaufaj mi, ja się tym wszystkim zajmę.

– Zajmiesz się? – byłam jej wdzięczna. – Dziękuję ci, Nancy.

– Nie ma sprawy. Będę występować w roli łącznika między opieką społeczną a przedszkolem.

Kiwnęłam głową. Nie miałam wyboru. Nie potrafiłam sobie poradzić nawet z Paulą. Na pewno nie poradziłabym sobie z przedstawicielami opieki społecznej.

– Dobra rada od kogoś, kto żyje w małżeństwie od lat... – Ponownie ścisnęła mnie za łokieć. – Nie mówiłabym o tym wszystkim Jessiemu. Tylko się niepotrzebnie zmartwi. Najpierw załatwmy całą sprawę.

Zdałam się zatem całkowicie na Nancy. Miała duże wpływy i dokładnie wiedziała, jak to wszystko działa. Wydawało mi się, że to rozsądne rozwiązanie. Wiele rzeczy w jej zachowaniu mi się nie podobało, ale w tamtym momencie wolałam o tym nie myśleć.

13

Aż mi głupio przyznać się do tego, co zrobiłam później. Do dzisiaj nie wiem, jak wtedy na to wpadłam. Czy byłam aż tak podatna na wpływy? Czy moje postępowanie całkowicie zależało od oddziaływania otoczenia i dawałam się bezwolnie popychać to w jedną, to w drugą stronę?

Spieszyłam się, żeby położyć Josha, bo chciałam czym prędzej zacząć czytać książkę Mela Levine'a, którą dała mi Sharon. Czułam, że muszę to zrobić.

Czy Josh był nieodpowiedzialny? Czy był zestresowany? Czy moja ocena nowojorskiego systemu szkolnictwa była sprawiedliwa? Może kierowały mną uprzedzenia? Może nawet rasizm, jak moją matką. Czy na jakiejś płaszczyźnie zawiodłam Josha? Mój przypadek wzbudził zainteresowanie organów władzy. Jessie musiał zostać tego dnia dłużej w pracy, więc rzuciłam się do regału w poszukiwaniu książki *Odkryj zdolności swojego dziecka*. Leżała poziomo na stosie innych książek.

Nadal pamiętam moment, w którym otworzyłam ją na spisie treści. Przejrzałam tytuły kolejnych rozdziałów. „Wczesne wykrywanie dysfunkcji". Pospiesznie zamknęłam książkę. To była pornografia dla umysłu, przerażająca i kusząca zarazem. Chwilę potem otwarłam ją ponownie. „Regulatory danych przychodzących". „Regulatory danych wychodzących". Przewróciłam stronę. „Czy zdarza się, że dziecko odnosi zbyt duży sukces społeczny?". Który rodzic nie zadaje sobie tego pytania? Ja je sobie stawiałam. „Gdy umysł nie nadąża". „Nadawanie umysłowi nowego kierunku (ale nie nowego kształtu)". Kategoryczność tych sformułowań miała w sobie coś uzależniającego. Niosła ze sobą obietnicę rozstrzygnięcia wątpliwości związanych z wymykającymi się spod kontroli problemami dzieciństwa. Czułam, że mogłoby mnie to zafascynować. Gdybym zaczęła czytać tę książkę, na pewno by mnie wciągnęła. Sięgnęłabym po długopis i zaczęła podkreślać niektóre zdania, zaginałabym rogi szczególnie istotnych stron, mogłabym nawet posunąć się do przyklejania w niektórych miejscach żółtych karteczek. Przeczytałabym i przyswoiła sobie każde słowo. Mogłabym nawet zacząć czytać jeszcze raz od początku, a potem kolejny raz.

Ulżyło mi, gdy usłyszałam, jak Jessie otwiera, a potem zamyka drzwi do budynku. Żywym krokiem podszedł do sofy, na której się rozłożyłam. Uścisknął mnie i ucałował entuzjastycznie, ale zaraz potem odsunął się trochę, ponieważ chciał porozmawiać.

Cieszyłam się, że coś rozprasza moją uwagę. Przesunęłam się, żeby pośladkami zasłonić książkę.

– Jak ci minął dzień?

– Mnóstwo pracy. Wracam właśnie z szybkiego drinka z Howardem.

Jessie mówił o swoim ojcu per Howard. Zastanawiałam się, czy robił to po to, aby zaznaczyć brak przywiązania do ojca i jego poglądów politycznych, czy taki po prostu wyrobił sobie nawyk.

Jessie usadowił się z nogami na sofie po mojej prawej stronie.

– Przyprowadził ze sobą znajomego – na jego twarzy, znajdującej się tuż obok mojej, malowało się rozradowanie. – Facet zarabia miliardy. Dosłownie – powiedział z podziwem.

– Rany, a co takiego robi?

– Produkuje kiełbaski.

– Ach ta Ameryka! – zachichotałam. – Biedny Mr Walls, dlaczegóż urodził się Brytyjczykiem?

Jessie mnie przytulił.

– Nie wydaje ci się, że to niesamowite?

– Nie, facet zarabia pieniądze w wyjątkowo mało kreatywny i nieinteresujący sposób.

Dlaczego dziwiło mnie, że fascynuje go tak nieprzyzwoicie bogaty człowiek? Gdy pojawiał się temat pieniędzy, stawał się banalny i mało atrakcyjny, jak para ekskluzywnych butów do golfa. Mimo wszystko coś we mnie czuło się onieśmielone takim niewiarygodnym bogactwem.

– Cóż to za snobizm, Anno! – powiedział agresywnie.

– Przepraszam – nie chciałam się z nim kłócić. Przesunęliśmy się ku jednemu krańcowi kanapy, częściowo zwróceni ku sobie.

Jessie odzyskał równowagę. Znów mówił spokojnie, nawet rytmicznie.

– Przyjechał z Irlandii, nie mając nic. A teraz jest tu u siebie. – Zwrócił się do mnie pojednawczym tonem: – Wiesz, co tak pozytywnie na mnie zadziałało? Powiedział: „Jest mi dobrze z myślą, że mam pieniądze. Zawsze było mi z tym dobrze". Jest trochę jak Pamela, której ten brytyjski dyskomfort związany z posiadaniem majątku też jest zupełnie obcy.

145

– Pamela?

– Tak jakoś mi się nasunęła, jako dobry przykład. Dzisiaj zaczęła pracę w ONZ. Korzysta ze swojego majątku, żeby zapewnić sobie wolność i wybór.

– I wybrała ONZ, tak? – usłyszałam nutkę sarkazmu we własnym głosie.

– Tak, właśnie tak – odpowiedział poważnie Jessie. – W każdym razie Howard uważa, że Connor Flint mógłby stać się dla mnie swego rodzaju mentorem.

– O czym ty mówisz? Facet zajmuje się produkcją kiełbasy, a nie dyplomacją.

– Taki człowiek mógłby otworzyć przede mną wiele drzwi.

Nie przychodziło mi do głowy nic innego jak najbardziej oczywista z odpowiedzi. Drzwi już stoją przed tobą otworem. Znajdujesz się u progu wielkiej kariery. Nie odezwałam się jednak, ponieważ Jessie zdawał się zafascynowany tym pomysłem.

– W sensie... – Podrapał się po głowie tuż nad czołem, jak to zwykle robił, gdy czuł się zakłopotany. – To jest taki mały świat, taka klika.

– ONZ?

– Dyplomacja.

– Ale podróżuje się po różnych krajach, poznaje się interesujących ludzi, robi się coś ważnego. Fabryka kiełbasek w Idaho to zaścianek.

– Ohio.

– Co takiego?

– Jego zakłady są w Ohio. – W samych skarpetkach pomaszerował po drewnianej podłodze do kuchni, a potem do drugiej części mieszkania.

Popędziłam za nim w kierunku kuchni, w której znalazło się miejsce dla dużej lodówki z zamrażarką i wolno stojącej kuchenki.

– Co chcesz przez to powiedzieć? – zapytałam łagodnie.

Nalał następne dwa kieliszki wina i od razu upił łyk ze swojego.

– To jest świat wielkich możliwości. Mógłbym zostać jego częścią. Nie uważasz, że to interesująca wizja?

Ogarnęła mnie niepewność i zaczęłam się zastanawiać, czy Jessie po prostu nie znudził się swoją pracą. Dostrzegł moje zaniepokojenie i zmienił temat.

– A jak tobie minął dzień?

Na chwilę wróciłam myślami do incydentu z gryzieniem, do opieki społecznej i do rozmowy z Nancy. Nie powiedziałam mu o żadnej z tych rzeczy. Czyżbym postanowiła posłuchać rady Nancy? Do dziś tego nie wiem.

Jessie poszedł pod prysznic. Wróciliśmy do naszego codziennego życia – do różnych spraw, które trzeba było załatwić w ciągu następnych dwudziestu czterech godzin.

14

Przedstawiciel opieki społecznej wyraził zgodę na to, aby do czasu wyjaśnienia całej sprawy Josh znajdował się pod opieką odpowiedzialnego członka rodziny – oznajmiła Paula przez telefon po zdawkowym powitaniu.

Z moich ust popłynął potok słów.

– Nie mogą tego zrobić. On jest Brytyjczykiem. O czym pani w ogóle mówi? To mój syn, a ja jestem Angielką. To niedorzeczne.

– Anno, on ma amerykański paszport. Jest obywatelem Stanów Zjednoczonych i przebywa na terenie swojego kraju.

– Mamy immunitet dyplomatyczny. Mój mąż jest brytyjskim dyplomatą. Proszę mi wybaczyć, ale nie może pani nic zrobić.

– Ja nic nie robię, Anno. Po prostu informuję panią, czego dowiedzieliśmy się od opieki społecznej. Wszystko jest w porządku, Anno.

– Bardzo przepraszam, ale właśnie rozmawiamy o tym, że opieka społeczna odbiera mi syna.

Miałam nadzieję, że Paula zaprzeczy.

Ona jednak tylko zrobiła małą pauzę.

– Już postanowili, że może zostać z członkiem rodziny. Może pani liczyć na pomoc Nancy.

– Pomoc? Jej? Ona powiedziała, że wyjaśni całą tę sprawę.

Zachowywałam się agresywnie, ale to nie zrażało Pauli.

– Właśnie to zrobiła. Uprzejmie zgodziła się zaopiekować Joshem.

– Słucham? Nancy zabiera Josha? O mój Boże.

Fakt, nie powinnam tego mówić. Ale byłam zdenerwowana.

Z tonu Pauli wywnioskowałam, że nie zamierza robić nic, aby pomóc mi przez to przejść.

– Mówię, że Nancy uprzejmie zgodziła się zaopiekować Joshem.

– Nie ma mowy o tym, żeby Nancy miała zabrać Josha. O czym pani w ogóle mówi? To mój syn. A ona jest wariatką z Upper East Side. Zaraz tam będę, żeby odebrać Josha.

– Anno, niech pani posłucha, on już poszedł do domu z Nancy.

Czyżbym słyszała w jej głosie zadowolenie?

– Znacznie łatwiej było nam to załatwić bez pani obecności.

– Pozwoliła jej pani zabrać Josha? On jest mój. To mój synek.

– Porozmawiamy później, Anno.

Połączenie zostało przerwane.

Ta chwila prześladuje mnie do dziś.

Byłam w ciągłym ruchu. Zarówno moje ciało, jak i umysł pracowały na najwyższych obrotach. Gdy tylko Paula się rozłączyła, instynkt nakazał mi zadzwonić do Jessiego. W zdenerwowaniu zaczęłam paplać chaotycznie o ostatnich wydarzeniach w przedszkolu, o „incydentach" i o rozmowach z Paulą i Nancy. Mimowolnie zaczęłam się tłumaczyć z własnego udziału w całej tej katastrofie. Byłam oczywiście zła i zdenerwowana, ale oprócz tego czułam się też winna. Wszystkie te uczucia nie mogły się jednak równać z bólem, który mną targał. Jessie mi nie przerywał, jak to zwykle robił, aby dotrzeć do sedna moich wywodów.

W końcu sama go zagadnęłam:

– Boże, co my teraz zrobimy? Powinieneś porozmawiać z konsulatem generalnym.

Chciałam w ten sposób skłonić go do działania. Liczyłam na to, że przedstawi mi logiczną i rozsądną odpowiedź.

Westchnął.

– Anno, ja już o tym wszystkim wiem. Nancy do mnie dzwoniła.

Nancy powiedziała Jessiemu, co się stało? Nawet w moim ówczesnym stanie potrafiłam dostrzec przewrotność jej postępowania.

– Ach, powiedziała ci, tak? Wyjaśniła ci, że zabrała nasze dziecko?

Jessie zachowywał pełną powagę.

– Anno, opowiedziała mi o tym, jak ci pomaga w załatwieniu sprawy z opieką społeczną. To znaczy, nam pomaga.

– Słucham? Mnie powiedziała, że mam ci nie mówić. Że ona wszystko wyjaśni. Że wszystko będzie w porządku.

W tym momencie poczułam się malutka. Pozwoliłam Nancy traktować się jak dziecko, jak człowieka, który nie radzi sobie z trudną rzeczywistością. A ona czym prędzej poszła z tym do mojego męża.

– Anno – powiedział tonem, jakim przemawia się do dziecka (zresztą nie wiem, może byłam przewrażliwiona). – Przecież to nie jest wina Nancy. Ona tylko próbuje pomóc. Sprawą zainteresowała się opieka społeczna. Trochę potrwa, zanim się to wszystko wyjaśni. A do tego czasu Josh na szczęście nie musi przebywać w żadnej instytucji ani w innym obcym miejscu. Jest z rodziną... z naszą rodziną.

Miałam ochotę powiedzieć, że dla mnie Nancy to bardziej wróg niż rodzina, ale nie mogłam. Dlaczego zdałam się na nią w kwestii załatwienia sprawy z opieką społeczną? Założę się, że nawet do nich nie zadzwoniła. Ale dlaczego udawała, że zamierza mi pomóc? Byłam przekonana, że gdyby faktycznie chciała, na pewno zdołałaby szybko to wszystko załatwić. Czy kiedykolwiek się zdarzyło, że Nancy nie dostała tego, czego chciała?

– Josh nie powinien mieszkać z Nancy – grałam na czas. – Opieka społeczna nie powinna o tym decydować. Z kim z ambasady możemy o tym porozmawiać?

Jessie zareagował błyskawicznie.

– Nie będziemy w to mieszać konsulatu.

– Dlaczego nie? Opieka społeczna nie ma prawa podejmować działań. Josh jest obywatelem brytyjskim.

– Jest również Amerykaninem.

– Teoretycznie – odcięłam się.

– Fakty są takie, że ma amerykański paszport – powiedział oschle. – Posłuchaj, Anno. Josh zostanie u Nancy i Howarda. Tylko na jakiś czas. Oni będą mieli okazję poznać lepiej swojego jedynego wnuka. Nancy od samego początku angażowała się w różne sprawy związane z Joshem. Przecież gdyby nie ona, w ogóle by go z nami nie było. Prawda?

Głęboko mnie to zabolało. Nawet nie chciałam o tym myśleć.

– Słuchaj, zadzwonię do opieki społecznej i oddzwonię do ciebie.

Zamierzałam sama wyjaśnić tę sprawę. Natychmiast…

Działać. Działać. Działać. Tylko w ten sposób mogłam zachować spokój. Znalazłam w Google numer infolinii opieki społecznej. Wyjaśniłam całą sprawę konsultantce o miłym głosie, pochodzącej prawdopodobnie z Albanii.

– Dobrze, proszę pani. A w jakim dystrykcie on się znajduje?

– Przepraszam, chodzi pani o kod pocztowy?

– Nie, proszę pani. O dystrykt opieki społecznej.

Zastanowiłam się chwilę.

– A czy jak podam pani swój kod pocztowy lub kod pocztowy przedszkola, to będzie pani w stanie ustalić, o który dystrykt opieki społecznej chodzi?

– Nie, proszę pani – zabrzmiała stanowcza odpowiedź.

– Dobrze, w takim razie musi istnieć inny sposób, żeby ustalić, który departament zajmuje się sprawą mojego syna. Czy jeśli podam pani jego pełne imię i nazwisko…?

– Nie, proszę pani. Proszę mi podać numer sprawy.

– Numer sprawy?

– Numer z dokumentacji.

Nie trać cierpliwości! To nie jest wina tej pani!

– Przepraszam, a o jaką dokumentację chodzi?
Czy powinnam mieć jakieś dokumenty?

– Z chwilą przyjęcia zgłoszenia przydziela się numer sprawy.

Jej głęboka wiara w potęgę biurokracji zaczynała działać mi na nerwy.

– Dobrze, w porządku. Ale ja niczego takiego nie mam. Czy mogłabym mimo to porozmawiać z kimś, kto będzie potrafił mi pomóc?

– O tej konkretnej sprawie nikt z panią nie porozmawia, jeżeli nie poda pani numeru.

Mówiła niezmiennie tym samym tonem.

Mój głos natomiast zaczynał się trząść.

– Pracownicy opieki społecznej zabrali mojego syna. Ktoś musi coś o tym wiedzieć.

– Tak, proszę pani.

– Czy nie może pani zatem ustalić kto?

– Nie, proszę pani. Bez numeru sprawy nie.

– Do jasnej cholery, to nie jest pieprzony 1984.
– Czułam, jak narasta we mnie gniew. – Nie możecie po prostu sobie zarządzić, że mój kochany syn, Brytyjczyk... tak, właśnie, Brytyjczyk... zostanie odebrany rodzinie. To nie w porządku. To przestępstwo. To nielegalne.

Kobieta nie zareagowała. Nie powiedziała ani słowa.

Jej milczenie doprowadziło mnie do wrzenia.

– Wie pani co? Wystosuję pozew przeciwko opiece społecznej. Mam po temu świetne możliwości. Jestem we właściwym kraju. Nie tylko odzyskam Josha, ale jeszcze dostanę miliony dolarów. Pożałujecie tego.

Kobieta nie odłożyła słuchawki. Przedstawiciel brytyjskiej instytucji w podobnej sytuacji już dawno by to zrobił.

– Jesteśmy w Nowym Jorku, mamy 2008 rok. Wszystkiego można się dziś dowiedzieć, więc pani na pewno też może ustalić, co się dokładnie stało.

– Proszę pani, muszę mieć numer sprawy.

– Czy tylko to umie pani powiedzieć? „Proszę pani, muszę mieć numer sprawy".

Anna, uspokój się. Inaczej ona ci na pewno nie pomoże.

– Dobrze, rozumiem, przepraszam. Przepraszam... Krzyczę na panią, chociaż wiem, że to nie pani wina. Ale właśnie odebrano mi syna.

Rozpłakałam się. Kobieta nadal milczała.

– Dobrze, w porządku – zakaszlałam pospiesznie – a skąd mogę wziąć numer sprawy?

– Od pracownika prowadzącego sprawę.

– A jak mogę znaleźć pracownika prowadzącego sprawę?

– Po numerze sprawy, proszę pani.

– Dość tego. Proszę. Nie mam ani jednego, ani drugiego. Co mogę zrobić w takiej sytuacji?

– Proszę pani, proszę się do nas zgłosić, kiedy będzie pani miała.

Rzuciłam słuchawką. Zadzwoniłam do tego samego biura jeszcze raz. Wierzyłam, że trafię na kogoś innego, kto poprowadzi mnie przez ten labirynt. Że odbierze pomocny i zorientowany w sprawie człowiek, który powie, że doszło do strasznego nieporozumienia. Myliłam się. Człowiek, który odebrał telefon, zaprowadził mnie w tę samą ślepą uliczkę – tyle że zrobił to bardziej opryskliwie.

W tym momencie siedziałam na łóżku Josha. Tą samą ręką, którą trzymałam słuchawkę, ściskałam też jego Maleństwo i Białego Królika.

Zadzwoniłam do Nancy.

– Witaj, Anno – powiedziała bardzo spokojnie.

– Nancy, co się dzieje? Powiedziałaś, że wyjaśnisz to wszystko z pracownikami opieki społecznej. A tymczasem oni zabrali Josha.

– Nie, Anno, nie zabrali. Jeżeli musisz wiedzieć, broniłam cię do upadłego. Do upadłego. Kompromis polega na tym, że dopóki dochodzenie nie zostanie zakończone, Josh będzie przebywał z najbliższą rodziną. Jak się nad tym zastanowisz na spokojnie, zrozumiesz, że sprawy ułożyły się po prostu fantastycznie.

Jakbym słyszała Jessiego! Zupełnie jakby uknuli to razem. Paula, Jessie i Nancy. Wzięłam głęboki oddech. Odchodziłam od zmysłów. Bardzo mnie to stresowało. Te wizje musiały być tylko wytworem mojej wyobraźni.

– Nancy, Josh jest naszym synem. I został nam odebrany. Jak możesz mówić, że sprawy ułożyły się fantastycznie?

Nancy westchnęła. Po raz kolejny przemówiła do mnie tonem, z którego mogłam wywnioskować, że w jej przekonaniu nie rozumiem istoty sprawy.

– Jest z Howardem i ze mną. Anno, musisz się uspokoić.

Zanim zdołałam zastanowić się nad tym, co jej odpowiedzieć, Nancy odezwała się ponownie:

– Słuchaj… może przejdźmy do kwestii praktycznych. Przynieś, proszę, wszystkie te zabawki i ubranka Josha, do których jest szczególnie przywiązany. Resztą zajmę się sama.

Rozpłakałam się.

– Czy on jest bardzo zdenerwowany? Czy mogę z nim porozmawiać?

155

– Oczywiście, że możesz, moja droga. Josh, chcesz porozmawiać z mamą?

– Mamusiu.

– Josh – mówiłam przez łzy. – Wszystko w porządku, kochanie? Trochę się namieszało, ale wszystko wyjaśnię i za dzień lub dwa wrócisz do domu. Nie martw się.

– Czy zostaję na noc u babuni?

Skrzywiłam się na dźwięk tego słowa.

– Tak, ale tylko na dzisiejszą noc.

– Aha, dobrze.

– Nie masz nic przeciwko temu? Przepraszam, skarbie, tylko na dzisiejszą noc... na jedną noc.

– Dobrze, cześć.

Nancy wzięła od niego słuchawkę.

– Anno, proponowałabym, żebyś przyniosła tylko absolutnie niezbędne rzeczy. A potem możesz się z nim zobaczyć i położyć go spać. Dobry pomysł, prawda?

Wymamrotałam słowa zgody. Oczywiście, że chciałam tam być. Jednocześnie bardzo nie chciałam przyznać, że jej słowa mają sens.

Siedziałam na łóżku, ściskając Maleństwo i Królika. Czułam się zagubiona... Nie miałam ochoty pakować rzeczy Josha.

Zadzwonił telefon. Jessie.

– Słucham – powiedziałam szorstko.

– Kochanie! – Mówił takim tonem, jakby próbował załagodzić sytuację. Tonem człowieka, którego uczono, jak przekonać Izraelczyków, że jakieś rozwiązanie jest korzystne dla nich, a nie dla mieszkańców Strefy Gazy. – Nancy właśnie opowiedziała mi o waszej uroczej pogawędce. Powiedziała, że zawieziesz jej rzeczy Josha i że położysz go spać. Świetnie, prawda? Prawda?

Nie zaprzeczyłam. Gdybym zaprzeczyła, zaczęlibyśmy się kłócić. Zrobiłam za to coś, czego nigdy wcześniej nie zrobiłam w relacjach z Jessiem. Ukryłam przed nim wszystkie swoje uczucia.

– Tak... świetnie, kochanie.

15

Dzień pierwszy… bez Josha.

Nancy często wspominała o swoim prawniku, Harrym Finklemannie. Odnalezienie go nie stanowiło problemu. Jego kancelaria mieściła się na parterze budynku przy Piątej Alei, na skrzyżowaniu z East 59th Street. Na podstawie opisów Nancy wyobrażałam sobie jego biuro jako wytworne i imponujące miejsce, tymczasem w rzeczywistości przypominało gabinet lekarski. Właściwie nie powinno mnie zdziwić, że Nancy chodziła z Harrym Finklemannem do szkoły.

– Czy u Nance wszystko w porządku? – zapytał, spiesząc w moją stronę.

Nalegałam, by przyjął mnie bezzwłocznie. Nie zadzwoniłam, żeby się umówić, ponieważ obawiałam się, że mógłby próbować mnie zbywać lub wyznaczyć odległy termin. Powiedziałam recepcjonistce, że chodzi o Nancy Wietzman i że jestem synową jej męża. Na wieść o tym Finklemann natychmiast wyłonił się ze swojego gabinetu. Zobaczyłam niziutkiego, krótko ostrzyżonego siwego człowieka tryskającego energią.

Zaskoczyło mnie to, że on również, podobnie jak nasz lekarz, tak ciepło wyraża się o Nancy. Wprost nie mogłam uwierzyć, że ona potrafi zaskarbić sobie ich życzliwość i lojalność. Gdy zastanawiam się nad tym z perspektywy czasu, dochodzę do wniosku, że faktycznie potrafiła. Wyciągnęłam rękę na powitanie, ale on zupełnie zignorował mój gest i mnie uścisnął. W świetle celu mojej wizyty pozytywnie mnie to zaskoczyło.

Niepokój nie dał mi spać, więc wstałam tego dnia tuż po piątej. Po wypiciu kilku kaw siłą wzbudziłam w sobie przekonanie, że odzyskanie Josha wymaga tylko uporu. Wystarczyło podejmować kolejne działania, aż w końcu stanie się to faktem.

Poszłam pod przedszkole popatrzeć, jak Josh podjeżdża czarnym lincolnem Nancy. Potem siedziałam na murku z widokiem na jego salę i zadzwoniłam do syna przyjaciół moich rodziców, jedynego znanego mi londyńskiego prawnika zajmującego się sprawami rodzinnymi. Tim rozmawiał ze mną życzliwie. Wyjaśniłam, że oczekuję od niego pełnej poufności i że nie mogę zamartwiać moich rodziców sprawami, które zostaną rozwiązane w ciągu dwudziestu czterech godzin. Opowiedziałam mu całą historię. Wyraził troskę i próbował mnie pocieszać, ale przy tym dał mi jasno do zrozumienia, że zupełnie nie zna się na amerykańskim prawie. Jeżeli w ogóle potrzebuję prawnika, powinnam skonsultować się ze specjalistą w dziedzinie amerykańskich przepisów. Co do tego, że potrzebuję prawnika, nie miałam najmniejszych wątpliwości. Wydawało mi się, że nie zaszkodzi zacząć właśnie od prawnika Nancy.

O swoim zamiarze skonsultowania się z Harrym Finklemannem nie powiedziałam ani Nancy, ani

Jessiemu. Wiedziałam, co by powiedzieli. Po tym wszystkim, co się stało, nie miałam już jednak zamiaru czekać ani w niczym zdawać się na ich ocenę.

Ściany dużego, przestronnego i ogólnie bardzo funkcjonalnego gabinetu zdobiły obrazy w pozłacanych ramach. W pierwszej chwili założyłam, że patrzę na tanie reprodukcje, które mają cieszyć oko klientów korzystających z porad prawnych. W ciągu kilku sekund zorientowałam się jednak, że mam przed sobą oryginały. W gabinecie wisiał dobry Canaletto, wczesny Monet i szkic Kandinsky'ego.

– Jest pan kolekcjonerem?

– Tak, to moja słabość. Nie mam już miejsca w domu ani w posiadłości za miastem, więc niektóre prace lądują tutaj. A pani lubi sztukę?

– Tak, studiowałam sztukę. Byłam malarką – uśmiechnęłam się, powoli wzruszając ramionami – ...właściwie chyba należałoby powiedzieć, że nadal nią jestem.

– Łał! A czy namalowała pani coś podczas pobytu tutaj? – wykazywał autentyczne zainteresowanie.

Poczułam zakłopotanie.

– Nie, nie udało mi się. Tutaj to nie jest takie proste. – Zacisnęłam palce wokół telefonu, który trzymałam w kieszeni. Nadeszła właściwa chwila, żeby przejść do rzeczy. Przełknęłam ślinę. – Prawdopodobnie słyszał pan o moim synu, Joshu.

Dlaczego tak bardzo się bałam poruszyć ten temat?

– Nie. Przepraszam, to bardzo niegrzecznie z mojej strony. Na pewno jest uroczym chłopcem.

Czyżby rzeczywiście nic nie wiedział? Westchnęłam, ponieważ poczułam swego rodzaju ulgę, że pozna całą historię z moich ust i że dzięki temu uda mi się uzyskać szczerą opinię. Przez chwilę się nie odzywałam. Jak mu to najlepiej wyjaśnić?

Uprzejmie zachęcił mnie do przedstawienia sprawy.

– A zatem, Anno, o co chodzi?

– Opieka społeczna zabrała mi syna.

Był zszokowany, zbulwersowany.

– Chwileczkę, wyjaśnijmy sobie wszystko po kolei. Został oddany pod opiekę obcych ludzi?

– Nie. Ma mieszkać z członkiem rodziny, dopóki to wszystko się nie wyjaśni.

– Słucham dalej…

– Od wczorajszego popołudnia pozostaje pod opieką Nancy. – Nerwowym gestem założyłam nogę na nogę. – Ale ja nie zrobiłam nic złego. W przedszkolu doszło do kilku incydentów. Chodzi o banalne, dziecinne rzeczy.

Finklemann zapisywał coś w notatniku, który miał przed sobą.

– O co konkretnie chodziło?

Opisałam incydenty na tyle rzeczowo, na ile tylko potrafiłam, starając się nie krytykować Nancy.

– Anno, jeżeli fakty rzeczywiście przedstawiają się tak, jak w pani relacji, to jestem przekonany, że nie ma się czym martwić.

– Panie Finklemann… – zaczęłam, poruszona.

– Harry… Harry.

– Harry, mój syn został mi odebrany bez żadnego powodu. Na pewno może pan coś na to poradzić, możemy coś na to poradzić.

Dzień był pochmurny. Resztki porannego światła szybko znikały i w gabinecie zrobiło się szaro.

Chcąc zyskać trochę na czasie, Finklemann włączył dwie współczesne stalowe lampy podłogowe i mosiężną lampkę stojącą na biurku. Rozległo się pukanie do drzwi, po czym recepcjonistka wsunęła głowę do środka.

– Tak, wiem. Jeszcze chwileczkę. Proszę go poprosić, żeby zaczekał.

Spojrzała na niego z pytającym uśmiechem.

Teraz w moim tonie pobrzmiewała już rozpacz.

– Na pewno pan rozumie, liczyłam, że mi pan pomoże.

Przyglądał mi się uważnie. Odnosiłam wrażenie, że umie czytać w myślach.

– Rozmawiała pani o tym z Nancy?

– Tak, oczywiście... – nie wiedziałam, co dalej powiedzieć.

Wzruszył ramionami i spojrzał na mnie surowo.

– Ale ona nie wie, że pani tu jest. Zgadza się?

– Jej zdaniem, powinniśmy zaczekać. A ja nie mogę czekać. To chyba zrozumiałe... to mój syn. Chciałam zasięgnąć pańskiej opinii. Chciałam się poradzić, co powinnam robić dalej. Nie znam tu żadnego innego prawnika.

Czułam, że się we mnie intensywnie wpatruje. Na jego twarzy malowało się zrozumienie.

– Doskonale rozumiem, co pani czuje... Sam jestem rodzicem, chociaż moje dzieci są już dorosłe. Ale Nancy ma rację. W przypadku interwencji opieki społecznej trzeba postępować zgodnie z procedurami. – Uśmiechnął się przelotnie. – Zresztą... Josh jest z Nancy. Jest w bardzo dobrych rękach. Naprawdę.

Teraz na jego twarzy pojawił się szeroki uśmiech.

– Ale ja mam wrażenie... mam wrażenie, jak gdyby ona w jakimś sensie porwała mojego syna.

Nie powinnam była tego mówić.

Harry Finklemann przestał się uśmiechać.

16

Uparcie nie chciałam pogodzić się z rzeczywistością.

Mary miała grube siwobiałe warkocze, spływające przy uszach aż na ramiona. Rajstopy w kolorze, który trzeba by uznać za połączenie łososiowego z amarantowym, w żaden sposób nie nawiązywały do reszty jej stroju. Miała na sobie jedną z kilku podobnych kreacji od Laury Ashley, w których już ją widywałam – długą suknię z delikatnej bawełny, tym razem w kolorach pomarańczowym i zielonym. Wełniane rajstopy wydawały się grube, nawet pomimo jesiennej aury. Jesień przyszła poprzedniego wieczora, w jednej chwili wysysając z powietrza całą wilgoć i napięcie, wypełniając Nowy Jork chłodem i lekkością bytu, z którą doskonale komponowało się fascynująco błękitne niebo.

Widywałam ją na ulicy, jak paliła papierosy. Gdy dowiedziałam się od Sharon, że jest terapeutką, stała się dla mnie bohaterką kolejnej kolorowej nowojorskiej anegdoty. Wspólnie z Jessiem zaśmiewaliśmy się z tego. Któż chciałby korzystać z pomocy otyłej terapeutki będącej na dodatek nałogową palaczką?

Nancy opłaciła z góry dwanaście sesji. Godzinę po tym, jak wyszłam z gabinetu Harry'ego Finklemanna, zadzwonił Jessie. Poinformował mnie, że Nancy „wynegocjowała" dla mnie niesamowitą ugodę z opieką społeczną. Josh wróci do mnie, gdy pomyślnie zakończę terapię. Nie zostało dokładnie ustalone, ile sesji terapii muszę odbyć ani ile to wszystko potrwa. Nie mogłam się sprzeciwić, choć nie przestałam wierzyć, że istnieje szybszy sposób na odzyskanie Josha. Zamierzałam ten sposób znaleźć.

Nie minęły jeszcze nawet dwadzieścia cztery godziny, odkąd Josh został mi odebrany. Szaleńczo za nim tęskniłam. Przerażało mnie to, że aktualny układ może się utrwalić. Przerażało mnie, że Josh przebywa z Nancy. I to, co ona może z nim zrobić.

Jessie zapatrywał się na to inaczej. Martwił się z powodu zaangażowania opieki społecznej, ale nie widział nic złego w tym, że Josh mieszka u Nancy. Ciągle starałam się go przekonać, że sprawę należałoby zgłosić do konsulatu, że należałoby się powołać na nasz immunitet.

Jessie zdecydowanie się temu sprzeciwiał.

– Jestem w połowie Amerykaninem. Mam amerykański paszport. Jeśli w sprawę zostanie zaangażowany konsulat, mogą pojawić się wątpliwości co do mojej podwójnej narodowości i mojej pracy przy ONZ.

Tamtego ranka wróciliśmy do tej sprawy.

– Ależ, Anno, daj wreszcie spokój. On jest z rodziną, z naszą rodziną. Musisz wreszcie nabrać odpowiedniego dystansu do tej sprawy.

– On jest z Nancy, szaloną przedstawicielką Upper East Side, którą ledwie znasz. Sam powiedziałeś, że jest wredną intrygantką i że jest zła.

– Dziękuję ci bardzo, że obracasz teraz przeciwko mnie słowa, które wypowiedziałem w złości – w jego głosie zabrzmiał gniew. – Ona tylko stara się pomóc. To nie jej wina, że to wszystko się stało.

– A ja sądzę, że właśnie jej. To ona zaangażowała opiekę społeczną.

– Anno, nie bądź śmieszna.

– Mówię poważnie, Jessie. Musimy złożyć pozew albo przeciwko opiece społecznej, albo przeciwko Nancy. Innego wyjścia nie ma.

Wyszedł z kuchni i nie odzywając się więcej, poszedł do pracy.

Przeprowadziłam się za granicę, żeby uwolnić się od ciepełka rodzinnego domu. Tylko utrata Josha mogła mnie pchnąć w ramiona terapeutki Nancy. Ściślej rzecz biorąc, terapeutkę poleciła podobno przyjaciółka Nancy. Rzekomo buntownicza część mnie uznała, że to może być nawet zabawne doświadczenie. Taki Nowy Jork Woody'ego Allena. Doświadczenie życiowe, o którym tyle zawsze mówiłam. Tymczasem teraz od tego psychobełkotu miało zależeć, na ile Josh będzie obecny w moim życiu.

Nowy Jork mnie dopadł albo to ja wreszcie stałam się taka jak on. Właściwie nie potrafiłam rozstrzygnąć, który opis lepiej pasuje do sytuacji.

Spoglądając na Darrena i Dirka, stwierdziłam z zażenowaniem, że cała ulica dowie się, dokąd poszłam. Pocieszałam się jedynie myślą, że nie spotkałam naszej wścibskiej sąsiadki. Większego upokorzenia nie mogłabym sobie wyobrazić. Zdaję sobie sprawę, że brzmi to żałośnie w ustach osoby, która tak bardzo chciała wyróżniać się z tłumu.

Przekonałam się, że pozory mylą. Przy bliższym poznaniu Mary okazała się osobą uśmiechniętą i urodziwą na swój pulchny sposób. Była też chyba młodsza, niż sądziłam.

Rozpoczynała każdą sesję od „wolnych skojarzeń". Ogólnie rzecz biorąc, chodziło o to, żebym rzuciła jakieś słowo, a potem inne, które mi się z nim kojarzy, i tak dalej. Dzięki temu Mary mogła się zorientować, co się dzieje w mojej głowie.

– Wszyscy nowojorczycy są stuknięci. Nic dziwnego, że potrzebują pomocy psychiatrów.

Nie byłam w stanie zapanować nad agresją, która pobrzmiewała w moich słowach.

Mary roześmiała się w głos.

– Tak, terapeutom na Manhattanie nie brakuje klientów.

– Dlaczego ci ludzie płacą za to, żeby terapeuta kierował ich życiem? Ba, nawet życiem ich dzieci?

Spodziewałam się usłyszeć, że to wykracza poza problematykę tej sesji. Tak to zawsze wyglądało w hollywoodzkich filmach.

Ona tymczasem rozsiadła się wygodniej w fotelu i złączyła palce stóp – brązowe skórzane sandałki już dawno znalazły się pod podnóżkiem. Po chwili zastanowienia powiedziała:

– Żeby mieszkać tu, na West Side, trzeba zarabiać co najmniej 500 tysięcy dolarów. Ci ludzie są przyzwyczajeni do płacenia za różne usługi: za opiekę nad dziećmi, za sprzątanie, za pranie, za posiłki. To po prostu kolejna usługa. Płacą komuś za to, żeby wyprowadził na prostą ich dzieci, ponieważ oni sobie z nimi nie radzą.

– A może sami są jak dzieci.

Roześmiała się.

– Normalnie to rodzice borykają się z problemami. Mówią sobie: zrobię tak, żeby moje dziecko było doskonałe.

Pokiwałam energicznie głową. Właśnie to chciałam usłyszeć.

Mary uśmiechnęła się.

– Nowojorczycy wykazują silne skłonności narcystyczne. Nie tolerują osobowości dziecka, w szczególności zaś tego, co mu się nie podoba. A już, Boże broń, krytyki z jego strony.

Mary robiła na mnie coraz lepsze wrażenie. Z przyjemnością słuchałam jej krytycznych słów na temat nowojorczyków. Stanowiły odzwierciedlenie moich opinii. Ta zdroworozsądkowo myśląca kobieta zdawała się stanowić zupełne przeciwieństwo Nancy.

Zmarszczyłam brwi.

– Josh jest moim synem. Nie można go zmuszać do tego, żeby mieszkał z tym potworem, ze swoją przyszywaną babcią. To szaleństwo, tak nie powinno być.

– Czy uważasz, że to szaleństwo, że Josh mieszka z babcią? – zapytała Mary.

Nie mogłam znieść myśli o Joshu i Nancy. Aby się przed nią chronić, postanowiłam zmienić temat.

– Skąd jesteś?

– Z Kalifornii. – Mary roześmiała się pogodnie.

Nachyliłam się poufale. Byłam przekonana, że Mary się ze mną zgodzi.

– Nie podoba mi się, że tu jestem. To jak przyznanie się do winy. Mój syn Josh zachowuje się w sposób typowy dla czteroletnich chłopców. Czasem robi niemądre rzeczy. To absurdalne, że mi go odebrano. Na pewno się ze mną zgadzasz?

– Moja opinia nie ma znaczenia. Interesuje mnie tylko twoje zdanie, Anno – uśmiechnęła się łagodnie.

Zaczęłam się zastanawiać, czy nowojorczycy przypadkiem nie korzystają z usług terapeutów tylko po to, aby ktoś przez jakiś czas poświęcił im całą uwagę – w końcu wszyscy inni ludzie w ich życiu są zbyt zajęci pogonią za sukcesem. Uświadomiłam sobie, że Mary czeka na moje „skojarzenia".

Odkaszlnęłam.

– Nancy... Nowy Jork... koścista... neurotyczna... intrygantka... zło.

Nie poruszyła się ani nie uśmiechnęła. Spojrzała na mnie chłodnym wzrokiem bez wyrazu.

– Tak opisujesz swoją teściową. A jak opisujesz siebie?

Zafundowałam jej przesadny uśmiech typu „skoro koniecznie muszę", infantylny i ordynarny.

– No dobrze. Ja... matka... załamana... zagubiona w innej kulturze... przygoda, która źle się kończy...

– Nie próbuj budować zdań. Rozluźnij się i mów to, co ci przychodzi do głowy.

Okazało się to trudniejsze, niż sądziłam. Wgapiałam się w swoje dżinsy.

– Hm... dzieciństwo... radość... szczęśliwa... swoboda... wolność... osamotnienie... przygoda... doświadczenie... nieodpowiedzialność... niebezpieczeństwo... zmartwienie – uniosłam głowę gwałtownym ruchem. – Przepraszam, nie chodzi mi o to, że ja jestem zmartwiona. Chodzi o to, że wszyscy wokół mnie się martwią. A ja się martwię, że oni się martwią... wiesz, co mam na myśli?

Co właściwie miałam na myśli?

– Zróbmy małą przerwę. Pójdę na papierosa, a ty się rozluźnij.

Nie potrafiłam się rozluźnić. Stałam albo chodziłam w tę i z powrotem po dywanie, zamartwiając się tym, co powiedziałam. Co miałam na myśli? Przestarzała bezsensowna freudowska technika. Nie potrzebowałam terapii. Oczywiście, że nie potrzebowałam. Nikt zdrowy na umyśle nie mógłby w to wątpić. A Mary wydawała się zupełnie zdrowa na umyśle. Obawiałam się jednak, że może uznać, iż mówiłam poważnie. Jak ja ją wtedy przekonam, że jestem normalna?

Gdy Mary w końcu otworzyła drzwi, karnie wróciłam na fotel.

17

Dzień drugi... bez Josha.
Czekałam na Nancy w restauracji sieci Sarabeth's przy Central Park South. Nancy była w tej chwili jedyną osobą, która mogłaby zadecydować, że Josh wróci do mnie, jeszcze zanim zakończę wyznaczony cykl terapii. Nie miałam żadnego konkretnego dowodu, ale żywiłam głębokie przekonanie, że to właśnie ona za tym wszystkim stoi. Po kolejnej bezowocnej rozmowie z pracownikiem opieki społecznej zadzwoniłam do Nancy. Zaproponowała, żebyśmy spotkały się na brunch w Sarabeth's.

Mieszkańcy Upper East Side zwykli jadać brunch właśnie w tej restauracji. Sufit pokrywały freski przedstawiające jasnobłękitne niebo i malutkie chmurki, na tle których wyraźnie wyróżniał się treliaż i drzewa. Funkcję ogródka pełnił wydzielony kawałek nieoświetlonej przestrzeni. Wszyscy klienci wyglądali tak samo: duże skórzane torby, paski pod kolor, buty pod kolor, perfekcyjnie ułożone włosy, perfekcyjnie zadbane paznokcie, perfekcyjny makijaż.

Prawie nie zwracałam na nich uwagi. Postanowiłam skupić się na tym, by przekonać Nancy do złożenia oświadczenia przed pracownikami opieki społecznej. Musiałam ją do tego przekonać.

Miałam w sobie energię maniaka, która niezmiennie utrzymywała się na wysokim poziomie od czasu, kiedy odebrałam telefon od Pauli. Nie odczuwałam zmęczenia, nie miałam ochoty spać ani jeść. Czułam się fizycznie niezwyciężona. Nie zamierzałam spocząć, dopóki nie odzyskam Josha. W środku nocy sporządziłam trochę notatek, zapisując różne rzeczy w notesie oprawionym w czerwoną skórę, który również dostałam w prezencie pożegnalnym od matki. Miałam w nim opisywać nasze fantastyczne przygody, tak powiedziała. Zajrzałam do tych nocnych notatek, żeby przypomnieć sobie, na czym powinnam się skupić.

1) Rzekome „incydenty" to typowe chłopięce wybryki.

2) Josh jest najszczęśliwszy, gdy przebywa w domu ze swoimi rodzicami.

Oczywiście, że tak. Dzieci są najszczęśliwsze wtedy, gdy przebywają ze swoimi naturalnymi rodzicami. Trudno mi się było z tym pogodzić, ale Josh zdawał się bez problemu odnajdywać w domu Nancy i Howarda. Pocieszałam się myślą, że nie może być tam naprawdę szczęśliwy.

3) Jessie i ja bardzo za nim tęsknimy. Obojgu nam jest bez niego źle.

Przypuszczałam, że ten argument może nie trafić do Nancy.

Żeby przez chwilę o tym nie myśleć, zaczęłam obserwować kobiety siedzące dwa stoliki dalej, na narożnej kanapie. Krzyczały głośniej niż ich stroje w kolorze wielbłądziej wełny.

– Niesamowite, rewelacyjne. W sensie, bezglute-
nowe – najlepsza wegetariańska kaczka i grillowany
seitan, jakie kiedykolwiek jedliśmy.

– Brzmi bosko.

– Co więcej, można to jeść nawet na diecie stumilowej.

Przyjaciółka usiłowała ukryć zdziwienie, które
wymalowało się na jej twarzy.

– Przyrządzają posiłki wyłącznie z produktów,
które zostały wyhodowane w promieniu stu mil. To
bardzo ważny element koncepcji współczesnego zdrowego żywienia.

– W zimie nie będzie sensu tam chodzić. Będą po-
dawać tylko kabaczki.

Stolik po mojej prawej zajmowała piękna para
narzeczonych. On miał długą do ramion blond czuprynę, ona w swojej śnieżnobiałej koszuli i spodniach
wyglądała równie olśniewająco. Pierścionek stanowił
dominujący element jej niewielkiej dłoni, raczej ją
definiując, niż zdobiąc. On miał przed sobą mufina,
frytki i jajecznicę na bekonie, ona tymczasem skru-
pulatnie porządkowała owoce w miseczce z sałatką:
truskawki na godzinie pierwszej, banany na szóstej,
a cytrusy na jedenastej. On zdawał się nie zwracać
uwagi na to, że ona jeszcze nie tknęła jedzenia.

Nagle pojawiła się Nancy. Miała towarzystwo. Nawet w swojej ulubionej restauracji, w której regularnie
jadała lunche, Nancy czekała, aż kelnerka zaprowa-
dzi ją do stolika. Biedna dziewczyna wyprzedzała ją
o parę kroków, nerwowo mnie wypatrując. Gdy na nią
pokiwałam, z ulgą przeniosła na mnie ciężar odpowiedzialności za Nancy.

Oto stała przede mną Nancy, delikatna, a przy tym
niezłomna i silna. Miała na sobie czarną jedwabną

koszulę z długim rękawem. Z rękawów wystawały kości nadgarstków, niczym końcówki obojczyka kurczaka. Ubrana cała na czarno, Nancy prezentowała się po prostu doskonale. Jak wszystkie wyrafinowane kobiety, zawsze wyglądała tak, jakby jej ubrania zostały właśnie uszyte, jakby wcześniej nie były noszone ani prane. Przyglądając się uważniej jej koszuli, która po bliższej inspekcji okazała się bluzką, zwróciłam uwagę na detale, na lamówkę i na wąskie rękawy rozszerzające się w szerokie mankiety.

Nie zamierzałam pozwolić na to, aby jej garderoba zbiła mnie z tropu. Chciałam odzyskać Josha. Tylko na tym mi zależało. A ona mogła do tego doprowadzić. Musiałam ją tylko przekonać.

Lekko popchnęłam stolik w jej stronę, by móc wstać i się z nią przywitać. Jakby chwilowo zapominając o grozie własnej sytuacji, ze zdumieniem obserwowałam, jak kruchą jest istotą. Żyła w bezlitosnym mieście i nie wydawała się dostatecznie wytrzymała.

– Ja zawsze zamawiam Owsiankę Niedźwiadka. Jest świetna, zupełnie prosta, z mlekiem i miodem. Pycha – oznajmiła Nancy, jeszcze zanim zdążyła usiąść.

Jej dziecięcy entuzjazm dla owsianki wzmógł we mnie przekonanie, że swoją prośbę o pomoc powinnam poprzedzić miłym wstępem.

– Brzmi świetnie – powiedziałam, chociaż od telefonu Pauli prawie nic nie wzięłam do ust.

Musiałam poczekać na właściwy moment.

– Zamówię sok Cztery Kwiaty... – zrobiła pauzę. – Nie, nie zamówię. To wprost niewiarygodne, że kosztuje teraz pięć dolarów i siedemdziesiąt pięć centów. Nie, wezmę sok grejpfrutowy. Ot, po prostu.

174

Wpatrywałam się w menu, nie mogąc do końca uwierzyć w to, że Nancy zamierza odmówić sobie soku Cztery Kwiaty tylko po to, żeby zaoszczędzić dwadzieścia pięć centów.

Złożyła zamówienie szybko i zdecydowanie, jak zapracowana bizneswoman, która chce sobie zafundować sok grapefruitowy, zanim energicznym krokiem wejdzie do biura.

Ten ton skłonił mnie do rozpoczęcia rozmowy od grzecznościowego wstępu. Zapytałam o jej pracę.

– Jak tam twój nowy projekt w Lincoln Center?

– Och, tak się cieszę, że mogę w tym uczestniczyć. Robią coś niesamowitego. To dla mnie fantastyczne doświadczenie...

Czekałam na dalszy ciąg, ale Nancy nic więcej nie powiedziała.

Niemal podskoczyła z radości na widok soku, który został postawiony przed nią na serwetce z logo Sarabeth's.

Przerwała ciszę panującą między nami, wracając do poprzedniej myśli.

– Tak, fantastyczne. Naprawdę fantastyczne.

Próbowałam naśladować jej wymuszony entuzjazm.

– To musi być niesamowite, pracować wśród tak pięknych rzeczy i tak mądrych, kreatywnych ludzi. – Zrobiłam krótką przerwę, licząc, że podejmie wątek. – Tak często chodzić do opery i na balet. New York City Ballet, New York Philharmonic, Metropolitan Opera. Angażujesz się w tyle wartościowych projektów.

Ostatnie dwadzieścia cztery godziny mocno dały mi w kość. Nie miałam już siły dalej pleść bzdur.

– Tak, rzeczywiście – odezwała się w końcu i zaraz potem wydała z siebie radosny pomruk, który powalił mnie na łopatki. – Och, moja owsianka.

Wyciągnęła z białej miseczki łyżeczkę do miodu, nakreśliła nią prostą linię nad owsianką, po czym gwałtownie poderwała ją ku górze. Ponownie zanurzyła ją w miodzie, aby po chwili znów ją wyjąć. Dopiero wtedy uświadomiłam sobie, że kreśli literę N – miodem na powierzchni owsianki.

W tamtej chwili nie wiedziałam, co mam myśleć. Czy ona próbuje zrujnować mi życie? Czy może ja tracę rozum? Może ona po prostu stara się pomóc.

– Nancy, jak się zapewne domyślasz... – zrobiłam, mam nadzieję, finezyjną pauzę – jesteśmy zdruzgotani tą sytuacją. Potwornie tęsknię za Joshem. Jessie i ja potwornie tęsknimy za Joshem.

– Oczywiście, że tak. To fantastyczny chłopak. Howard i ja bardzo się cieszymy, że z nami mieszka.

Nancy nawet na mnie nie spojrzała, tak była zajęta energicznym mieszaniem owsianki – zupełnie jakby każdy płatek musiał zostać oblepiony pszczelim eliksirem.

– To świetnie. Dziękuję. Oczywiście jesteśmy wam bardzo wdzięczni, ale jednocześnie ta sytuacja bardzo nas niepokoi. Chcielibyśmy, żeby tak szybko, jak to tylko możliwe, wrócił do domu, czyli tam, gdzie jest jego miejsce. Żeby to wszystko, to całe nieporozumienie, udało się szybko wyjaśnić.

Sama słyszałam, że mój głos robi się piskliwy.

Nancy uniosła łyżeczkę, zamierzając pomachać nią nad miską. Ostatecznie jednak łyżeczka zamarła nad owsianką. Powstało coś na kształt lepkiej Krzywej Wieży w Pizie.

– Och, wszystko się wyjaśni, możesz mi wierzyć.
– Machnęła łyżeczką w moją stronę, sięgając tak daleko, jak tylko mogła. – Na twoim miejscu wykorzystałabym ten czas, żeby spróbować odkryć samą siebie. Kim jesteś, czego chcesz od życia.
– Chcę mieć znowu przy sobie mojego syna. – Wzięłam krótki oddech. – Josh jest moim synem. – Nie twoim, to chciałam powiedzieć. – Miałam nadzieję, że możesz mi pomóc w wyjaśnianiu sprawy z pracownikami opieki społecznej. Tak dobrze rozumiesz, jak ten system działa. Wiesz, jak z nimi rozmawiać.

Czyżbym zobaczyła na jej twarzy szyderczy uśmiech? A może zaczynałam popadać w paranoję?

– Więcej nie będę się już mieszać w sprawy związane z opieką społeczną. Udało mi się wynegocjować z nimi, że jeśli zakończysz terapię, pozwolą ci znów zajmować się Joshem. Zrobiłam wszystko, co mogłam. Mam swoją reputację w tym mieście, nie będę jej narażać.

Należało z tego wywnioskować, że więcej nie będzie nic załatwiać w mojej sprawie. Czyż nie chwaliła się tym, jak sprawnie potrafi sobie poradzić z nowojorską biurokracją?

– Proszę. Proszę, Nancy. To nie jest w porządku. Wiesz o tym. Proszę, pomóż nam.

– Nie, nie zrobię tego. Spójrz, owsianka. Ty szczęśliwa kobieto!

Właśnie postawiono przede mną owsiankę. Nie zwróciłam na to uwagi i nie podziękowałam kelnerce, jak to miałam w zwyczaju. Płakałam, nie wydając z siebie żadnego dźwięku. Łzy pojawiały mi się w kącikach oczu z taką intensywnością, że ledwo nadążałam ocierać je serwetką.

Nancy spojrzała na mnie, a potem westchnęła dyskretnie. Przez moment miałam nadzieję, że może da się przebłagać. Machnęła lekko tą ręką, w której nie trzymała łyżeczki.

– Wiesz, co wywiera na człowieka największą presję? Pieniądze – powiedziała, jakby pieniądze były jak jakaś klątwa, jakby były gorsze niż utrata syna. Żałowałam, że Jessiego tu teraz nie ma i że tego nie słyszy.

Milczałam. Nie zamierzałam zaszczycić jej odpowiedzią.

Ponownie zamieszała owsiankę. Dotarło do mnie, że chce jedynie pobawić się zawartością miseczki. Być może podzieli ją na kupki. Być może zje odrobinę z tej kupki, która znajdzie się na godzinie dziewiątej. Na pewno nie zje wszystkiego. W końcu zrezygnowała z dalszego mieszania.

Spojrzała na mnie.

– Nikt nie traktuje nas poważnie – poskarżyła się.

Nawet bardziej niż silnej Nancy obawiałam się Nancy delikatnej. Postanowiłam zatem zmienić ton rozmowy.

– Pewnie właśnie dlatego tak chętnie zajmujesz się filantropią. Dzięki temu możesz liczyć na pełne poważanie.

Wycieczka Nancy po krainie zwątpienia miała się chyba ku końcowi. Prawie skończyłam moje latte, sałatkę owocową i owsiankę. Nancy najwyraźniej nie zamierzała dojadać swojej porcji.

– Nie wiesz, o czym mówisz. – Wypuściła z dłoni łyżeczkę, która powoli zaczęła się zanurzać w brei wypełniającej jej miseczkę. – Nie traktuje się mnie poważnie.

– Ależ nic podobnego!

Dlaczego próbowałam przyjść jej z pomocą?

– Nie, nie. Nie jestem poważnie traktowana. Nie jestem. – Nagle w naszej rozmowie nastąpił jakiś makabryczny zwrot, zupełnie jakby ktoś po wypiciu kilku głębszych nagle wpadł w depresję i zaczął rozdzierać na strzępy swoje życie. Nancy jednak nie wypiła nawet kawy, o niczym mocniejszym nie wspominając.

– Nie jestem… – jej niski głos zabrzmiał niezwykle przenikliwie. Zaczęła bawić się złotymi pierścionkami, które nosiła na palcu serdecznym. – Po prostu nie jestem.

Uznałam, że najlepiej będzie się nie odzywać. Rozejrzałam się rozpaczliwie, licząc, że kelnerka znów do nas podejdzie. Zjawiła się po kilku minutach.

– Rachunek – rzuciła Nancy, znów oszczędnie i profesjonalnie.

Jakby na zakończenie, jakby z wielkim znużeniem, ponownie zatopiła łyżeczkę w owsiance i wsunęła jej zawartość w lekko rozchylone wargi. Wydawało się, że połknęła tę porcję. Musiała połknąć, ponieważ po chwili zupełnie bez przeszkód przemówiła czystym, eleganckim głosem.

– Ale ja nie będę już tego dłużej znosić.

Przytaknęłam skinieniem głowy, tak naprawdę jednak jej nie słuchałam. Nie zamierzała mi pomóc. Zastanawiałam się, co powinnam robić dalej. Pozostawało mi już tylko jedno. Zadzwonię do konsulatu i będę trzymać kciuki, żeby Jessie się o tym nie dowiedział. Z niecierpliwością czekałam, kiedy będę mogła już wyjść z restauracji i zacząć szukać numeru telefonu. Zastanawiałam się, czy konsulat nie znajduje się przypadkiem gdzieś w pobliżu. Potem powinnam jeszcze raz zadzwonić do Harry'ego Finklemanna. A może w ambasadzie znajdzie się prawnik, który będzie mógł mi pomóc.

– Zamierzam założyć własną fundację – oświadczyła, po czym zawiesiła głos. Poskutkowało, bo narzeczeni obrzucili ją spojrzeniem. – Fundacja Prozy Rdzennie Amerykańskiej im. Nancy Wietzman.

Zabrakło mi słów. Wszystkie oczy wpatrywały się teraz w Nancy. Ona tymczasem czekała na moją reakcję.

– A co cię właściwie łączy z rdzennymi Amerykanami? – zapytałam w końcu.

Uniosła rękę i złożyła ją tuż nad swoją piersią spowitą w czarny jedwab.

– Czuję, że łączy mnie z nimi więź. Wiesz, odwiedziłam kilka ośrodków wypoczynkowych prowadzonych przez rdzennych Amerykanów w Arizonie. Odczuwam duchową więź z tym ludem. Jestem jego częścią. Razem z nimi tworzymy jedność.

Kiwnęłam głową, licząc na to, że taka mało entuzjastyczna reakcja spowoduje zakończenie rozmowy.

– Mogę przekazać fundacji 180 milionów dolarów – nie mogła się nie pochwalić. Albo nie zdawała sobie sprawy, albo świadomie ignorowała fakt, że w ten sposób po prostu kupi sobie poważne traktowanie. Że posługuje się pieniędzmi jako bronią, jako narzędziem.

Kwota wydawała mi się zupełnie nieziemska.

– Cóż, to twoje pieniądze. Do dzieła – powiedziałam bez entuzjazmu.

Może powinnam jeszcze raz zadzwonić do opieki społecznej. Może tym razem trafię na kogoś, kto będzie bardziej pomocny.

– A Jessie ją w moim imieniu poprowadzi. Da sobie spokój z tą swoją przyziemną pracą. Zajmie się
prawdziwym dziełem, zarządzaniem wielkimi pieniędzmi w imię wielkiej sprawy.

Wstała, zarzuciła na ramię czarną torbę Chanel
i odwróciła się do mnie plecami. Nie zdążyłam odpowiedzieć, ponieważ nie spodziewałam się, że po zwie-
rzeniach nad owsianką czeka mnie jeszcze jeden cios.
Nancy posiadała niesamowitą zdolność postępowania jednocześnie subtelnie i bezwzględnie. Zdumia-
ło mnie to do tego stopnia, że po prostu zamilkłam.
Widząc, jak idzie przez restaurację wyprostowana jak
struna, postanowiłam się już nie odzywać. Jessie nie
zrezygnuje z dyplomacji, żeby pracować dla Nancy.
Chyba nie.

Tak czy owak, nie miałam ochoty nawet o tym
myśleć. Przede wszystkim musiałam odzyskać Josha.

18

Wchodząc do Brytyjskiego Konsulatu Generalnego, poczułam ulgę.
Zaraz po wyjściu z Sarabeth's wskoczyłam do taksówki. Z automatycznej informacji dowiedziałam się, że konsulat pracuje do dwunastej i udziela pomocy w potrzebie obywatelom brytyjskim. Na co dzień mieli do czynienia z tego typu sytuacjami.

Na dźwięk pomruków brytyjskich głosów w holu recepcyjnym rozluźniłam się do tego stopnia, że prawie się uśmiechnęłam. Wszystko funkcjonowało tu tak sprawnie. Znowu czułam się jak w ojczyźnie. Chwilę później rozmawiałam już z ekspertką w dziedzinie ochrony dzieci.

Postać i zachowanie Jane Bennett działały na mnie uspokajająco. Kobieta miała na sobie prosty szarozielony kostium ze spódnicą do pół łydki, której obły kształt wyraźnie świadczył o tym, że nowojorska próżność jest jej obca. Interesowały ją fakty i jej brytyjscy współobywatele.

Nie ponaglała mnie, gdy opowiadałam jej swoją historię. Mówiłam rzeczowym tonem. Zachowywałam się, jak należy – w końcu byłam w domu, wśród ludzi, którzy mnie naprawdę rozumieją i którzy postrzegają świat tak samo jak ja. Co za ulga! Dlaczego nie przyszłam tu od razu, lecz zwlekałam prawie czterdzieści osiem godzin? Tylko na moment przypomniałam sobie o tym, że Jessie nalegał, abym nie kontaktowała się w tej sprawie z konsulatem. Nie przejmowałam się tym. Gdy Josh znajdzie się już w domu, Jessie też nie będzie się tym przejmował.

Powoli dobrnęłam do końca mojej historii.

Jane Bennett spojrzała na mnie ze zrozumieniem i współczuciem.

– Pani Wietzman, rozumiem, że musi się pani bardzo martwić, ale nie mamy tu do czynienia z porwaniem dziecka – zrobiła krótką pauzę. – O porwaniu można mówić wtedy, gdy rodzic lub krewny wywozi dziecko za granicę. Joshua tymczasem cały czas znajduje się na terenie Stanów Zjednoczonych.

Pokiwałam głową.

– Wiem, przepraszam. Posługiwałam się pojęciem „porwanie" w sposób dość swobodny. Chciałabym natomiast zwrócić pani uwagę na to, że odebrano mi go, pomimo że jest obywatelem brytyjskim. Ma brytyjski paszport. Nie powinniśmy podlegać rozstrzygnięciom nowojorskiej opieki społecznej.

Kobieta pokiwała głową. Tak. Przecież mówiłam zupełnie do rzeczy.

– W normalnych okolicznościach owszem, miałaby pani rację, tym bardziej że chroni państwa immunitet dyplomatyczny. Ponieważ jednak Joshua posiada również paszport amerykański i znajduje się na terytorium Stanów Zjednoczonych, niestety podlega jurysdykcji stanu Nowy Jork.

– Czy możecie się od tego odwołać?

Nie odczuwałam niepokoju, ponieważ Jane Bennett miała w sobie coś, co nakazywało mi sądzić, że przeanalizuje wnikliwie wszystkie możliwości. To ona miała się okazać tym doradcą, którego szukałam.

– Nie. Chcę przez to powiedzieć, że nigdy nie podejmujemy bezpośrednich interwencji w imieniu obywateli brytyjskich. Nie możemy pani poradzić nic ponad to, żeby spróbowała pani uzyskać w brytyjskim sądzie nakaz cofnięcia decyzji wydanej przez amerykańską opiekę społeczną. Wydaje się jednak, że na terenie Stanów Zjednoczonych trudno byłoby coś takiego wyegzekwować.

Jej słowa nadal brzmiały pocieszająco. Jane Bennett wydawała mi się wcieleniem zdrowego rozsądku.

– Dobrze, w porządku. To co pani radziłaby mi zrobić?

No to doszłyśmy do sedna sprawy. Zaraz przedstawi mi rozwiązanie, na które wcześniej po prostu sama nie wpadłam.

– W takich okolicznościach warto byłoby skonsultować się z naszymi prawnikami.

Prawie się uśmiechnęłam.

– Tak, oczywiście. Tak właśnie myślałam. Z prawnikami ambasady. Tak, chętnie z kimś takim porozmawiam.

– Proszę, oto lista – podsunęła mi kartkę papieru.

Ministerstwo Spraw Zagranicznych Wielkiej Brytanii w USA. Lista prawników działających na terenie Nowego Jorku.

– To tylko lista nazwisk… – trochę mnie to zaskoczyło.

– Nie, nie do końca. Jak pani widzi… – jej palec z niepomalowanym paznokciem przesuwał się w dół listy – pod spodem wyszczególnione zostały specjalizacje. Proszę spojrzeć tutaj: porady ogólne. Albo tutaj: międzynarodowe prawo rodzinne.

Peter Murray, adwokat, Park Avenue, przeczytałam. Zdecydowanie mnie to zniechęciło.

– A czy może mi pani kogoś polecić?

– Absolutnie nie. Na górze tej kartki zostało wyraźnie napisane, że Brytyjski Konsulat Generalny sporządził tę listę, aby ułatwić pani poszukiwanie prawnika, ale nie bierze żadnej odpowiedzialności za kompetencje czy rzetelność poszczególnych osób.

Gdyby nie jej uprzejmość, mogłabym spokojnie powiedzieć, że zostałam potraktowana bezdusznie.

– W pełni to rozumiem. – Nachyliłam się do niej. – A tak nieoficjalnie, do kogo najlepiej byłoby się zwrócić?

– Nie mam nic do powiedzenia na temat żadnego z tych prawników.

Postanowiłam spróbować jeszcze jeden, ostatni raz.

– A może słyszała pani, żeby ktoś korzystał z porad któregoś z nich?

– Nie – była nieugięta.

Temat zamknięty. Przyszłam tu z głęboką wiarą w przejrzystość brytyjskiego systemu. Uszło ze mnie całe powietrze. Nagle poczułam się wyczerpana i zupełnie samotna.

– Może powinna pani porozmawiać o tym ze swoim mężem – dodała urzędniczka ze spokojem.

Zanim poznałam Jane Bennett, wyobrażałam sobie, że w Ministerstwie Spraw Zagranicznych pracują ludzie gotowi dowolnie naginać obowiązujące reguły. Że ktoś po prostu skontaktuje się z opieką społeczną i Josh wróci do domu. Tymczasem w praktyce konsulat nie robił dla brytyjskich obywateli nic, tylko doradzał im, co sami mogą zrobić. W rozmowie z Jane Bennett nie wspomniałam o tym, że Jessie nie zamierzał podejmować żadnych działań. Nie mogłam zatrudnić prawnika bez jego zgody. Skąd wzięłabym pieniądze na opłacenie amerykańskiego specjalisty? Mogłam skorzystać z naszych brytyjskich oszczędności, ale mieliśmy może z półtora tysiąca funtów. Na ile godzin porad prawnych by mi to wystarczyło? Poza tym Jessie od razu by zauważył, gdybym zaczęła wybierać pieniądze z naszego konta bankowego. Mogłam zadzwonić do rodziców, ale nie chciałam tego robić. Nie dlatego, że duma mi nie pozwalała, lecz dlatego, że byliby całą tą sprawą załamani i zaczęliby się zamartwiać.

Jane Bennett z beznamiętnym wyrazem twarzy czekała, aż przetworzę sobie w głowie wszystkie informacje. Gdy na nią spojrzałam, uśmiechnęła się do mnie ciepło.

– Nie ma wielkiego pośpiechu, pani Wietzman. Przecież Josh jest u krewnych.

Trzy godziny później Nancy czekała przy szafkach nieopodal drzwi do sali Josha. Wczoraj czekała na zakończenie zajęć w samochodzie, w towarzystwie kierowcy. Ja odebrałam go z sali, a potem pojechałam z nimi do niej do domu, gdzie zostałam, aż przyszła pora położyć Josha spać.

Dzisiaj, gdy przyszłam, chwyciła mnie ponownie pod rękę i delikatnie poprowadziła przez masywne szklane drzwi na podwórze.

– Anno, kochanie. Josha konfunduje i męczy to, że spędzasz z nim każdą minutę. Musi sam się odnaleźć w naszym domu.

Nie odezwałam się ani słowem. Ogarnęło mnie przerażenie.

Starając się potwierdzić własne zwycięstwo nade mną, Nancy szybko dodała:

– Oczywiście powinnaś koniecznie przyjść jutro wieczorem, żeby powiedzieć mu dobranoc. Tak chyba byłoby najlepiej.

– Chcę jechać z nim dzisiaj. Stęskniłam się za nim. Nie mogę się doczekać, kiedy się z nim zobaczę – powiedziałam błagalnym tonem.

Nancy mówiła jednak dalej, jakby w ogóle mnie nie słyszała:

– Mam dla ciebie coś fantastycznego.

Wyciągnęła z torby Chanel kopertę i podała mi ją:

– To prezent, ode mnie dla ciebie.

Można by pomyśleć, że próbuje mnie uwodzić. Otworzyłam kopertę, żeby zyskać na czasie. Cztery godziny zabiegów w Mandarin Oriental Spa. Dziś po południu. Próbowała mnie przekupić.

Podjęłam ostatnią próbę.

– To bardzo miło z twojej strony, Nancy. Skorzystam z tego z przyjemnością. Wolałabym jednak przełożyć termin na jutro rano, kiedy Josh będzie w przedszkolu, ponieważ dzisiejsze popołudnie chciałabym spędzić z nim.

Nancy zmarszczyła czoło. Dostrzegłam też zmarszczki wokół jej ust.

– Przykro mi, Anno. Dzisiaj to nie będzie możliwe. Jutro za to bez problemu.

Otworzyła drzwi, po czym zamknęła mi je przed nosem.

19

Dzień trzeci... bez Josha.

Na prawo od drzwi frontowych u Mary stał wazon, a w nim pomalowane na biało gałązki poowijane jasnymi lampkami choinkowymi. Prawdopodobnie zostały tam umieszczone wiele lat temu w charakterze dekoracji świątecznej. Wielu nowojorczyków nie zadawało sobie trudu zdejmowania tych ozdób. Za drzwiami stał posąg nimfy, również oplątany światełkami. Poprzednim razem nie zwróciłam na niego uwagi.

Muszę przyznać, że z niecierpliwością oczekiwałam na kolejne spotkanie z Mary. Pozwalały mi one oderwać myśli od wszystkich moich zabiegów o odzyskanie Josha. Mary wydawała mi się jedyną osobą, której mogłam zaufać. Jej mogłam się zwierzyć. Nie mogłam porozmawiać o tym z rodzicami. Przecież nie zrozumieliby, co się stało. Odkąd zabrano mi Josha, starałam się nie odbierać ich codziennych telefonów. Bałam się, że podczas rozmowy wpadnę w panikę. Po cichu liczyłam na to, że poczekam i porozmawiam z nimi, gdy to wszystko już się wyjaśni.

Zamiast im, o Nancy opowiadałam Mary. Mówiłam o jej okrutnym lekceważeniu mojej palącej potrzeby odzyskania Josha, o wydarzeniach w Sara-beth's, o odmowie udzielenia mi pomocy.

– Ona chce Josha dla siebie – twierdziłam uparcie.

Na twarzy Mary pojawił się uśmiech.

– Czyżby? Dlaczego sądzisz, że ona chciałaby wziąć Josha?

– Nie wiem. To nielogiczne, ale ja wiem, że tak właśnie jest.

Mary milczała przez chwilę.

– Powinnyśmy postarać się oddzielić twoje uczucia od rzeczywistości.

– Ona chce go mieć dla siebie. Ubiera go w kaszmiry. – Zamknęłam oczy, przypominając sobie żółtą koszulkę, w której widziałam go wczoraj.

Mary mówiła bez emocji.

– Cóż, wiele zamożnych dzieci w tym mieście nosi kaszmirowe ubrania. Czy to jest dla ciebie problem?

Postanowiłam nie zwracać na nią uwagi.

– Wczoraj zabroniła mi odebrać go z przedszkola. Nie pozwoliła mi go nawet położyć spać.

– A czy zapytałaś ją, czy możesz zostać i położyć go spać?

– Oczywiście – odpowiedziałam gorzko. Zwinęłam dłonie w pięści. – Jestem jego matką – rozpaczliwie wpatrywałam się w jej twarz. – Jestem jego matką.

Mary westchnęła ze współczuciem.

– Oczywiście, że jesteś. I wszystko wskazuje na to, że jesteś świetną matką.

Każda matka ucieszyłaby się, słysząc te słowa, a mnie w tamtym momencie ucieszyły w sposób szczególny.

Mary prawie się nie poruszała.

– Może porozmawiajmy o tobie jako o matce.

Nie potrafiłam sobie odpuścić tematu Nancy.

– Kazała mu siusiać na siedząco, jeszcze zanim go zabrała. Na litość boską, chce go zniewieścić.

– Tak uważasz? Dlaczego tak sądzisz, Anno?

– Mary miała nieodgadniony wyraz twarzy.

Nachylając się do przodu, wyszeptałam:

– Mary, prawda jest taka, że ona próbuje odebrać mi moją rodzinę. Tak bardzo się boję.

To zabrzmiało jak słowa szaleńca, nawet ja zdawałam sobie z tego sprawę.

Mary nie wyglądała na przerażoną. Widząc jej reakcję, poczułam się nieco pewniej.

– Anno, co się może stać najgorszego?

Zamilkłam. Nie dlatego, że nie potrafiłam sobie wyobrazić najczarniejszego scenariusza, ale dlatego, że myślenie o nim napawało mnie przerażeniem.

Wystudiowany uśmiech Mary wyrwał mnie z zamyślenia.

– Zróbmy krok do tyłu. Skupmy się na Joshu. Czy uważasz, że postąpił źle? – Mary cały czas pozostawała w pozycji półleżącej, jej stopy w rajstopach spoczywały na podnóżku.

Mimo to poczułam, że jej stosunek do mnie uległ zmianie.

– Nie, nie źle. To za mocne słowo. – Zaczęłam się bawić włosami, naśladując w ten sposób nerwowy tik Jessiego. – Nie powinien tego robić. Ale oni tutaj mają obsesję na punkcie kontrolowania dzieci.

Czy ja miałam obsesję na punkcie niekontrolowania Josha? Boże, czyżbym faktycznie zaczynała poddawać się terapii?

– Kto to są „oni", Anno?

– Wszyscy... – Rozkrzyżowałam nogi i nachyliłam się nieco do przodu, żeby doprecyzować swoje stwierdzenie. – Właściwie to oczywiście nie wszyscy.

Mary miała niezmiennie pogodne oblicze. Czy wyraz jej twarzy by się zmienił, gdybym powiedziała jej coś strasznego? Pochyliłam się jeszcze trochę, żeby przyjrzeć jej się z bliska. Można było odnieść wrażenie, że podczas sesji w ogóle się nie porusza. Przez cały czas pozostawała rozłożona w fotelu. Z pewną złośliwością zastanawiałam się, co mogłoby ją skłonić do nagłego nachylenia się do przodu.

– A ty?

W moich uszach ponownie zabrzmiały słowa z pierwszej sesji. Zamarłam. Co ja tu robię?

– Co ty tak naprawdę o tym myślisz?

– O czym?

– O zachowaniu Josha.

Nadal milczałam, czując, że Mary próbuje mnie zapędzić w jakąś terapeutyczną pułapkę. Czyżby na wszystko inne nakładała się teraz paranoja?

– Raz prawie wykłuł sobie oko gałęzią. Wyszedł sam na taras. Co czujesz, gdy myślisz o tym, że był narażony na niebezpieczeństwo?

– To nie jest niebezpieczeństwo, to życie. – Podrapałam się po policzku, nie mogąc już zapanować nad irytacją.

Mary milczała. Czekała na coś. Pogodny uśmiech nie zniknął co prawda z jej twarzy, ale ewidentnie dokądś zmierzała.

Starałam się doprecyzować własne stanowisko:

– Mnie było wolno chodzić po drzewach i budować mosty. Dzięki temu lubię przygody.

Czy rzeczywiście?

– Lubisz przygody na tyle, że przeniosłaś się do innego kraju, w inną kulturę. Zgadza się? Czy chciałabyś, żeby Josh był taki jak ty?

– Nie... oczywiście, że nie. Zadaję sobie pytanie...

– Dotknęłam kolanami haftowanego materiału obiciowego, muskając przy tym jej prążkowane rajstopy. Nachyliłam się i powiedziałam szeptem: – Zajrzałam nawet do książki Mela Levine'a.

Chciałam gwarancji. Czego, tego nie byłam pewna. Nie potrafiłam o tym myśleć, ponieważ obawiałam się ewentualnych pytań nawiązujących. Nawet nie tyle zresztą ich treści, ile chwili, w której padną. Mary potrafiła milczeć przez niewiarygodnie długi czas, pozostawiając między nami przestrzeń, którą ja miałam wypełniać.

– Czy zrobiłaś to dlatego, że zależy ci na powodzeniu Josha?

– Nie! – osłupiałam z przerażenia. – Nie, Mary. Wydaje mi się, że chciałam się po prostu przekonać, czy jestem dobrym rodzicem. Odkąd tu przyjechałam, zaczęłam w siebie wątpić.

Pogubiłam się we własnych wywodach. Nie bardzo wiedziałam, do czego zmierzam. Ogarniała mnie coraz większa panika. Mary ciągle się uśmiechała... co zaczynało doprowadzać mnie do furii. Obicie fotela drapało mnie w gołe nogi. Starałam się je odsunąć, ale wtedy uderzyłam o podnóżek. Odsunęłam więc trochę fotel. Wtedy zaczęłam się obawiać, że może to wyglądać tak, jakbym chciała się bronić przed atakiem. Mary nie okazywała zniecierpliwienia. Nigdy się z niczym nie spieszyła.

W końcu się odezwała, jak zwykle poruszając przy tym wyłącznie wargami.

– A jak sądzisz, co o tym wszystkim myśli twój mąż?

Wzmianka o Jessiem pozbawiła mnie resztek energii. Natychmiast pomyślałam o jego flircie z królem kiełbasek, a zaraz potem o doskonałości Pameli.

– Na przykład... o incydencie na tarasie? – Mary nie zamierzała zrezygnować.

Musiałam się odezwać.

– On podchodzi do tego trochę bardziej po amerykańsku, po nowojorsku. – Starałam się grać na zwłokę, ponieważ uświadomiłam sobie, że nie odwiodę jej od tego tematu. – Do niebezpieczeństwa... do pieniędzy... do opieki społecznej.

Ponieważ od dłuższego czasu siedziałam w niewygodnej pozycji, prawie się nie ruszając, zaczął mi cierpnąć kark. Naciągnęłam szyję i poruszyłam ramionami. Liczyłam, że w ten sposób zmuszę Mary do zmiany pozycji. Ona jednak pozostała w bezruchu. Czekałam.

– W Londynie był jakiś mniej amerykański – powiedziałam z wahaniem, sama nie do końca wierząc w to, że opowiadam terapeutce o Jessiem. Miałam poczucie, że jestem wobec niego nielojalna. Chciałam powiedzieć: „Jak śmiesz tak bezceremonialnie naruszać świętość mojego małżeństwa!". Ogarniało mnie jednak okropne poczucie porażki i rozczarowania. Czyżby na moim cudownym, doskonałym małżeństwie pojawiła się rysa? Już sama myśl o prowadzeniu rozmowy na ten temat sprawiała, że traciłam grunt pod nogami.

Mary pokiwała głową.

– Wrócił do swoich, dostrzega nowe możliwości. Czy to chcesz powiedzieć, Anno?

– Nie. Chcę powiedzieć, że jego współpracownicy są Brytyjczykami. On sam jest w połowie Brytyjczykiem. Jego matka jest Angielką.

Kark zesztywniał mi już do reszty. Musiałam się ruszyć. Miałam tego dość. Mary nie powiedziała ani słowa. Zapowiadało się na kolejną niekończącą się chwilę ciszy. Nie mogłam tego znieść.

W końcu dałam za wygraną:

– Dostrzega wielkie możliwości, jakie tu przed nim stoją.

Moje słowa zawisły w przestrzeni między nami.

– Jak leci? – zakrzyknął do mnie z daleka Darren, gdy wracałam od Mary, mijając po drodze mniej więcej dziesięć budynków z brązowego piaskowca.

– W porządku, dzięki Darren.

Chciałam już dotrzeć do mieszkania, zamknąć za sobą drzwi i położyć się do łóżka.

– Gdzie się podziewa Josh? – dopytywał się Darren.

Rzuciłam mu krótkie spojrzenie, zastanawiając się, czy wie.

– Na kilka dni pojechał do babci. Mieszka na East Side.

Proszę, nie odzywaj się już więcej.

– Łał! Musi się bardzo cieszyć.

Nic więcej nie powiedziałam. Na stopniach prowadzących do drzwi mojego budynku siedział Dirk. Jego widok przyniósł mi tymczasową ulgę.

– Kminek – rzucił, gdy do niego podeszłam.

Spojrzałam na niego ze zdumieniem.

– Przyprawa w zupie, zgadza się?

Poczęstowałam go miską zupy, gdy cztery noce temu spał na schodach pobliskiego budynku. Była to

194

noc poprzedzająca dzień, w którym Josh przeniósł się do Nancy. Myśl o ostatnich trzech nocach rozrzewniła mnie i osłabiła.

– Tak, przepraszam. To była dynia z kminkiem, masłem i cytryną.

– Cytrynę wyczułem.

– Tak? – zdobyłam się na odpowiedź.

Tyle się wydarzyło, a ja rozprawiałam z bezdomnym przyjacielem o przepisach kulinarnych. Rozmowy z Dirkiem utwierdzały mnie w przekonaniu, że kilka trudnych tygodni wystarczy, aby wylądować na tej samej ulicy, przy której się dotychczas mieszkało. W każdym razie on tak twierdził. Nigdy nie wyjaśnił dokładnie, jak to się stało, że stracił dom, a ja nie pytałam. Tak czy owak, Dirk chciał poznać mój przepis. Ta myśl jakoś podniosła mnie na duchu.

W Nowym Jorku tak właśnie jest. W jednej chwili człowiek napawa się zróżnicowaniem kulturowym, energią społeczną i ekscentryczną radością otaczającego go świata, a w kolejnej chwili się topi – albo ktoś go topi.

20

Dzień siódmy... bez Josha. Gdy Jessie i ja wysiadaliśmy z taksówki przed domem Nancy, pomyślałam – nie po raz pierwszy zresztą – że mija dokładnie tydzień, odkąd straciłam Josha. Ogarnęło mnie poczucie winy i porażki. Upłynęło już siedem dni, a ja nie zbliżyłam się nawet o krok do jego odzyskania. Już dnia trzeciego zadzwoniłam do biura Petera Murraya. Termin „wstępnej konsultacji" został wyznaczony dopiero za dwa tygodnie, na dzień siedemnasty. Miała kosztować tysiąc dolarów. Nie zadzwoniłam do żadnego innego prawnika z listy, ponieważ uznałam, że powinnam się skonsultować właśnie z nim. Zajmował się prawem rodzinnym, prawem do opieki nad dzieckiem, porwaniami dzieci oraz zagadnieniami uregulowanymi w konwencji haskiej. Spodziewałam się, że bez trudu doprowadzi do unieważnienia decyzji opieki społecznej. W międzyczasie przelałam oszczędności z naszego brytyjskiego konta do banku w Stanach. Operacja miała potrwać siedem dni.

Ale przynajmniej dzisiaj wieczorem mogłam zobaczyć się z Joshem.

Mieszkanie Nancy równie dobrze mogło się mieścić na Eaton Square. Albo na Cheyne Walk. Było idealnie i nieskazitelnie angielskie – począwszy od tapet Colefax and Fowler, a na zasłonach Osborne & Little skończywszy. W przeciwieństwie jednak do nieruchomości zlokalizowanych pod wspomnianymi wyżej adresami w południowo-zachodnim Londynie nie zajmowało całego domu, lecz piętro w jednym z najbardziej luksusowych apartamentowców w Nowym Jorku, zwanym 740 Park Avenue. Był to mroczny, ale imponujący budynek wzniesiony według projektu Candeli i Harmona, który współtworzył koncepcję Empire State Building. Agenci pośrednictwa nieruchomości wspominali o Candeli w swoich reklamach, ponieważ ludzie byli gotowi zapłacić wyższą stawkę za możliwość mieszkania w jednym z budynków jego autorstwa. Tak w każdym razie mówił Howard, gdy po raz pierwszy oprowadzał nas po budynku, w którym nie zabrakło miejsca dla prywatnej piwniczki na wino oraz mieszkań dla służby. Budynek był niesamowicie wielki, podobnie zresztą jak cała pozostała zabudowa Park Avenue. Nancy chwaliła się, że został „powleczony" wapieniem oraz że granitowe wejście odrobinę nawiązuje do art déco – tylko odrobinę, ponieważ w latach trzydziestych bardziej zdecydowane nawiązanie zostałoby uznane za przejaw braku dobrego smaku. Art déco cieszyło się wówczas popularnością na West Side, ale elita zamieszkująca Park Avenue uznawała ten styl za plebejski. W tak ekskluzywnym budynku nie należało się spodziewać portiera przed drzwiami – z cieni korytarzy wyłoniła się cała nierzucająca się w oczy ekipa.

Pastisz angielskiego wnętrza w oczywisty sposób kłócił się z architektonicznym rozmachem, ale w moim przekonaniu ta sprzeczność w pewnym sensie doskonale podsumowywała Nancy.

„Hol wejściowy", jak nazywał tę przestrzeń Howard, zdumiewał mnie i onieśmielał za każdym razem, gdy windziarz otwierał nam drzwi. Podczas pierwszej wizyty zaskoczyło nas, jak szybko winda dociera do penthouse'u. Nasz beztroski śmiech odbijał się wśród ścian. Na pierwszym planie, tak idealnym, że wręcz sztucznym, stali Howard i Nancy.

Tamtego wieczoru Nancy i Howard nie czekali na nas tam gdzie zwykle. Powitała nas ich malajska gospodyni Sing Sing (nigdy się nie dowiedziałam, czy naprawdę tak się nazywała). Poprowadziła nas do bawialni kryjącej się za podwójnymi drzwiami na końcu „holu wejściowego". Denerwowałam się. Bałam się, że jeśli czymkolwiek narażę się Nancy lub Howardowi, Nancy zemści się na mnie, dodatkowo ograniczając mi dostęp do Josha.

Jessie czuł się na tyle swobodnie, że sam sobie otworzył drzwi. Wszedł do pokoju, wyprzedzając i Sing Sing, i mnie.

– Hej, hej, to my – w jego mocnym głosie pobrzmiewała pewność siebie, której nigdy nie słyszałam w Londynie.

W odpowiedzi twarze obojga gospodarzy rozświetliły się w uśmiechu.

– Hej, wy! – odezwał się Howard żartobliwym tonem studenta na urlopie dziekańskim, który dorabia jako Święty Mikołaj.

Siedzieli na szezlongu, a między nimi znajdował się Josh. Normalnie, w domu, byłby jeszcze trochę mokry i zaróżowiony po wieczornej kąpieli. Siedziałby już w piżamce, tej w szerokie kremowe i czerwone paski albo tej w kratkę z żaglówką na piersi. Tymczasem teraz miał na sobie białą koszulę z żabotem, ciemnofioletową aksamitną kamizelkę i granatowe spodnie do pół łydki. Wyglądał jak pozujące do obrazu dziecko francuskiego arystokraty z połowy osiemnastego wieku. Martwa natura, posążek. Nie mój synek. Jego widok w tym śmiesznym, w jakiś sposób poniżającym stroju sprawił mi ból.

– Joshie, cześć, słoneczko – czym prędzej do niego podeszłam, przykucnęłam przed nim i przyciągnęłam go do siebie. Zaraz potem wyrwało mi się: – Co ty masz na sobie?

Nancy wstała z szezlonga, ani na moment nie naruszając doskonałego układu, jaki tworzyły jej kręgosłup, ramiona i szyja. Miała na sobie lekką kremową jedwabną suknię na wąziutkich ramiączkach, które idealnie zlewały się z jej obojczykami. Suknia spływała jej aż do kostek.

– To strój koktajlowy – oznajmił Josh.

– Jesteś wystrojony, bez dwóch zdań. – Jakby dla żartu chwyciłam jego kamizelkę. Tak naprawdę chciałam ją z niego zedrzeć. – Wyglądasz francusko.

Na jego twarzy pojawił się grymas, na całe szczęście.

– A co to znaczy „francusko".

– Jak ktoś z Francji.

– Joshie! Joshie, słoneczko – Jessie wyściskał Josha. – Nancy, wyglądasz fantastycznie – Jessie wyciągnął na chwilę ramiona, żeby ją uścisnąć, a potem czym prędzej je cofnął.

Przez krótką chwilę uważnie jej się przyglądał. Zobaczyłam, że podziwia spartańskie paseczki na jej ramionach i jedwab podkreślający dziewczęce kształty, w szczególności gładki łuk jej piersi, wyrazistość sutków, płaski brzuch i wąskie biodra. Wygląd Nancy najlepiej świadczył o jej zamożności.

– Jaka fantastyczna sukienka – zamruczał.

Nancy posłała mu szeroki uśmiech, który po chwili przeszedł w chichot. Młody człowiek podziwiał jej kreację. Wyciągnęła ku niemu ramię delikatne jak u dziecka.

– Calvin Klein. Zwykle za nim nie przepadam, ale przekonałeś mnie do zmiany zdania.

Jessie nie bardzo wiedział, jak należałoby na to odpowiedzieć, więc skinął głową i odwrócił się, aby przywitać się z Howardem. Howard występował w swoim nieśmiertelnym mundurku, czyli w blezerze, koszuli w paski i luźnych spodniach. Jessie podszedł do niego i zaangażował się w trójstronną rozmowę z udziałem niskiego człowieka o mało imponujących rudych włosach i kwadratowej twarzy spalonej słońcem i pokrytej licznymi piegami. Chociaż na dzisiejszy wieczór wbił się w garnitur, wyglądał jak zapaśnik, jak prosty człowiek, który w wytwornym stroju nie czuje się komfortowo.

Nikt nie wpadł na to, by nas sobie przedstawić.

Sing Sing wróciła ze srebrną tacą, przynosząc martini i nadziewane oliwki. Wzięłam i jedno, i drugie, a potem odwróciłam się do Nancy, która zdążyła już ponownie przysiąść na skraju szezlonga w stylu Ludwika któregoś tam. Kolana trzymała bardzo blisko siebie, a równolegle ułożone łydki wsunęła pod mebel. Zapewne tak właśnie nauczono Elżbietę II siadać do zdjęć i portretów. Usiłowałam usadowić się koło niej w podobnie eleganckiej pozie. Nagle poczułam się bardzo zmęczona. Wprost wycieńczona. Nie potrafiłam się zdobyć na prowadzenie niezobowiązującej pogawędki. Lewym ramieniem mocno tuliłam do siebie Josha, popijając martini dużymi łykami. Drink przytłumił nieco mój żal i ból, który odczuwałam w wyniku rozdzielenia mnie z synem. Ból, który odczuwałam w związku ze świadomością, że to Nancy decyduje o tym, jak Josh będzie się ubierał i jakie nawyki będzie sobie wyrabiał.

– Czy coś cię martwi, Anno? – Ku mojemu zaskoczeniu, zadając to pytanie, defensywnie zacisnęła usta i jednocześnie dotknęła mnie chłodną dłonią.

Zaskoczyła mnie tym fizycznym kontaktem i troską. W moich oczach zebrały się łzy. Musiałam mocno mrugać, żeby w ogóle na nią spojrzeć.

– Tak, oczywiście. Rozpaczliwie tęsknię za Joshem – powiedziałam, przyciskając go do siebie i uśmiechając się do niego. Zaraz potem wysączyłam martini do dna. – Chciałabym, żebyś już wrócił do domu. Wiesz, kochanie?

Natychmiast pojawiła się koło mnie Sing Sing, zmieniając pusty kieliszek na pełny.

Nancy zdawała się cierpliwie na coś czekać. Zastanawiałam się, co sobie teraz myśli.

– Josh, może powiesz mamusi, jaki tu jesteś szczęśliwy – powiedziała ostrym tonem.

– Dostałem dzisiaj konsolę Nintendo. – Uśmiechnął się szeroko, po czym zeskoczył z fotela. – Pokażę ci.

Wybiegł z pokoju. W tym samym momencie Sing Sing poszła otworzyć drzwi.

Dużymi łykami wypiłam połowę drugiego martini. Miałam świadomość, że nie powinnam krytykować Nancy, ale nie wytrzymałam:

– Nancy, nie pozwalamy mu grać w gry kompute-rowe.

– I bawić się bronią też nie pozwalacie – zaśmiała się.

Po raz pierwszy zobaczyłam, jak Howard patrzy na nią z uwielbieniem.

– Czy możemy się do was przyłączyć? Chyba się dobrze bawicie.

Zawsze zastanawiałam się, czy Howard ożenił się z Nancy dla jej pieniędzy. Nie potrafiłam sobie wyobrazić, jak taki potężny, dowcipny miłośnik sportu mógłby się zainteresować kościstą i wyrafinowaną filantropką. Teraz jednak zobaczyłam w jego spojrzeniu coś innego, coś nieodgadnionego. Jakieś seksualne napięcie.

– Możecie – rzuciła mu spojrzenie, którego nie można nazwać inaczej jak lubieżnym.

Weszła Pamela. A właściwie weszły nogi Pameli, długie ostrza nożyc otulone cienkimi rajstopami. Miała na sobie króciutką obcisłą sukienkę z cekinami, która doskonale nadawałaby się na nocny wypad do klubu, a jednocześnie z jakiegoś powodu na Pameli wyglądała bardzo wytwornie. Nikt mi nie powiedział, że ona również ma się pojawić. Próbowałam uchwycić wyraz twarzy Jessiego, ale mi się nie udało. Jessie i rudzielec natychmiast podążyli za Howardem. Porzucili fortepian Steinwaya, aby ustawić się łukiem wokół Nancy, a teraz również Pameli, która uginając swoje niewiarygodnie doskonałe nogi, usiadła naprzeciwko Josha.

– Dzień dobry, Josh. Twój tata bardzo dużo mi o tobie opowiadał.

Josh trzymał konsolę Nintendo, w związku z czym spojrzał na nią tylko przelotnie.

Jessie postanowił interweniować.

– Josh, powiedz dzień dobry. To jest Pamela, pracuje z tatusiem.

– Dzień dobry – powiedział, cały czas wpatrując się w konsolę. Nie chciałam go do siebie zniechęcać, więc nie kazałam mu jej odłożyć.

Pamela postanowiła z kolei mnie okazać swoje względy.

– Anno, aż brak mi słów, żeby wyrazić, jak wspaniale pracuje się z Jessiem.

Obdarzyła mnie szerokim uśmiechem, po czym ten sam uśmiech posłała Jessiemu.

On bez śladu zażenowania odwzajemnił się jej tym samym.

– To z tobą pracuje się wspaniale, naprawdę.

Być może wyciągnęłam z tej wymiany uprzejmości zbyt daleko idące wnioski. Nie miałam w ustach alkoholu, odkąd zabrano mi Josha. Gdy do żołądka przepełnionego goryczą wlałam dwa martini, zaczęło mi się kręcić w głowie. Nachyliłam się do przodu, odwracając się od Pameli. Usiłowałam się skupić.

– O, dzień dobry. Jestem Anna, żona Jessiego – przedstawiłam się rudzielcowi. – Przepraszam, w tym całym radosnym zamieszaniu zapomniano nas sobie przedstawić.

– Connor Flint – odparł, wciskając się na fotel obok mnie.

Kiebłaski Flinta. Ziemia zaczęła usuwać mi się spod nóg, robiło mi się niedobrze.

– To pan wynalazł kiełbaski. Jakie to niezwykłe – zdobyłam się na automatyczny komentarz. Tylko Jessie zwrócił uwagę na moje szeroko otwarte oczy i przesadnie ekspresyjną minę. Wiedział, że udaję. W jego oczach zapłonęła wściekłość.

Kiełbaskowy magnat niczego nie zauważył.

– To ja. Pochodzę z Irlandii, ale tu zarobiłem fortunę. Moi przodkowie przybyli do Baltimore.

– To musiała być wielka przygoda – zdawało się, że to akurat prawda.

– Tak, lubię przygody – ponownie się uśmiechnął.

Sing Sing pojawiła się z kolejnymi kieliszkami martini, nie miała już natomiast oliwek. Drugi koktajl już krążył mi w żyłach. Sięgnęłam po następny. Chciałam się upić. Słyszałam, że temat rozmowy się zmienił, ale jakoś nie zwróciłam na to uwagi.

– Tak, zgadzam się. Wojna to było słuszne posunięcie – stwierdził Howard. – Nie mieliśmy wyboru.

Zawsze sądziłam, że Howard i Nancy zaliczają się do grupy ludzi, których gazety określały mianem „liberałów w limuzynach".

– Dopadli nas na naszej ojczystej ziemi. Musieliśmy im za to odpłacić – powiedział Król Kiełbasek.

Kim był ten Connor Flint? Kto w Nowym Jorku wyznawał takie poglądy? Ale ostatecznie był przecież z Ohio.

Wzięłam duży łyk martini i obserwowałam Jessiego. Oboje sprzeciwialiśmy się prowadzeniu wojny. Zgadzaliśmy się w tej kwestii w stu procentach. Co zabawne, był to jedyny temat, na który Jessie miał do powiedzenia więcej niż ja. Przytoczony przed chwilą argument zawsze go denerwował, chociaż muszę dodać, że nigdy wcześniej nie spotkaliśmy nikogo, kto miałby do wojny zdecydowanie pozytywny stosunek. A już z całą pewnością nigdy nie spotkaliśmy nikogo, kto wyrażałby tak oburzający pogląd na tę sprawę.

– Musieliśmy ich dopaść, zanim oni dopadną nas. Musieliśmy dopaść jak najwięcej z nich – powtórzył Król Kiełbasek, na wypadek gdyby ktokolwiek niewłaściwie odczytał jego intencje.

To dziwne, ale gdy ktoś wypowiada tak nieżyczliwe słowa, cała jego twarz nagle się zmienia. Jego stała się czerwieńsza, większa i brzydsza.

Nie odezwałam się.

Odezwała się za to Nancy. Przycisnęła dłonie do klatki piersiowej, dodatkowo napinając jedwab wokół i tak widocznych sutków.

– Ależ proszę przestać! Już dość tych pogaduszek o kowbojach i Indianach. Chcielibyśmy porozmawiać o czymś znacznie bardziej interesującym niż wojna.

Przez chwilę milczała wyczekująco, a potem spojrzała na Jessiego.

– Connor, opowiedz nam o fantastycznej pracy, którą proponujesz Jessiemu.

Pamela szeroko się uśmiechnęła i klasnęła w dłonie.

21

Dzień ósmy... bez Josha.
Zbiegłam po schodach do Hudson River, ciężkim krokiem przeszłam pod mostem i skręciłam w prawo. Otworzył się przede mną rozległy widok na wodę, barki mieszkalne, holowniki, tankowce i Washington Bridge. Optymistyczny, spokojny Nowy Jork. Rozpościerała się przede mną panorama szarych przedmieść New Jersey. Woda przypominała momentami gładką, szarą powierzchnię jeziora, a kiedy indziej potężne morze. Dzisiaj brzegi rzeki zdawały się nakreślone ostrym ołówkiem HB. Wyraziste, proste linie oddzielały wodę od doskonałego błękitu nieba. Poczułam chłód, bo w połowie października miałam na sobie lekkie ubranie.

Moje myśli gnały jednak przed siebie, napędzane silnym poczuciem żalu, pustki i samotności. Gdy nie miałam przy sobie Josha, czułam się kompletnie oderwana od rzeczywistości. Zagubiona. Straciłam go. Moje życie wymykało mi się spod kontroli. Decyzja Jessiego tylko wzmocniła we mnie to wrażenie.

Zamiast prowadzić negocjacje w sprawie względnego spokoju na świecie, miał się teraz zajmować ochroną praw hot dogów. W porządku. Może i miałam naiwne wyobrażenie o ONZ. Ale zakochałam się w Jessiem, który głęboko wierzył w ideały tej instytucji. Chodziło w niej o coś więcej niż tylko o politykę, wznosiła się ponad partyjne rozgrywki. Pracowała nad „pokojowym rozstrzyganiem sporów", w szczególności na Bliskim Wschodzie i w Afganistanie. Po przeprowadzeniu się do Nowego Jorku Jessie miał nawet okazję tam pojechać. Organizacja Narodów Zjednoczonych broniła praw człowieka, dbała o środowisko. Jessie odbył specjalne szkolenie antyterrorystyczne, które uznał za fascynujące i oczywiście bardzo istotne. Nie miał dostatecznego doświadczenia, aby uczestniczyć w kształtowaniu polityki, ale brał udział w negocjacjach na wysokim szczeblu, zyskując tym samym przedsmak siły wspólnego działania narodów, w którą głęboko wierzył.

Można było spojrzeć na to również cynicznie, co bez ogródek czynili zwykle nasi londyńscy przyjaciele. Jessie był jednym z wielu urzędników służby cywilnej pracujących w imieniu rządu brytyjskiego w obronie narodowych interesów. Być może faktycznie niczym się to nie różniło od doglądania interesów Connora Flinta na Wschodnim Wybrzeżu i nadzorowania jego ekspansji na rynki Europy. Mimo wszystko miało jednak większe znaczenie i większy wpływ na sytuację na świecie.

Ogólnie rzecz biorąc, rozprawianie z prezydentami i premierami o przebiegu granic miało w sobie więcej uroku niż debaty z farmerami z Ohio na temat zawartości tłuszczu w wieprzowinie. Temu chyba nikt nie zaprzeczy?

Mimo to Jessie się zgodził. Wtedy, gdy stał oparty o ten pieprzony fotel Nancy. Nie powiedział:

„Dziękuję, muszę się nad tym zastanowić. Omówić to z Anną". Kiedyś tak by zrobił. Kiedyś był rozważny i liczył się z innymi. Tym razem uśmiechnął się z uznaniem do Nancy i Howarda, wyszczerzył się do Pameli i radośnie wzburzył czuprynę Josha. Wszyscy patrzyli na niego wyczekująco, a wtedy on wypowiedział jednoznaczne „tak".

Normalnie odezwałabym się jeszcze przy Howardzie i Nancy, nawet w obecności Connora. Wtedy wyczuwałam jednak, że Jessie zaskoczył samego siebie. Zerwanie z własnymi tradycjami, uwolnienie się od nich, zrobienie czegoś innego, radykalne działanie – to wszystko dało mu poczucie nadzwyczajnej siły. Gdy wracaliśmy taksówką do domu, nie potrafiłam emocjonować się tymi wydarzeniami. Gdy musiałam opuścić Josha, zawsze czułam się zupełnie wyzuta z uczuć. Nic innego nie miało dla mnie znaczenia. Mogłam wypytywać Jessiego o jego decyzję, jakby to nie miało żadnego związku z naszym życiem, z naszym wspólnym życiem.

– Czyli zamierzasz zrezygnować z pracy dla Misji? – Uspokajało mnie, że potrafię mówić o tym tak rzeczowo. Tym samym przyznawałam, że otwiera się między nami wielka przepaść.

Uśmiechnął się szeroko. Nachylił się do przodu, jakby miał zamiar powiedzieć coś kierowcy. Nie miał po temu powodów, ponieważ jechaliśmy właściwą drogą, przez środek Central Parku.

– Za 525 tysięcy dolarów rocznie? No pewnie!

Oczywiście, robił to dla pieniędzy. Postanowiłam nie przyjmować do wiadomości ani siły dolara, ani znaczenia pieniędzy. Postanowiłam uznać jego fascynację tą pracą za przejaw prymitywizmu, ostatecznie amerykańskości. Zawsze tak właśnie myślałam o Howardzie i Nancy. Ich zamożność wydawała mi się nieatrakcyjna. Wychodziłam z założenia, że żarty, które sobie z nich stroiliśmy, stanowiły wyraz tego właśnie przekonania. Teraz uświadomiłam sobie, że Jessie pragnął się do nich upodobnić.

– Pieniądze szczęścia nie dają – powiedziałam. Wcale nie chciałam, żeby to zabrzmiało pruderyjnie, ale jednak we własnych słowach usłyszałam głos mojej matki. Dostrzegłam w nich oddźwięk poglądów klasy średniej, piętno dzieciństwa spędzonego na wsi. Materializm i pieniądze mają w sobie coś wulgarnego – chyba że stanowią owoc ciężkiej pracy albo rozsądnych i przezornych inwestycji.

Jessie już się ze mną nie zgadzał.

– Nie bądź naiwna.

Zamilkłam, słysząc agresję w jego głosie. Nie mogłam przestać myśleć o Pameli.

– Dzięki pieniądzom można zacząć od nowa.

– Ale ty nie musisz zaczynać – powiedziałam.

Tymczasem on czuł, że musi i że godząc się na przeprowadzkę do Nowego Jorku, wyrażam poparcie dla tego pragnienia.

– A jak długo zamierzasz się tym zajmować? – Zadając to uprzejme pytanie, poczułam, że znowu mam kontrolę nad przebiegiem rozmowy.

Jessie lekko podniósł głos.

– Dwa, może trzy lata. Nie wiem. To zależy, kiedy Nancy uzna, że jestem gotowy do prowadzenia fundacji.

Wiedział o jej długoterminowych planach, ale nigdy wcześniej o nich nie wspomniał. Jednocześnie ja też nie powiedziałam mu o rozważaniach na temat fundacji, które Nancy snuła nad owsianką.

Zaczęliśmy się nawzajem zwodzić.

– Czy nie obawiasz się, że brakuje ci doświadczenia w dziedzinie sztuki? – W branży kiełbasianej, w biznesie, w realiach amerykańskich.

Zignorował to pytanie, wpatrując się w budynek National History Museum, który wyłonił się przed nami, gdy dotarliśmy do świateł na Central Park West.

– Uwielbiam to miasto. Bardzo mi się tu podoba. Teraz nie będziemy już musieli stąd wyjeżdżać.

Czy coś mi umknęło? Czy kiedykolwiek rozmawialiśmy o tym, żeby zostać w Nowym Jorku na zawsze? Jessie postanowił wkroczyć na nową ścieżkę. Jednocześnie musiał wyczuwać, że może nakłonić mnie do podążania za nim tylko podstępem, że nie może ze mną o tym porozmawiać szczerze. Dotychczas każdą decyzję otwarcie omawialiśmy. Nigdy nie zdarzało nam się milczeć w ważnych sprawach. Wprost nie mogłam uwierzyć, że teraz zależało nam na całkiem różnych rzeczach. Ściśle mówiąc, postanowiłam nie przyjmować tego do wiadomości.

– To fantastyczna wiadomość, że stąd nie wyjedziemy, prawda? – powtórzył Jessie, mówiąc bardziej do taksówkarza niż do mnie. Oczekiwał potwierdzenia. Nie zamierzałam kwestionować jego ważkiej decyzji. Nie ufałam dostatecznie własnym ocenom, nie wiedziałam do końca, czego chcę. Zapadła między nami niemiła cisza.

– O ile jesteś pewien, że chcesz zrezygnować z pracy w ONZ – odezwałam się w końcu. – Mam wrażenie, że do tego nie ma już powrotu.

– Sprawiasz wrażenie zaniepokojonej. Nie musisz się o mnie martwić – przemawiał tonem samca alfa.

– Przynajmniej będziemy mogli zostać w naszym mieszkaniu – powiedziałam. To mieszkanie dawało mi poczucie komfortu, nawet gdy nie było tam Josha.

– Nie, mieszkanie będziemy musieli oddać. Ale Nancy coś nam znajdzie. Już się tym zajęła.

Poczułam, jak przygniata mnie wielki ciężar, wbijając w kanapę taksówki.

Jessie mówił dalej:

– Ona tu wszystkich zna. Wszystko może załatwić.

Gdy pomyślałam o własnej bezradności, wezbrała we mnie złość.

– To dlaczego nie może sprawić, żeby Josh do nas wrócił?

– Ależ! Nie zaczynaj z tym!

Nowojorczycy nie potrafią zaakceptować faktu, że dzieci sieją spustoszenie w mieszkaniach. W Nowym Jorku wszystkie dziecięce przyjęcia urodzinowe organizuje się „w lokalu" – Josh wypowiadał to słowo bez wahania. W tamto sobotnie popołudnie przyjęcie odbywało się w dziecięcym klubie sportowym na Amsterdam Avenue. Jak zwykle uczestniczyli w nim wszyscy tatusiowie i wszystkie mamusie. Jak zwykle byli tam zupełnie zbędni. Nie pili szampana ani nie jedli przygotowanych kanapek. Po prostu stali, opierając się plecami o ścianę z podświetlanego szkła, przez którą całe przyjęcie można było obserwować z ulicy. To dodawało mu uroku. Roześmiane dziewczynki z kucykami i hałaśliwi chłopcy odbywali rytuał typowy dla absolutnie każdego przyjęcia urodzinowego organizowanego w takim miejscu, bez względu na to, którzy rodzice wydali właśnie fortunę dla uczczenia urodzin swojego dziecka.

– Dobrze, już dobrze. Czas zacząć urodzinowe przyjęęęcie!

Zespół w czerwonych koszulkach włączył muzykę i rozpoczął szalony taniec, jednocześnie wykrzykując:

„Peter ma dziś urodziny. Uczcijmy je okrzykiem. Wszystkiego najlepszego, Peter!".

Czekając na pojawienie się Nancy, która miała przyprowadzić Josha, Jessie i ja czuliśmy się zagubieni i samotni. Tak bardzo chciałam go już zobaczyć, że odczuwałam fizyczny ból. Na to wszystko nakładał się jeszcze kac. Tego ranka postanowiłam go wybiegać, ale mimo to czułam się dość kiepsko.

Po pięciu minutach tańca w towarzystwie oszalałych animatorów niektóre dzieci, w szczególności dziewczynki w długich jasnych eleganckich sukienkach, kierowały się z powrotem do swoich rodziców. To niedopuszczalne, sprzeczne z zasadami. Podczas przyjęć urodzinowych nie spędza się czasu z rodzicami. „Wracajcie. Ustawiamy się jeden za drugim. Jeden za drugim. Robimy pociąg. Wracajcie. Czu-czu".

Do sali wszedł Josh, a zaraz za nim Nancy. Trzymała mu dłonie na ramionach w opiekuńczym geście. Miał na sobie koszulę w kratkę zapiętą pod samą szyję, grube granatowe sztruksy i granatowe mokasyny. Właściwie nie można by powiedzieć, że z jego strojem jest coś nie tak. Ja jednak nie kupiłabym mu takich ubrań. Wydawały mi się zbyt sztywne, zbyt wymuskane, nawet jak na przyjęcie w klubie sportowym. Nancy ubrała się „zwyczajnie", o czym świadczyły czarne obcisłe spodnie i srebrne baleriny.

Gospodyni przyjęcia, Jennifer, występująca w długiej srebrnej sukni, szybko do niej podeszła.

– Pani Wietzman, jak miło panią poznać.

Nancy obdarzyła ją jednym ze swoich uprzejmych uśmiechów i delikatnym ruchem wydobyła z czarno--białej pasiastej torebki białą torbę z logo Apple.

– Mały *cadeau* dla Petera.

– Łał! Mówi pani po francusku. – Jennifer wyszczerzyła się w kierunku Nancy, pokazując jej całe swoje uzębienie. – Musi pani poznać mojego męża Billa.

– Cześć i na razie, Josh – Jessie równie szeroko uśmiechnął się do Josha, który pomachał nam, po czym dołączył do urodzinowego pociągu. Jessie upił trochę piwa.

Pociąg podążył w kierunku tylnej części hali, oddalonej od ulicy. Znajdowały się tam ścianka wspinaczkowa, batut oraz mnóstwo różnego plastikowego sprzętu w jaskrawych kolorach. Rodzice trzymali się w niedużej odległości, ale z dala od sprzętu sportowego. Byli tylko widzami podziwiającymi zabawę swoich latorośli. Dzieci podzielono na grupy, a następnie wyjaśniono im zasady turlania się na batucie. Miały to zrobić tylko dwukrotnie, a zaraz potem ustawić się w kolejce do ścianki. Po zakończeniu wspinaczki – oczywiście w uprzęży bezpieczeństwa – miały pokonać kolorowy dmuchany tor przeszkód.

Jennifer zdołała poprowadzić Nancy do swojego męża, ani razu jej przy tym nie dotykając.

– Bill, kochanie, to jest pani Wietzman.

Bill, promienny wysportowany bankowiec, który w weekendy zawsze nosił szorty, obdarzył Nancy szerokim uśmiechem.

– Pete ciągle mówi o Joshu. Josh, Josh, Josh. Miło mi wreszcie poznać jego mamę.

Jessie nie słyszał, co powiedział Bill. Ja stałam jak wmurowana w podłogę. Nie byłam w stanie się ruszyć, nie mogłam tam podejść i wyjaśnić.

W końcu Jennifer powiedziała uprzejmie:

– Kochanie, pani Wietzman jest babcią Josha.

– Och, Bill. – Nancy dotknęła jego ramienia.
– Schlebiasz mi. Dziękuję.

Bill zdawał się autentycznie zaskoczony.

– Nie wierzę! Nie jest pani jego mamą?

Miałam wrażenie, że Bill celowo zadaje mi ból.

– Ależ, dziękuję panu, Bill. Prawdę powiedziawszy, czuję się trochę tak, jakbym była jego mamą. Mocno angażowałam się w jego poczęcie – to nasze dziecko in vitro. – Nancy mocno uniosła swoje prawie niewidoczne brwi.

– Naprawdę? – wyszeptała Jennifer, zwracając się do Billa. – Rany, jest pani niesamowita, pani Wietzman.

Poczułam, jak cała krew odpływa mi z głowy.

Nancy ciągnęła przesadnie przyciszonym głosem:

– Anna, jego prawdziwa matka, nie mogła zajść w ciążę.

Usiadłam na podłodze, chowając głowę w dłoniach i starając się oddychać.

– Josh mieszka teraz u mnie. U niego w domu nie działo się ostatnio najlepiej, jak zapewne już wiecie z przedszkola. Na szczęście wszyscy jesteśmy jedną wielką rodziną.

– Wszystko w porządku, Anno? – usłyszałam słowa Jessiego. Oprócz niego jeszcze ktoś coś powiedział.

Skinęłam potakująco głową i skupiłam się na poszukiwaniu twarzy Josha wśród tłumu dzieci, które ponownie utworzyły pociąg i kierowały się w stronę okna wychodzącego na ulicę.

– Pizza przyjechała – wykrzyknęła jednak z cheerleaderek.

Jest! Uśmiechnęłam się do niego z wysiłkiem, chociaż on prawdopodobnie w ogóle mnie nie zauważył. Wstałam i ruszyłam powoli w jego kierunku.

On tymczasem pobiegł prosto do Nancy, która wykonała przesadny unik, zupełnie jakby pędziła na nią ciężarówka.

– Ostrożnie, kochanie.

– Pizza przyjechała, babuniu! – zawołał Josh, chwytając Nancy za rękę i ciągnąc ją w kierunku kartonowych pudełek ustawionych w pobliżu niskiego stołu dla dzieci. Rozepchnął trochę kolegów, żeby znalazło się dla niego miejsce, i chwycił sok. – Soczki w kartonikach! – wykrzyknął.

Nancy stała z nim, opierając mu lekko dłonie na ramionach. Nie mogłam przestać wpatrywać się w jej ręce.

Na przyjęcia urodzinowe zawsze zamawiało się pizzę. Nie do końca rozumiałam tę obsesję na punkcie pizzy, ale dla Josha, mojego zamerykanizowanego syna, nie było w tym nic nadzwyczajnego. Oczyma wyobraźni potrafiłam zobaczyć, jak po szkole gra w koszykówkę i jak składa przysięgę wierności na flagę amerykańską. Jak wracając z zajęć w college'u, je posiłki na wynos... i jak mieszka na stałe z Nancy i Howardem. Spojrzałam na Jessiego, który stał po drugiej stronie stołu, opierając się o szklaną szybę. Trzymając za szyjkę na wpół pustą butelkę piwa, potakiwaniem głowy wyrażał uznanie dla wypowiedzi jednego z innych ojców. Nancy przesuwała się powoli, aż w końcu znalazła się koło niego. Trzymała w dłoni kieliszek szampana, ale nie widziałam, żeby go piła.

Nierówny, ale głośny chór zaintonował „Sto lat". Potem, zgodnie z planem, padło pytanie:

– Ile masz teraz lat? – cheerleaderki utworzyły krąg. – Masz roczek?

Chór wykrzyknął:

– NIEEEEE!!!

Zauważyłam, że odpowiedź wykrzykuje nie tylko Josh, ale również Jessie i Nancy.

– Masz DWA lata? – jedna z blond cheerleaderek była bliska utraty głosu.

– NIEEEEE!!!

Jessie i Bill wymienili szerokie uśmiechy.

– Masz TRZY lata?

– NIEEEEE!!!

Jessie dobrze się bawił.

– Masz CZTERY lata?

Josh dobrze się bawił.

– NIEEEEE!!!

– Masz PIĘĆ lat?

– TAAAAAAAAAAAAAAAAAAK!!!

22

Dzień dziewiąty... bez Josha.
W chwili kryzysu w końcu zadzwoniłam do rodziców.

– Kochanie! Dzięki Bogu, wreszcie dzwonisz. Już zaczynaliśmy się martwić. Jak się masz?

– W porządku – powiedziałam.

Wszystkie dzieci tak robią, nawet gdy już dorosną. Dają jasno do zrozumienia, że coś je dręczy, zmuszając w ten sposób rodziców do drążenia tematu.

Mama zwykle potrafiła podchwycić taki sygnał. Tym razem jednak zawołała tylko do mojej siostry Sophie:

– Soph, Anna dzwoni.

Potem ponownie zwróciła się do mnie, ale było jasne, że zajmuje ją coś innego.

– Sophie przyjechała z kompletem dzieciaków. Siedzą w kuchni i robią ciasteczka czekoladowe.

Oczyma wyobraźni zobaczyłam, jak volvo mojej siostry wciska się między ścianę garażu ojca a kopiec kompostu. Uśmiechnęłam się odruchowo. Z jakiegoś powodu ujmujący wydał mi się nawet jej samochód, w którym zawsze panował chaos i bałagan. Z bagażnika wystawał zwykle pasek od torby albo kawałek płaszcza, przez tylne okno można było dostrzec górę ubrań albo plastikowe torby z supermarketu. Wycieraczka czy to zablokowała się, czy zepsuła, w związku z czym tkwiła pośrodku przedniej szyby w połowie swojej normalnej trasy. Sophie się tym wszystkim po prostu nie przejmowała. To w niej kochałam i podziwiałam.

Sophie pracowała przez krótki czas w kilku różnych firmach, na kilku różnych stanowiskach. Odnalazła swoje miejsce w życiu dopiero wtedy, gdy wyszła za mąż i urodziła dzieci: Izzy, Oscara, Sama i Sarę. Była matką doskonałą. Nawet w obliczu kryzysów, chaosu i nieuniknionych katastrof, które czwórka jej dzieci nieustannie sprowadzała na swoje otoczenie i siebie nawzajem, potrafiła zachować spokój.

Kuchenna podłoga w jednej chwili zapełniała się dziećmi Sophie, a także zawartością dwóch kartonów zabawek, które mama zdążyła z czasem nagromadzić. Przez cztery lata z rzędu Sophie co roku rodziła dziecko. Bez planu, bez ogólnego pomysłu. Jej dzieci stanowiły owoc szczęśliwych wpadek. Jej mąż, Ned, nigdy się nie frustrował. Wieść o każdej kolejnej nieplanowanej ciąży przyjmował ze spokojem, chociaż mieszkali w ciasnym domku z trzema sypialniami i chociaż jako freelancer zajmujący się projektowaniem stron internetowych raz miał pracę, a raz nie.

Uwielbiałam Sophie za jej beztroskę. Ona nigdy nie przeprowadziłaby się do Stanów – według współczesnych kryteriów nie zasługiwała na miano osoby żądnej przygód. Mieszkała dziesięć kilometrów od miejsca, w którym się wychowała. Mimo to nie brakowało jej odwagi, aby stawić czoło zawirowaniom życia. Nie czuła potrzeby posiadania pełnej kontroli nad tym, co się z nią dzieje.

Mama mówiła dalej:

– Ach, jak ta Sara się zmienia. A jak Josh?

– W porządku – zapiekły mnie oczy. Chciałam jej powiedzieć, ale po prostu nie mogłam.

– Anna – wyobrażałam sobie, jak zanurzam twarz w długich rozświetlonych pasemkami włosach Sophie i jak jej ramię ociera się o moje. Czułam bliskość i ciepło rodzinnego kręgu. Tak bardzo mi tego brakowało. – Jak Nowy Jork? – pytała Sophie z entuzjazmem w głosie.

– Dobrze, a co u ciebie?

– Nie brzmi to przekonująco, wiesz?

– Nie? – na tyle tylko mogłam się zdobyć.

– W twoim głosie słychać smutek – Sophie zawsze wyczuwała nastroje, zawsze była na nie wrażliwa.

– Jestem po prostu zmęczona.

Przez chwilę milczała.

– Zawsze chciałaś przeżyć przygodę. Pamiętasz, jak robiłaś listę miejsc, które chcesz odwiedzić? Miałaś wtedy może z dziewięć lat.

Sophie pamiętała wszystkie najdrobniejsze szczegóły z naszego dzieciństwa. Czasem się nawet zastanawiałam, czy ja przypadkiem nie cierpię na amnezję.

– Tak? A czy Stany były na tej liście?

– Oczywiście, że tak.

Usłyszałam głos mamy:

– Podobnie jak Papua-Nowa Gwinea, Antarktyda, Rosja, Chiny i Iran.

– Może powinnam przeprowadzić się na Alaskę – zażartowałam. – Może to byłoby dobre rozwiązanie.

– Co się dzieje, Anno? – dopytywała się Sophie.

– Nic… absolutnie nic.

Po tym, jak zachowałam moje problemy w tajemnicy przed Sophie, czułam się jeszcze bardziej samotna i zagubiona. Musiałam przetrwać cały dzień, całą niedzielę. Nancy i Howard uparli się, że zabiorą Josha na wycieczkę. Jessie zniknął z samego rana z zamiarem odbycia wydłużonej sesji biegania i ćwiczeń na siłowni. Postanowił wziąć udział w listopadowym maratonie, jaki co rok organizowano w Nowym Jorku. Rozpoczynanie treningów w tym momencie wydawało mi się absurdalnym pomysłem. Jego nieobecność przyjęłam jednak z ulgą. Nie potrafiłam rozmawiać z nim o Joshu. Zbyt wiele rzeczy przed nim w tej sprawie ukrywałam. Nadal nie powiedziałam mu o tym, że poszłam do konsulatu ani że kontaktowałam się z Peterem Murrayem w sprawie wstępnej konsultacji. Nie wiedział też, że przelałam nasze oszczędności do Nowego Jorku. Martwiłam się, że może dostać wyciąg z banku i zacząć się zastanawiać, skąd wzięły się dodatkowe pieniądze na koncie.

Poczułam nieodpartą potrzebę rozmowy z Mary. Zostawiłam jej chaotyczną wiadomość w skrzynce głosowej, nie oczekując, że oddzwoni w niedzielę rano. Ona jednak zadzwoniła już dwadzieścia minut później, sugerując, abym do niej przyszła.

W jednej dłoni trzymałam kartonową podstawkę, a na niej dwie latte, w drugiej zaś białe pudełko zawierające dwie tarty ze świeżymi owocami. Aby je zdobyć, przewędrowałam kilka przecznic, aż dotarłam do urządzonego w stylu francuskim Café Lalo, prawdziwej instytucji Upper West Side, słynącej ze swojej kawy i słodkości, a także z tego, że Meg Ryan spotkała tam Toma Hanksa w filmie *Masz wiadomość*. Stałam przed drzwiami do sutereny, w której przyjmowała

Mary. Nie miałam ochoty na ciastka ani zresztą na nic innego. Przyniosłam je po to, aby stworzyć bardziej intymną atmosferę do rozmowy.

Mary wpuściła mnie do środka, z radością przyjmując z moich rąk słodycze. Otworzyła kartonik, wydała z siebie entuzjastyczny okrzyk i przystąpiła do konsumpcji jednej z tart. Szybko wzięła kolejny kęs, ponieważ musiała czym prędzej skończyć jeść. Wymieniłyśmy uśmiechy. Poczułam łączącą nas więź. Podczas mojego pobytu w Ameryce Mary zastępowała mi matkę. W przeciwieństwie do mojej prawdziwej matki mogła odnieść się do tego, co mi się przydarzyło tu, w Nowym Jorku.

Uśmiechała się do mnie otwarcie, bez żadnego terapeutycznego podtekstu.

– Co słychać u twojego męża, Anno?

– Ma dużo pracy i strasznie mu się to wszystko podoba.

Przed oczami stanęła mi nagle wizja złożenia przez niego rezygnacji. Nie pojawił się natomiast obraz samego Jessiego.

Mary czekała.

– Bardzo mu się tu podoba. W tej chwili zajmuje się ciekawymi sprawami związanymi z bezpieczeństwem.

Nadal czekała. Ta pustka podczas rozmowy potwornie mi przeszkadzała. Odczuwałam palącą potrzebę wypełnienia jej choćby bezsensowną gadaniną. Mimo to uparcie zachowywałam milczenie.

Wyraz twarzy Mary w ogóle się nie zmieniał. Wokół ust miała okruszki, ale chyba nie zamierzała ich usuwać.

Jakiś impuls kazał mi się pochylić do przodu.

– Tak naprawdę to Jessie zamierza zrezygnować z dotychczasowej pracy.

– Dlaczego tak sądzisz?

– Nancy załatwiła mu pracę dla pewnego magnata kiełbasek. Chodzi o to, żeby potem mógł zająć się jej nową fundacją. Wszystko znowu sprowadza się oczywiście do cholernej Nancy.

– Czy sądzisz, że on się na to decyduje z własnej nieprzymuszonej woli?

Postanowiłam jej nie odpowiadać.

– Nancy całkowicie przejmuje kontrolę nad moim życiem.

– Czy uważasz, że faktycznie o to jej chodzi?

– Tak, tak właśnie uważam. Wczoraj ktoś ją zapytał, czy jest matką Josha. To jest absurd, szaleństwo. Ona doprowadza mnie do szału.

– Czy chcesz przez to powiedzieć, że twoim zdaniem Nancy podała się za matkę Josha? Jak sądzisz, dlaczego miałaby to zrobić?

– Ona sama tego nie powiedziała. Ale specjalnie się nie spieszyła, żeby zaprzeczyć.

– Czy sądzisz, że mogłaś to sobie wyobrazić? Czy ona rzeczywiście nie zaprzeczyła?

Nagle ogarnął mnie strach, nagle jakby mnie zemdliło. Chwyciłam Mary za rękę, a ona się instynktownie odsunęła.

– Uważasz, że to wszystko wytwór mojej wyobraźni, tak? Mary?

– Nic takiego nie powiedziałam, Anno. To nie o mnie tu chodzi. Jak już wcześniej mówiłam, interesuje mnie tylko to, co ty myślisz. – Jak ona może przez tak długi czas pozostawać w bezruchu? – Czy sądzisz, że mogłaś to sobie wszystko wyobrazić, Anno?

– Nie, naprawdę nie. – Przekonanie jej stało się nagle moim priorytetem. Tylko że ona nigdy nie powie mi, co myśli. Jak zatem mogę to zrobić? Pozostawało mi tylko kurczowo trzymać jej rękę. – Musisz mi uwierzyć, Mary. Odchodzę od zmysłów.

To nie był tylko frazes, naprawdę odchodziłam od zmysłów. Znalazłam się w takim stanie fizycznym, w którym umysł zdaje się gdzieś odpływać. Traciłam poczucie rzeczywistości. Co właściwie jest rzeczywistością? Moje codzienne życie przepełniało szaleństwo.

Wpatrywałam się w nią surowo, starając się wymusić uznanie moich racji.

– Jeśli chodzi o knowania Nancy, nic sobie nie wyobrażam.

Mary nie zamierzała niczego uznawać.

– Anno, dlaczego powiedziałaś, że odchodzisz od zmysłów?

Bez zastanowienia nachyliłam się nad haftowanym podnóżkiem i zarzuciłam jej ręce na szyję.

Z obu stron owinęłam się kołdrą. Uniosłam stopy, aby podwinąć ją również pod palce. Byłam zawinięta jak mumia. Josh także lubił tak szczelnie owijać się kołdrą. Schowałam też twarz. Leżałam w bezruchu, po raz pierwszy od dziewięciu dni niezdolna wykrzesać z siebie żadnej konstruktywnej myśli. Poddałam się. Chciałam tylko spać. Pocieszałam się myślą, że dzisiaj mogę sobie na to pozwolić. W niedzielę nic nie mogłam zrobić. Mogłam się tylko schować. Zamierzałam spędzić w łóżku całe popołudnie. Zamknęłam oczy, ale oczywiście nie udało mi się zasnąć.

23

Dzień dziesiąty... bez Josha.

Pogoda gwałtownie się zmieniła. Jakby ściśle przestrzegając kalendarza, słoneczna jesień nagle straciła całe swoje ciepło. Drugiego listopada temperatura znacząco spadła. To nie był angielski chłód, tylko przejmujące zimno. Otworzyłam frontowe drzwi i wpuściłam do środka Sharon, która stała w długim pikowanym płaszczu z ramionami skrzyżowanymi na piersiach. Z trudem ukrywałam poirytowanie. Tamtego dnia, podobnie jak każdego innego, musiałam sporządzić listę co najmniej trzech rzeczy, które zamierzam zrobić, aby odzyskać Josha. Nie mogłam z tego zrezygnować. Musiałam się skupić. Denerwowało mnie to, że Sharon będzie marnować mój czas.

– Cześć, Anno, co u ciebie?

– W porządku – miałam nadzieję, że ta minimalistyczna odpowiedź skłoni ją do szybkiego pożegnania się.

Miałam dość kiepski nastrój, ponieważ całe poprzednie popołudnie i wieczór spędziłam w łóżku. Rano też bym nie wstała, gdyby nie poczucie winy. Musiałam walczyć o odzyskanie Josha. Nie mogłam sobie tego odpuścić.

– Cóż, a ja mam pewne zmartwienie. – Sharon zdawała się nie widzieć wyrazu mojej twarzy. – Zawsze przejmuję się różnymi rzeczami, ale teraz naprawdę się niepokoję.

Zrobiła krótką pauzę. Ja też się nie odzywałam, wyczuwając, że należy spodziewać się dalszego ciągu.

– Czy może masz ochotę na śniadanie albo coś?

Nie miałam ochoty na śniadanie, nie miałam ochoty spędzać czasu z Sharon, ani zresztą z nikim innym. Miałam zamiar usiąść i przygotować notatki na spotkanie z Peterem Murrayem, szybko jednak uświadomiłam sobie, że właściwie nie mam czego przygotowywać. Chociaż tak bardzo się w to wszystko angażowałam, o całej sytuacji wiedziałam niewiele. A do spotkania z Peterem Murrayem pozostawało jeszcze siedem dni.

Dzięki Sharon mogłam przez chwilę o tym nie myśleć. Niechętnie poszłam z nią do pustego lokalu na 72 Ulicy, w którym serwowano brunch. Można było odnieść wrażenie, że tego dnia nikogo tam przed nami jeszcze nie było. Zagłębiona w wielkim fotelu Sharon wydała mi się drobniejsza niż wtedy, gdy ostatnio spotkałyśmy się u nas na tarasie. Kołnierzyk koszulki polo w kolorze limetki odcinał się od jej opalonej skóry. Sprawiała wrażenie zrezygnowanej. Włosy, które zwykle elegancko spływały jej falami na ramiona, teraz po prostu zwisały, grzywka zaś zakręcała się ku górze. Wyglądała na zmęczoną. Pojawił się kelner. Sharon nie potrafiła się zdecydować, chociaż z pewnością dobrze znała menu. Patrzyła na mnie niewidzącym wzrokiem.

Starałam się opanować narastającą histerię. Straciłam syna. Jak mogę tak po prostu siedzieć i przeglądać brunchowe menu? Powinnam czym prędzej zabrać Josha z przedszkola i popędzić z nim taksówką na lotnisko, a stamtąd prosto do Kent, do rodziców.

Kelner przyjął ode mnie zamówienie. Sharon wciąż się wahała.

Spojrzała na mnie błagalnie.

– Co powinnam zamówić?

Nie odpowiedziałam, zdumiona jej brakiem zdecydowania.

Kelner nie wahał się ani chwili.

– Mamy dziś wyśmienitą zupę pieczarkową. Mogę też polecić jajka à la Benedict. Albo świeży chleb i dżemy...

– Poproszę latte.

Sharon odłożyła menu. Wydawała się bezwładna, jakby uszła z niej cała energia.

Minęła kolejna minuta ciszy.

Musiałam zapytać:

– Sharon, czy wszystko w porządku? Jesteś jakaś nieswoja.

Wizja jej względnie nieistotnych zmartwień działała na mnie pocieszająco. Możliwe też, że samo zadanie jej tego pytania potraktowałam jako dowód na to, iż ciągle jeszcze utrzymuję kontakt z rzeczywistością. Miałam przyjaciółkę. Zwierzałyśmy się sobie. Ściślej mówiąc, to ona zwierzała się mnie. Jakoś nie potrafiłam sobie wyobrazić, żebym miała opowiedzieć Sharon o Nancy i Joshu. Na szczęście nie musiałam. Mogłam rozmawiać o tym z Mary.

Spodziewałam się, że jeśli wykażę zainteresowanie, Sharon otrząśnie się z apatii. Że rozmowa jakoś się potoczy.

Tymczasem ona całą uwagę skupiała na serwetce, którą zaczęła zwijać w wachlarzyk.

– Chodzi o to, że zawsze wkładam mnóstwo wysiłku w to, żeby wszystko się dobrze układało. Wiesz przecież, że tak już mam.

Nachyliłam się ku niej.

– Czy mówisz o Nathanie i jego terapii?

– Nathan – zawahała się. – Nathan.

W jej głosie pobrzmiewała gorycz. Przestała bawić się serwetką i odłożyła ją na bok.

– Jak on mnie zawiódł...

– A co takiego zrobił? Co się stało? – Nie potrafiłam sobie wyobrazić cóż takiego strasznego mógłby zrobić jej „wybitnie uzdolniony", ale wiecznie milczący synek.

W jej oczach pojawiły się łzy.

– Nie możesz nikomu powiedzieć. Ja ledwo znoszę tę myśl. To mnie dobije.

Zamilkła na chwilę, ponieważ kelner właśnie przyniósł nam kawę. Chwyciła kubek oburącz, jakby chciała ogrzać nim sobie dłonie. Skupiła wzrok na jakimś punkcie na najdalszej ścianie.

– Tobie chyba mogę powiedzieć. Ty się nie przejmujesz edukacją Josha. Masz teraz znacznie poważniejsze sprawy na głowie.

Zaskoczyła mnie tym brutalnie szczerym stwierdzeniem. Powstrzymałam się jednak i nic nie powiedziałam. To była moja wina. Po co tu w ogóle przyszłam? Zamiast siedzieć z Sharon, powinnam walczyć o odzyskanie Josha. Czyżbym aż tak bardzo pragnęła kontaktu z innymi ludźmi?

– W każdym razie masz Nancy i ona może załatwić Joshowi wstęp do każdej szkoły.

Zaśmiałam się. Jej bezceremonialność wydała mi się niemal ujmująca. Jednocześnie przypomniała mi jednak, że w Nowym Jorku jestem zdana tylko na siebie. Nancy doskonale zdawała sobie z tego sprawę. Nie znałam nikogo, nie potrafiłam nic załatwić. Ona mogła zabrać moje dziecko, a ja nie byłam w stanie go odzyskać. Nic nie mogłam na to poradzić.

– Nathan – przerwała, kilkakrotnie przełykając ślinę, jakby coś jej utknęło w gardle. – Wszystkie go odrzuciły.

Nie potrafiła na mnie spojrzeć.

– Mówisz o szkołach? – Westchnęłam. Nie chciałam wdawać się z Sharon w dyskusję na temat edukacji. W porównaniu z kwestią odzyskania Josha wydawało mi się to strasznie trywialne.

– Wszystkie dwanaście. Wszystkie szkoły go odrzuciły.

W jej szeroko otwartych oczach można było zobaczyć strach. Pochyliłam się, lekko dotykając jej dłoni otaczających kubek z kawą.

– Mona na pewno może wykonać parę telefonów – powiedziałam. – W końcu jest konsultantką do spraw edukacyjnych.

– Monica. Monica. – Sharon ożywiła się na dźwięk tego imienia. – Jak ona nas zawiodła! Obiecała, że utoruje nam drogę. Doradziła nam, do których szkół powinniśmy złożyć podanie. Gwarantowała rezultaty. Gwarantowała! – Zacisnęła dłonie na obrusie, wpatrując się we mnie intensywnie. – A teraz potrafi tylko powiedzieć, że on jeszcze nie jest gotowy. Że jest za mały. Że podczas rozmów kwalifikacyjnych zbyt słabo się komunikował.

– Hm – mruknęłam tylko, ponieważ opinia Moniki wydała mi się niebezpodstawna. – On jest mało dojrzały jak na swój wiek. A przy tym jest dość małomówny.

W zielonych oczach Sharon zapłonął dziki blask.

– Wszystkie wybitnie uzdolnione dzieci są nieśmiałe. Nathan jest bardziej dojrzały niż jego rówieśnicy. Spodziewałam się, że oni będą umieli to dostrzec.

Poruszyłam się delikatnie. Chciałam pomóc Sharon, ale uświadomiłam sobie, że szybko mogę stać się celem jej ataków.

– Cóż, po jego zachowaniu trudno to ocenić.

Skupiłam się na omlecie.

– Oni potrafią to stwierdzić.

– Może Monica powinna jeszcze raz z nimi porozmawiać.

– Nie mogę się do niej dodzwonić. – W oczach Sharon pojawiła się bezradność. – Przestała odpowiadać na moje telefony. – Sharon nagłym ruchem nachyliła się do mnie i dla lepszego efektu chwyciła mnie za ramię. – A może ty byś do niej zadzwoniła? Zdaję sobie sprawę, że nowojorska edukacja to temat, który w ogóle cię nie obchodzi. Rozumiem to. Ale może powiedz jej, że muszę z nią porozmawiać? To bardzo ważne. Tu chodzi o życie mojego syna. Błagam cię, spróbuj jej to wytłumaczyć. Ona musi zacząć odbierać moje telefony.

Sharon płakała. Wydawało mi się mało prawdopodobne, aby guru edukacji miała zechcieć w ogóle ze mną rozmawiać.

– Nie wiem, czy będę w stanie ci pomóc.

Sharon zagryzła wargi i wytarła oczy serwetką. Potem przesunęła w moją stronę wizytówkę, którą już wcześniej położyła na stoliku. Widniały na niej informacje wydrukowane czcionką imitującą odręczne pismo.

Monica Clements
Doradca ds. manhattańskich szkół prywatnych
Inni rodzice wiedzą, jak zapewnić swoim dzieciom miejsca we właściwych szkołach.
monicaclements @yourchild.com / 646 292 5622

Sharon ponownie ścisnęła mnie za ramię.

– Proszę, zadzwoń do niej od razu.

Co miałam zrobić? Tak czy owak moje wysiłki były z góry skazane na porażkę. Spodziewałam się automatycznej sekretarki albo wyniosłej recepcjonistki, która nie dopuszcza do szefowej interesantów bez wolnych dwunastu tysięcy dolarów na koncie. W każdym razie nie spodziewałam się, że guru nowojorskiego świata edukacji sama odbiera telefon.

– Monica Clements.

Sytuacja zakrawała na farsę, miałam jednak przed sobą Sharon, na której twarzy malowała się rozpacz. Dla niej to nie była farsa. Sama się sobie dziwię, ale wtedy jej współczułam. Wiedziałam, jakie to uczucie, gdy zostanie się wykluczonym.

– Dzień dobry, Monico. Nie miałyśmy jeszcze okazji się poznać. Nazywam się Anna Wietzman.

Sharon zsunęła się z ławki pod ścianą i usiadła na krześle tuż obok mnie.

– Witam, znam Nancy Wietzman. Ale panie prawdopodobnie nie są spokrewnione.

Wszystko zawsze sprowadzało się do Nancy.

– No cóż, jeśli pani znajoma mieszka na Upper East Side i ma męża Howarda, to jesteśmy. Jest macochą mojego męża.

– Ha! Zła macocha! – Usłyszałam w słuchawce uprzejmy gardłowy śmiech. – Nancy Wietzman, niezłe ziółko!

Poczułam przypływ pewności siebie. Monica wydała mi się nieco bardziej przystępna.

– Co mogę dla pani zrobić?

Sharon gestykulowała energicznie, jak gdyby spodziewała się, że Monica zaraz się rozłączy.

– Cóż, jestem przekonana, że mojemu synowi Joshowi przydałaby się odrobina pomocy, żeby dostać się do jednej ze szkół przy ONZ – powiedziałam, usiłując nadać rozmowie swobodny ton.

Sharon podpowiadała mi szeptem do wolnego ucha:

– Musisz jej powiedzieć, jaki on jest genialny.

– Ale nie w tej sprawie dzwonię. Chodzi o syna mojej przyjaciółki Sharon Rosenbaum, o Nathana.

– Nie mogę rozmawiać o dzieciach moich klientów.

Odsunęłam krzesło, modląc się w duchu, żeby Sharon tego nie usłyszała.

– Oczywiście, rozumiem. Rzecz w tym, że Sharon Rosenbaum sama poprosiła mnie, żebym do pani zadzwoniła.

– Powinna się ze mną skontaktować osobiście.

– Otóż właśnie, z tego co rozumiem, próbowała to zrobić. Bardzo się martwi i niepokoi tym, że pomimo pani wysiłków, nie wspominając już o ogromnych wydatkach, Nathan nie dostał się do żadnej szkoły – starałam się wyrazić wszystkie istotne myśli jednym długim zdaniem.

Sharon wyciągnęła notatnik. W pośpiechu napisała: „On JEST wybitnie uzdolniony. Powinien dostać się do KAŻDEJ szkoły. Ona MUSI ich zmusić, żeby go przyjęli".

– Proszę mi przypomnieć, jak ma pani na imię, pani Wietzman?

– Anna.

– W porządku, Anno – ze słuchawki dobiegł dźwięk, który mógł sugerować, że Monica zaciąga się papierosem. – Z tego, co słyszę, wydaje się pani rozsądną kobietą. W przeciwieństwie do tych przewrażliwionych rodziców, z którymi zwykle mam do czynienia.

Wstałam. Sharon też wstała. W tym momencie kelner pospieszył w naszą stronę z rachunkiem.

– Tak – wymruczałam, mając nadzieję, że Sharon jej nie usłyszała.

– Sprawa przedstawia się następująco. Jej syn jest społecznie niedojrzały. Nie potrafi się komunikować, ponieważ funkcjonuje pod zbyt dużą presją. Jest spięty i w rezultacie nauczyciele uznają go za potencjalnie problematycznego ucznia, który prawdopodobnie nie odnajdzie się w klasie, ponieważ jest samotnikiem i z trudem nawiązuje kontakty z rówieśnikami.

Monica wzięła krótki wdech. To potwierdziło moje przypuszczenia, że właśnie pali papierosa.

– Niestety pani przyjaciółka nie potrafi tego przyjąć do wiadomości. Wyobraża sobie, że jej syn jest wybitnie uzdolniony, ponieważ ona chce, żeby miał nadzwyczajny talent. Tymczasem on go nie ma. Być może później coś w sobie odnajdzie, ale na razie to jest po prostu zwykły dzieciak. A właściwie nie taki do końca zwykły, bo nie bawi się jak typowe dziecko. Nie jest jeszcze gotowy do zerówki. Potrzebuje więcej czasu na placu zabaw wśród innych dzieci, może paru nowych towarzyszy zabaw. Jeśli mu się to zapewni, można mieć nadzieję, że w przyszłym roku będzie gotowy.

Sharon znowu machnęła mi kartką przed oczami.

– Doskonale to rozumiem. Byłoby wielką uprzejmością z pani strony, gdyby zechciała to pani wyjaśnić Sharon.

– Moja droga, odnoszę wrażenie, że nie zna jej pani zbyt dobrze. Ja jej to wszystko wyjaśniłam. Ale nie jestem terapeutą. Doradzam parom w sprawie możliwości edukacyjnych ich dzieci i wyboru szkół. I przedstawiam kandydatury. To wszystko.

– Dla niej to jest bardzo trudne.

Sharon się skrzywiła.

Ja brnęłam dalej.

– Ona uważa, że mały jest wybitnie uzdolniony.

W tym momencie Sharon nie wytrzymała. Zaczęła krzyczeć tak głośno, że Monica słyszała każde jej słowo:

– On jest wybitnie uzdolniony. Co ta kobieta, do cholery, opowiada?

– O rany, ona nie słyszała naszej rozmowy, prawda?

– Nie, nie – powiedziałam w pośpiechu.

– Proszę posłuchać. Jeżeli ona powie o tym swojemu mężowi i przyjdą do mnie razem, to z nimi porozmawiam. W przeciwnym razie nic nie mogę dla niej zrobić.

– Dziękuję za propozycję. – Wykonałam gest w kierunku Sharon. – Isaac i Sharon przyjdą się z panią zobaczyć. Kiedy by pani pasowało?

Sharon podniosła notes ze stolika.

Monica westchnęła.

– A może to ja przyjdę do nich? Jutro wieczorem, o siódmej?

„Nie Isaac" – nagryzmoliła Sharon.

– Spotka się pani tylko z Sharon.

– Nie ma mowy. Proszę posłuchać. To moje ostatnie słowo. I tak wykazuję w tej sprawie wielką cierpliwość. Ona musi powiedzieć mężowi prawdę. Jak to zrobi, możemy porozmawiać. Dobrze. Proszę do mnie jeszcze zadzwonić, Anno.

Rozłączyła się.

Zwróciłam się do Sharon.

– Nie powiedziałaś Isaacowi?

– Nie, nie. Oczywiście, że nie.

– Dlaczego nie?

– Bo ona nie mówi prawdy. On jest uzdolniony. Jest. Ona się uwzięła na mojego Nathana, bo nie udało jej się załatwić wszystkiego tak, jak obiecała.

– Czy nie powinnaś powiedzieć o tym Isaacowi? – próbowałam ją przekonać.

– Jak mogę mu powiedzieć? Wydaliśmy dwanaście tysięcy dolarów na jej usługi. I jeszcze tysiąc na podania.

– Posłuchaj, tak to już bywa. On jest po prostu za mały. W przyszłym roku wszystko będzie dobrze.

– Nie mogę powiedzieć Isaacowi.

Sharon zanosiła się płaczem. Nie miałam siły przekonywać jej, żeby wreszcie pogodziła się z prawdą. Chociaż ostatnio różne rzeczy nas od siebie oddalały, upór Sharon, która taiła coś przed mężem, odrodził we mnie przekonanie, że Jessie i ja jesteśmy sobie bliscy. Nic tak nie podnosi człowieka na duchu jak problemy małżeńskie innych ludzi.

– Nie mogę.

Położyła głowę na stoliku. Pogłaskałam ją po włosach.

– Nie jest tak źle. Boże, to w końcu tylko pieniądze, wierz mi, przecież nie straciłaś syna.

Sharon nie dała się jednak pocieszyć.

24

Dzień jedenasty... bez Josha.

Nancy, Jessie i ja siedzieliśmy na malutkich krzesełkach dla dzieci naprzeciwko nauczycielek Josha, również siedzących na dziecięcych krzesełkach. Dzielił nas od nich malutki dziecięcy stolik, na którym leżało „portfolio Josha". Jessie ustalił, że pojawi się w pracy nieco później, żebyśmy mogli pójść razem na konsultacje dla rodziców. Nancy wprosiła się sama. Zadzwoniła do mnie poprzedniego dnia wieczorem, by mnie o tym poinformować. Natychmiast po tej rozmowie powiedziałam Jessiemu, co myślę na ten temat.

– Anno – tłumaczył mi jak dziecku – Nancy opiekuje się teraz Joshem. Powinna w tym uczestniczyć.

– To konsultacje dla rodziców, Jessie – odparłam spokojnie.

Byłam zbyt wyczerpana, żeby kłócić się z Jessiem lub z Nancy. Bardzo mi się nie podobało, że ona się tam pojawi, ale co mogłam na to poradzić? Postawiono mnie przed faktem dokonanym.

Fredericka i Finela, wychowawczynie Josha, przeznaczyły po czterdzieści minut na każde dziecko. Z uwagi na spotkania z rodzicami tego dnia zajęcia dla dzieci się nie odbywały. Siedzieliśmy tam już ponad piętnaście minut i właśnie zaczynaliśmy omawiać kwestie przyjaźni, które zawiera Josh.

– Któregoś dnia uścisnął Zachary'ego.

Jak gdyby za sprawą magicznej sztuczki asystentka nauczycielki, Finela, położyła przed nami zdjęcie. Jessie i ja nachyliliśmy się jeszcze bardziej, niż dotychczas wymuszały to na nas krzesełka. Nie ulegało wątpliwości, że Josh ściska Zachary'ego, dziecko z „problemami". Problemy sprowadzały się do tego, że oboje rodzice Zachary'ego pracowali w pełnym wymiarze godzin, w związku z czym opiekunka prowadziła go z jednych zajęć dodatkowych na następne. Chłopiec wracał do domu dopiero o wpół do siódmej wieczorem.

– Hm – powiedział Jessie, nie okazując większego zainteresowania zdjęciem. – A proszę powiedzieć, jak Josh sobie radzi tak ogólnie.

Finela spojrzała na Frederickę.

– Cóż. Otóż chciałybyśmy dokonać analizy postępów Josha przez pryzmat naszych kluczowych wartości programowych. W związku z czym w pierwszej kolejności ocenimy go przez pryzmat zdolności do refleksji.

– Fantastycznie – zagruchała Nancy. – Jakie świetne podejście.

Fredericka i Finela spojrzały na nią z uznaniem. Od początku spotkania praktycznie nie zwracały na mnie uwagi. Wyczuwałam, że od czasu incydentu z gryzieniem ciągle uchodziłam w ich oczach za osobę niezdolną do sprawowania opieki nad dzieckiem.

– No więc, Josh jest bardzo refleksyjny. Uwielbiamy słuchać historii, które opowiada o Anglii i o swoich podróżach. Często zabawia w ten sposób kolegów.

– Świetnie, fantastycznie. – Jessie kręcił się niecierpliwie na krzesełku.

Fredericka i Finela obdarowały Nancy wizjonerskimi uśmiechami.

– Sporo myśli o otaczającym go świecie.

– Tak, ważne sprawy bardzo go interesują. Podobnie zresztą jak całą naszą rodzinę – oznajmiła Nancy.

Czułam potrzebę włączenia się do rozmowy.

– Tak, ostatnio stwierdził, że Bóg nie może być wszędzie. Że nie może być w Nowym Jorku i w Londynie w tym samym czasie.

Zaśmiałam się, tak jak się człowiek śmieje z opowieści o własnym dziecku. Na twarzach Fredericki i Fineli na chwilę pojawił się grymas. Jestem przekonana, że Nancy zareagowała rozbawieniem.

Nie ulegało wątpliwości, że ze sobą konkurujemy. I że ja przegrywam.

Fredericka i Finela szybko odzyskały równowagę.

– Poza tym – Fredericka zdobyła się na nieco szerszy uśmiech – bez wątpienia świetnie się komunikuje. Jego zdjęcie często trafia do wagonu komunikacji.

Grzecznie spojrzeliśmy na ścianę, na której widniał rysunek lokomotywy ciągnącej za sobą wagony. Poszczególne wagony zostały podpisane hasłami: „refleksyjność", „komunikacja", „dociekliwość", „skłonność do ryzyka", „wrażliwość". Fotografia uśmiechniętego Josha została przyczepiona do wagonu „komunikacja".

Finela przerzuciła długie proste włosy na plecy.

– Nancy, pamiętam, jak raz przedstawił nam przepis na lemoniadę.

– To rodzinna receptura. Josh uwielbia moją lemoniadę.

Poczułam dudnienie w głowie. Czy ona knuje jakiś podstęp? A może ja to sobie wszystko wyobrażam?

– Tak nam właśnie powiedział. A przy okazji potrafił przekazać innym dzieciom w grupie najdrobniejsze szczegóły dotyczące przepisu.

– Tak, to było fantastyczne – dodała Fredericka.

Jessie wykonywał nogą takie ruchy, jakby odbijał nieistniejącą piłkę unoszącą się w powietrzu gdzieś nad stolikiem.

Ja tymczasem poczułam ulgę. Mogłam bez końca wysłuchiwać takich uroczych historii o Joshu, nawet jeśli były trochę kiczowate.

– Potrafi się sprawnie komunikować ze wszystkimi, zarówno z innymi dziećmi, jak i z nauczycielami.

– Fantastycznie – powtórzyła Nancy. – Wprost uwielbiam ten nasz mały skarb.

Niczego sobie nie wyobrażałam. Nancy naprawdę próbowała przywłaszczyć sobie Josha. Co mogłabym zrobić, żeby ją powstrzymać?

Uśmiechnęłam się, chcąc wyjść im naprzeciw.

– Josh przepada za rozmową.

– Tak, a zmieniając temat... Pani Wietzman, na pewno ma pani dzisiaj wiele różnych spraw do załatwienia – stwierdziła Fredericka, spoglądając na Nancy, a nie na mnie.

– Tak. – Jessie uniósł głowę. – Nancy, bardzo miło z twojej strony, że przyszłaś.

Posłałam mu gniewne spojrzenie, ale on nie popatrzył nawet w moją stronę.

– Dobrze, przejdźmy zatem do oceny w kategorii „dociekliwość".

Finela gorliwie przystąpiła do składania nam relacji.

– Pewnego dnia zauważył rury idące nad naszymi głowami i zaczął zadawać pytania dotyczące ogrzewania i funkcjonowania całego tego systemu. Świetnie sobie radził z analizą swojego otoczenia. Bardzo nas to ucieszyło.

– On uwielbia rury i wszelkie inne urządzenia tego rodzaju – włączyłam się, żeby móc uczestniczyć w dyskusji. Ich uwagi wydawały mi się urocze, choć jednocześnie mało merytoryczne i dość pozbawione sensu.

– Tak, rzeczywiście – powiedziała Finela.

– Proszę mówić, gdyby którąś z kwestii chcieli państwo omówić szerzej. Ten proces ma charakter dwustronny – stwierdziła Fredericka.

– Wszystko wydaje się zupełnie jasne. – Nancy uśmiechnęła się z uznaniem, spoglądając przy tym wyczekująco na Jessiego. Próbowała go w ten sposób skłonić do zabrania głosu w dyskusji, on jednak nie zwrócił na to uwagi, ponieważ właśnie pisał SMS-a.

– Przechodząc do kolejnego z naszych wagoników… – Obie panie się roześmiały. – Skłonność do ryzyka. – Fredericka zrobiła małą pauzę, pozwalając swoim słowom wybrzmieć.

Rzuciła krótkie spojrzenie Fineli, która już się nie uśmiechała.

– Tutaj Josh czasami posuwa się odrobinę za daleko.

Fredericka spojrzała na Finelę, a ta potaknęła głową.

– Pozwolę sobie wyjaśnić. Czasami ma trudności z respektowaniem granic czasowych. Powiedzmy, że przechodzimy od czasu zabawy do czasu pracy. Josh nie zawsze potrafi zapanować nad swoimi potrzebami.

– Zapanować nad swoimi potrzebami? – Jessie zareagował chyba zbyt agresywnie, jeśli wziąć pod uwagę fakt, że siedzieliśmy na małych dziecięcych krzesełkach w sali przedszkolnej w towarzystwie łagodnie usposobionych nauczycielek.

– Nie chodzi o potrzeby fizjologicznie – padło pospieszne wyjaśnienie. – Josh ma skłonność do gromadzenia energii, jaka wytwarza się podczas swobodnych zajęć. Potem ma trudności z przestrzeganiem bardziej rygorystycznych zasad.

– Źle się zachowuje? – zapytałam.

– Chodzi o to, że jeśli poproszę, żeby usiadł, to usiądzie. Ale chwyta swoich kolegów, kładzie się na nich, zaczepia ich. Nie zwraca uwagi na to, co oni czują.

– Proszę mu powiedzieć, żeby tego nie robił. Ja też z nim porozmawiam – nalegałam.

– Rozmawiałyśmy z nim. Wyjaśniłyśmy mu, że swoim zachowaniem stwarza niebezpieczeństwo i że postępuje nieuprzejmie wobec kolegów. Mimo to nigdy nie udało mu się trafić do wagonu wrażliwości.

– Wagonu wrażliwości? – Jessie zrobił się nieuprzejmy. W trakcie rozmowy z Fredericką wysyłał SMS-y i nie patrzył na nią.

Nancy dotknęła Jessiego, po czym odezwała się, zanim ja zdążyłam to zrobić:

– To jest problem, Jessie. Josh nie znalazł się ani razu w wagonie wrażliwości.

– Możemy zaproponować natychmiastowe rozwiązanie – wtrąciła Fredericka, pragnąc uspokoić sytuację.

Czekałam, co powie.

– Przebieg zajęć przez cały czas obserwuje Linda, nasz ekspert do spraw dzieci – Fredericka zrobiła pauzę. – Jej zdaniem Joshowi warto by zakładać kamizelkę z ciężarkami.

– Słucham? – powiedziałam.

– Taka kamizelka zapewnia proprioceptywne wsparcie dla organizmu, który nie potrafi się sam uspokoić. Stanowi obciążenie dla ciała znajdującego się w ciągłym ruchu – wyjaśniła spokojnie Nancy.

– Czyli planujecie dociążyć Josha?

– Ale nie przez cały poranek – wtrąciła Finela.

– Tak, tylko na kilka godzin w ciągu dnia, kiedy najtrudniej mu usiedzieć w miejscu.

– Brzmi to rozsądnie – skomentowała Nancy. – On jest rzeczywiście dość energiczny.

Nie zwróciłam uwagi na jej komentarz.

– Przepraszam bardzo, ale zakładanie dziecku dodatkowego obciążenia wydaje się dość ekstremalnym środkiem karnym. Nie sądzę, żeby coś takiego zwykło się dziś stosować nawet wobec anormalnych dzieci.

– Słucham? – Fredericka zmarszczyła brwi. – Nie twierdzę, że Josh nie jest normalny. W żadnym razie.

– Anna, ona nie powiedziała przecież, że Josh nie jest normalny. Proszę, nie przesadzaj.

Głos Nancy rozbrzmiewał mi w uszach.

– Chociaż sytuacja jest dość skomplikowana – dodała Fredericka.

– Anna ciągle jeszcze poddaje się terapii, ale wkrótce powinno jej się udać rozwiązać wszystkie problemy – powiedziała Nancy.

Chciałam nią potrząsnąć, wymierzyć jej policzek i zmusić ją do wyjścia. Josh nie będzie nosił żadnej kamizelki z ciężarkami.

– Jak pani doskonale wie, tak się dziwnie składa, że poddaję się terapii, ponieważ Josh, normalny chłopiec, ugryzł w szkole inne dziecko, a pani i Nancy, w swojej nieskończonej mądrości, uznałyście za stosowne zgłosić sprawę opiece społecznej.

– To oburzająca sugestia – powiedziała Nancy dramatycznym tonem.

– Anno, przeproś Nancy.

– Nie, Jessie, nie przeproszę – mówiłam przenikliwym głosem, prawie krzycząc. Musiałam się skupić. Gwałtownie zaczerpnęłam powietrza. – Dociążanie dziecka to skandaliczny pomysł. Wasze zadanie polega na tym, żeby przywołać go do porządku, a nie żeby go torturować.

Jessie położył mi dłoń na ramieniu, po czym zaśmiał się, jak się zdawało, bardzo swobodnie.

– Owszem, przepraszam, nie jesteśmy zadowoleni z tego pomysłu.

Jego słowa mnie uspokoiły. Razem coś znaczyliśmy. Nawet Nancy musiała go posłuchać.

– Nie, nie jesteśmy – powtórzyłam jego słowa.

– A jak inaczej zamierzacie sprowadzić go na ziemię? – zapytała Nancy. – Zresztą, Anno, w tych okolicznościach przecież nie jesteś mu w stanie pomóc, prawda?

– Owszem, Nancy, jestem. Mogę mu pomóc, broniąc go przed dociążaniem.

– To skuteczna metoda, proszę mi wierzyć – nalegała Fredericka.

– Zdecydowanie popieramy to rozwiązanie.

– Przepraszam bardzo, Nancy, ale ja go nie popieram. A to ja jestem jego matką. Dla mnie to skandaliczny pomysł.

Ty się zachowujesz skandalicznie, Nancy. Wszyscy zachowujecie się skandalicznie.

Fredericka i Nancy wymieniły współczujące spojrzenia.

– Anno, umówię panią na spotkanie z Lindą. Bardzo nam zależy na tym, żeby pani akceptowała to rozwiązanie.

– Nie akceptuję go. Pod żadnym pozorem. Przykro mi, ale nigdy go nie zaakceptuję. Przecież nikt by tego nie zaakceptował! Prawda?

Zwróciłam się do Jessiego, rozpaczliwie pragnąc uzyskać jego wsparcie. To było szaleństwo. On musiał zdawać sobie z tego sprawę.

Tymczasem Jessie uniósł rękę, jakby miał zamiar rozstrzygnąć konflikt między zwaśnionymi stronami, jak gdyby sam nie uczestniczył w sporze. Jak dyplomata, a nie jak ojciec.

– Anna oczywiście spotka się z Lindą. O wszystkim warto porozmawiać.

Fredericka była mu wyraźnie wdzięczna. Na jej twarzy pojawił się szeroki uśmiech.

– Dobrze, skoro zatem nie mamy nic więcej do omówienia, to dziękuję za przybycie i życzę miłego dnia.

– Dziękuję – powiedziała Nancy, wyciągając dłoń w kierunku Fineli i Fredericki i dodała stanowczym tonem: – Popracujemy nad Anną.

Wstałam i wyszłam, nie żegnając się z żadną z nich. Nancy ucałowała Jessiego w oba policzki, po czym wsiadła do samochodu. Mnie zupełnie zignorowała.

Chodziłam w tę i powrotem wokół narożnika budynku przedszkola, czekając, aż Jessie skończy rozmawiać przez telefon. Serce waliło mi jak młotem. Jak ja ich powstrzymam przed zakładaniem Joshowi ciężarków? Muszą mieć na to moją zgodę. Na pewno muszą!

– Pamela, będę za pół godziny. To nudne spotkanie w przedszkolu się przeciągnęło.

– Jakie to wiktoriańskie! – wykrzyknęłąm zdenerwowana, gdy Jessie wreszcie się rozłączył.

– Kochanie, nie martw się tym. – Ścisnął mnie za ramię.

– Ja się nie martwię! Jestem tym przerażona! Nie możemy pozwolić, żeby oni zrobili coś takiego naszemu dziecku. A Nancy zdaje się ich do tego zachęcać.

Wybuchłam płaczem.

– Ależ, Anno, daj spokój. Nancy zachowuje tylko otwartość umysłu.

Jego zniecierpliwienie bardzo mnie zaskoczyło.

Potem trochę zmienił ton:

– Problem sam się rozwiąże. Tak czy owak idź, spotkaj się z Lindą. Nie ma sensu ich antagonizować.

– Antagonizować ich? To oni antagonizują nas. Nancy nas antagonizuje i próbuje przejąć kontrolę nad naszym dzieckiem.

– Dość już tego, Anno. Biedna Nancy stara się tylko pomóc – powiedział ostrym tonem, po czym dodał nieco łagodniej: – Słuchaj, muszę iść, bo inaczej Pamela nie będzie miała nic do roboty. – Czyżbym słyszała w jego głosie lekkie zmieszanie? A może jestem przeczulona na punkcie Pameli?

Bez zastanowienia wypaliłam:

– A może ona ci się podoba, co? – Jakiemu normalnemu mężczyźnie by się nie podobała? Tylko zakochanemu.

Zdaję sobie sprawę, że postawiłam go w dość kłopotliwej sytuacji. Do tematu należało podejść zupełnie inaczej. Toteż dostałam taką odpowiedź, na jaką sobie zasłużyłam.

– Anna… Boże, nie bądź śmieszna. Oczywiście, to piękna młoda kobieta, ale twoje insynuacje są szalone.

Nie dodał: „Jestem w tobie za bardzo zakochany. Podobasz mi się tylko ty". Nie próbował rozwiać moich wątpliwości. Po prostu odrzucił moją sugestię, nic więcej.

25

Po powrocie z przedszkola odebrałam telefon od Isaaca.

– Przepraszam, że tak do ciebie dzwonię...

Właściwie jak? – zastanawiałam się.

– ...ale Sharon zwierza ci się ze swoich sekretów.

Myśl o problemach Sharon wydała mi się przytłaczająca. Nie chciałam się w to już więcej angażować. Miałam dość własnych zmartwień i stresów. Wizja kamizelki z ciężarkami nie dawała mi spokoju. Poza tym poprzedniej nocy prawie nie spałam. W końcu poszłam się położyć w łóżku Josha. Ciągle jeszcze czułam tam jego zapach – zapach dziecięcego szamponu połączony z ziemistą wonią parku. Otuliłam się ciasno jego pojedynczą kołdrą, tak jak on to zwykle robił.

– W końcu wszystko mi powiedziała.

Starałam się nie wzdychać do słuchawki.

– Jest jeszcze mały – stwierdziłam z nieco przesadnym znużeniem w głosie.

– Tak, masz rację. Niedojrzały, trzymany pod kloszem i zbyt uważnie analizowany. – Zwięzłość i obcesowość jego oceny trochę mnie zaskoczyła. Był chyba mniej bezbarwny, niż Jessie i ja dotychczas sądziliśmy.

Jessie. Po chwili nie myślałam już o Isaacu. Następnego dnia Jessie miał zakończyć pracę dla ONZ, aby dwa dni później rozpocząć karierę u Króla Hot Dogów. Ta myśl wydawała mi się nieprzyjemna. Ale nie tak nieprzyjemna jak tęsknota za Joshem.

– Musimy coś wykombinować z Nathanem.

– Hm.

– Zapewne nie pomoże mu to, że Sharon i ja się rozstaliśmy.

Dlaczego wczoraj Sharon nic mi o tym nie powiedziała? Potem poczułam się winna. Wczoraj po południu Sharon dzwoniła do mnie cztery albo pięć razy, a ja nie odebrałam telefonu.

– Zwariowała. Bycie matką ją przerosło.

Nic nie powiedziałam. Bardzo mi się nie podobało, że oni oboje postanowili wykorzystać mnie w charakterze terapeutki. Poczułam nieodpartą potrzebę ochrony własnych interesów.

– Słuchaj, muszę kończyć.

Isaac jednak mówił dalej, dokładnie tym samym tonem co wcześniej.

– Wczoraj wieczorem próbowała z tym wszystkim skończyć.

– Słucham? Czy chcesz przez to powiedzieć... że próbowała się zabić?

Nie sądziłam, że cokolwiek jest jeszcze w stanie mnie zdziwić. Poczułam coś jakby ulgę. To był nagły wstrząs, który przypomniał mi o kwestiach zasadniczych – o życiu i śmierci. Ja nadal żyłam.

– Nic jej się nie stało, wyjdzie z tego bez szwanku – Isaac próbował sam siebie pocieszać.

Przez ostatnich jedenaście dni nad moją głową wisiały bardzo ciemne chmury. Muszę przyznać, że zdarzyło mi się myśleć o śmierci albo o poważnej chorobie, która zmusiłaby mnie do pobytu w szpitalu i pozwoliła uciec od Nancy i tych wszystkich wydarzeń. Nigdy jednak nie przeszło mi przez myśl, żeby odebrać sobie życie. Nie pozwalały mi na to instynkt samozachowawczy i troska o Josha. Nawet gdybym nie miała już nic innego, to nadal trzymałoby mnie przy życiu.

Isaac powiedział pospiesznie:

– Wiem, że zaangażowała cię w tę całą sprawę z Monicą. Przesadziła. Przepraszam. Mimo to cieszyłbym się, gdybyś zechciała ją odwiedzić.

Milczałam przerażona. Odwiedzić Sharon? Wpadnę od tego w jeszcze większą rozpacz. Ta myśl mnie przerażała.

– Szczerze mówiąc, Sharon nie ma bardziej życzliwej, przyzwoitej i lojalnej przyjaciółki niż ty.

Ogarnęło mnie wielkie poczucie winy. Musiałam się z nią zobaczyć.

Stałam przed szpitalem New York Presbyterian. Zaledwie pół roku wcześniej sama trafiłam na izbę przyjęć. Wtedy byłam innym człowiekiem. Tym razem nie zwracałam już uwagi na stroje przebywających tu ludzi. Tym razem przemknęłam prosto do głównego wejścia.

Ściskałam w dłoniach ekstrawagancki bukiet kwiatów, który kupiłam w renomowanej kwiaciarni na Amsterdam Avenue. Lilie, róże, tulipany i zawilce w łagodnych odcieniach bieli i różu wśród ciemnozielonych ozdobnych liści, opakowane w celofan i ozdobione rafią. Trzymałam je przed sobą niczym tarczę. Ubrana w czarny kostium ze spodniami, który kiedyś nosiłam do pracy, czułam się panią sytuacji.

Denerwowałam się na myśl o spotkaniu z Sharon. Moja jedyna nowojorska przyjaciółka dotarła do granicy wytrzymałości, wykonała krok naprzód, aby ją przekroczyć, a następnie została ściągnięta z powrotem. Czyżbym mogła jej zazdrościć? Ona przynajmniej miała odwagę spróbować.

Sharon leżała w sali dwuosobowej, ale jak uprzedził mnie Isaac, łóżko przy drzwiach stało na razie puste. Po chwili wahania zapukałam. Nikt nie odpowiedział. Odczekałam stosowną chwilę, po czym uchyliłam lekko drzwi i wsunęłam prawą stronę ciała do środka. Sharon czytała czasopismo, oparta o trójkątną konstrukcję z poduszek. W pokoju pełno było kwiatów. W białej szpitalnej koszuli i w świetle zachodzącego słońca wlewającego się do pomieszczenia przez ogromne okno Sharon wyglądała po prostu anielsko. Była blada, ale wyglądała zaskakująco normalnie. Włosy miała starannie ułożone, a rzęsy wytuszowane.

Zmiana jej stanu psychicznego dała się zauważyć, dopiero gdy się odezwała.

– Anna – wypowiedziała moje imię jakby z namysłem.

Można było odnieść wrażenie, że próba samobójcza albo podane później leki ją spowolniły. Nigdy wcześniej nie widziałam jej tak spokojnej i pogodnej.

Weszłam do środka.

– Sharon. Jak się czujesz?

Wyciągnęła do mnie rękę. Dostrzegłam gruby plaster przymocowany po wewnętrznej stronie nadgarstka.

Sharon zobaczyła, że na niego patrzę. Jej nowa samoświadomość i wrażliwość wyprowadzały mnie z równowagi, tym bardziej że za wszelką cenę chciałam uniknąć jakichkolwiek pytań. Bałam się pytać.

Zdążyłam już pożałować, że tu przyszłam.

Sharon odwróciła obie ręce wnętrzem dłoni ku górze.

– Spójrz, jakich szkód narobiłam – zaśmiała się.

Co można powiedzieć komuś, kto stwierdził, że nie chce dalej żyć? „Sharon, życie jest zbyt piękne, by z niego rezygnować". Zdając sobie sprawę, jak sama zareagowałabym na takie wyrazy współczucia, postanowiłam nie raczyć Sharon banałami. Wzruszyłam ramionami, co mogło znaczyć, że sama też o tym myślałam. Ale przecież nie myślałam. Prawdopodobnie dlatego, że jestem tchórzem.

Usadowiłam się niezdarnie na fotelu i delikatnie położyłam kwiaty na łóżku na wysokości jej nóg.

– Przyniosłam ci kwiaty. Ale widzę, że masz już sporo pięknych bukietów.

– Tak. Kwietny wyraz poczucia winy. Od Isaaca.

Ja też przyniosłam kwiaty, żeby zagłuszyć poczucie winy. Nerwowym ruchem zmieniłam ułożenie nóg.

– Przepraszam, że do ciebie wczoraj nie oddzwoniłam. Już zawsze będę to sobie wyrzucać.

– Nie, rozumiem. – Machnęła ręką.

Nie potrafiłam oderwać wzroku od jej nadgarstków.

– Nie powinnam cię w to angażować.

– Ależ wcale mnie nie angażowałaś. Proszę, w ogóle o tym nie myśl.

Nie zrobiłam nic, żeby pomóc Sharon. Nie mogłam jej pomóc. Nie mogłam pomóc nawet sobie.

Odwróciła się, żeby sięgnąć po butelkę evian, stojącą na szafce przy łóżku. Wstałam szybko, żeby jej ją podać. Cieszyłam się, że mogę coś zrobić. Nalałam wody i podałam jej szklankę, po czym ponownie usiadłam. Sharon nic nie mówiła, widocznie nie czuła już potrzeby zwierzania mi się ze swych obaw o Nathana. Zastanawiałam się, czy po tej wizycie zapadnie między nami milczenie.

Sharon szybko wypiła kilka łyków wody. Zdawałam sobie sprawę, że mam na twarzy nieruchomy uśmiech.

– Pobyt tutaj jest odprężający. Odkąd urodził się Nathan, nie miałam chwili dla siebie.

Z radością wykorzystałam nadarzającą się okazję.

– Czy po porodzie długo byliście w szpitalu?

– To był dość skomplikowany przypadek. W ostatniej chwili zdecydowali się na cesarskie cięcie. Nathan przestał oddychać.

– To musiało być przerażające... A jak Nathan? I Rachel?

– Wszystko u nich w porządku. Isaac dostał urlop okolicznościowy. To dziwne, ale dzieci wydają się szczęśliwsze beze mnie.

Jej twarz po raz pierwszy przybrała ponury wyraz. Ostrożnie dotknęłam grzbietów jej dłoni.

– To nieprawda. Na pewno starają się po prostu być dzielne.

W jej odpowiedzi zabrzmiała jakaś dziwna szczerość:

– Lubię przebywać w szpitalu. Odpoczywam tu.

To przekonanie prawdopodobnie wpoił jej szpitalny terapeuta. Niewątpliwie jednak dobrze to na nią działało.

– Isaac tak bardzo się o ciebie martwi. Zależy mu na tobie, wiesz.

Uśmiechnęła się do mnie półgębkiem.

– To dobry znak?

Nie zależało jej na odpowiedzi.

– A tak w ogóle, co u ciebie, Anno?

Jej szkliste oczy wpatrywały się w moją twarz.

To pytanie mnie zaskoczyło.

– W porządku.

Było w porządku. To zresztą najbardziej mnie zaskoczyło w tej całej beznadziejnej sytuacji. Było w porządku. Nie zamierzałam popełniać samobójstwa.

Zaśmiała się cicho.

– Twój wygląd na to nie wskazuje.

– Wyglądasz lepiej ode mnie. – Roześmiałam się.

To było dziwne. Obie się roześmiałyśmy. Prawie jej powiedziałam. Prawie zwierzyłam się Sharon w kwestii kamizelki z ciężarkami. Obawiałam się jednak, że to mogłoby ją jeszcze bardziej pogrążyć.

Wskazała jedną ręką kiepsko skomponowany bukiet: białe lilie, różowe gerbery, niebieskie różaneczniki.

– To od Moniki. Dwulicowa suka.

Znów się roześmiałyśmy.

Przeniosła wzrok z freestyle'owego bukietu od Moniki na starannie dobrane kompozycje od Isaaca.

– Jego największą winą jest to, że już mnie nie kocha.

Szybko przeniosłam ciężar ciała do przodu.

– To nieprawda. Na pewno cię kocha. Potrzebujecie tylko trochę czasu.

Jej wzrok ponownie spotkał się z moim.

– Czas niczego nie zmieni. – Jej usta powoli, ale pewnie rozchyliły się w uśmiechu. – Ale to nie szkodzi.

26

Tego samego wieczoru, kiedy odwiedziłam Sharon, Jessie wrócił do domu wyraźnie podekscytowany. Wskakiwał po schodach po dwa stopnie naraz, triumfalnie wymachując egzemplarzem „New Yorkera". Nie widziałam, co napisano na okładce, ponieważ gazeta została otwarta na stronie z wielkim tytułem: CZEKOLADA EKSTREMALNA. Pod nagłówkiem widniało zdjęcie dwóch mężczyzn w bandanach, luźnych bawełnianych koszulkach i brudnych dżinsach. Zdjęcie zrobiono w Amazonii.

– Ten artykuł odmienił moje życie.

– Naprawdę? – W tym momencie nie interesowały mnie ani artykuły w „New Yorkerze", ani nic innego. Potrafiłam myśleć tylko o tym, co mi powie i co zrobi Peter Murray. W chwilach dobrego nastroju byłam przekonana, że zdoła w mgnieniu oka rozwiązać cały problem, że po prostu wykona jeden telefon do odpowiedniej osoby. Teraz jednak bardzo się martwiłam. Martwiłam się, że prawnik może nie rozwiązać moich problemów. Martwiłam się z powodu kamizelki z ciężarkami. Martwiłam się…

– Ten człowiek, ten hipis i narkoman, zaczął produkować własną czekoladę i sprzedał swoją firmę za siedemnaście milionów dolarów. Potrafisz w to uwierzyć?

– Tak, potrafię. Tutaj jest tylu przedsiębiorczych ludzi – powiedziałam automatycznie, nie podnosząc się z kanapy. Stres związany z próbami odzyskania Josha bardzo mnie męczył.

– Dokładnie. Dwadzieścia trzy miliony w 2005 roku. – Jessie stał przede mną ze zwiniętym w rulon „New Yorkerem".

– Słucham?

Jak on mógł myśleć o takich rzeczach w sytuacji, gdy Josh mieszkał u Nancy? Przestałam już wytykać mu brak zainteresowania tą sprawą. Dla mnie liczyło się wtedy tylko spotkanie z Peterem Murrayem.

– Liczba przedsiębiorców wzrosła w 2005 roku do dwudziestu trzech milionów – powtórzył. – A teraz jest prawdopodobnie jeszcze wyższa.

– A twoje życie odmieniła czekolada czy ten przedsiębiorca?

– I czekolada, i przedsiębiorca. – Jessie celował we mnie gazetą. – Zrozum, że w tej historii fascynujące jest przede wszystkim to, że łączy w sobie elementy intelektualne i międzynarodowe. Nie miałem pojęcia, że South American Porcelana to jeden z najrzadszych gatunków czekolady ani że największą popularnością wśród ziaren kakaowca cieszą się te z Madagaskaru. Ty o tym wiedziałaś?

– Nie.

Jessie dał się porwać swoim myślom.

– To artykuł o odkryciu, o geografii, o przygodzie. To prawdziwa historia rozgrywająca się w prawdziwym świecie.

Stał nade mną.

– Tak bardzo się cieszę, że już nie jestem tylko widzem, ale uczestnikiem. Biorę udział w grze, która się toczy w otaczającej mnie rzeczywistości. Nie jestem już tylko biurowym chłopcem na posyłki, usiłującym odnaleźć się w chaosie, który inni wywołali na świecie. Nie mogę się doczekać, kiedy w końcu w to wszystko wejdę.

– A co praca dla Connora Flinta, uosobienia koncepcji korporacyjnej Ameryki, ma wspólnego z czekoladową przedsiębiorczością? – nie zdołałam się powstrzymać.

– On też był kiedyś przedsiębiorcą. Budował firmę od zera, a stworzył fenomen na skalę światową. Ja jestem częścią tego wielkiego marzenia.

– Jego wielkiego marzenia. Nie twojego... nie naszego.

Myślałam o Joshu. Zawsze o nim myślałam, przez cały czas. Wszystko sprowadzało się do niego.

Jessie to wyczuł. Nie odpowiedział.

Szybko się okazało, że podejmując pracę dla Connora Flinta, Jessie wkroczył w inną rzeczywistość. Biura firmy mieściły się w White Plains. Dojazd z Nowego Jorku zajmował czterdzieści minut. Jessie kupił z drugiej ręki srebrną toyotę highlandera, wielkiego SUV-a. Straciliśmy przywilej niepłacenia podatków, samochód z tablicami dyplomatycznymi i opłacone miejsce parkingowe. Życie w Nowym Jorku stało się nagle znacznie bardziej kosztowne. Kosztowne było też utrzymanie highlandera. Było mi żal Jessiego, że musi dołączyć do rzeszy ludzi wyruszających każdego dnia do pracy Henry Hudson Highway. Że już nie może wyjrzeć przez okno na East River i panoramę fantastycznych oszklonych budynków. Że już nie żyje tym marzeniem, którym był dla nas Nowy Jork.

Dzień czternasty... bez Josha.

Jessie wyszedł z domu bardzo wcześnie, starając się nie okazywać nadmiernego entuzjazmu. Jednocześnie wyraźnie wyczuwałam, że jest poirytowany. Oto czeka na niego wielki świat, rynek złożony z 300 milionów Amerykanów, a on ma przed oczami zmęczoną żonę w szarej piżamie, która zamartwia się z powodu swojego syna i jakiejś kamizelki z ciężarkami.

Ludzie sukcesu borykają się z okropnymi przeszkodami. Wydaje im się, że znają całą prawdę o świecie i mechanizmach jego funkcjonowania. Denerwują ich ci wszyscy marzyciele w różowych okularach. Właśnie w taką rolę starał się wcielić Jessie.

Wyszedł, nie żegnając się ze mną. Moją uwagę przykuła najpierw pustka panująca w mieszkaniu. Dopiero potem uświadomiłam sobie, że Jessie wyszedł. Wrócił do domu nieco rozluźniony, ale nie tak pełen entuzjazmu, jak się spodziewałam. Była za kwadrans dziewiąta. Pokonanie drogi powrotnej zajęło mu ponad półtorej godziny. Jego skóra stała się jakby przezroczysta, a pod oczami pojawiły się zielonkawe cienie.

– Bardzo ci się podobało? – powiedziałam, gdy tylko zdjął zimowe okrycie i buty.

Poszedł do kuchni, otworzył butelkę wina i napełnił dwa kieliszki.

– To interesujące. Naprawdę interesujące – próbował przekonać sam siebie. – To inne środowisko.

– Czy poznałeś jakichś ciekawych ludzi?

– Większość czasu spędziłem z Connorem. Poszliśmy na lunch.

– Coś smacznego?

– Poszliśmy do lokalnej knajpki.

Słyszałam rozczarowanie w jego głosie. Jego ulubiony multimilioner jadał w fast foodach. Nie o takiej Ameryce Jessie marzył.

– Rozmawialiśmy o mojej roli „ambasadora". Jeżeli gdzieś w Waszyngtonie, Nowym Jorku albo gdziekolwiek indziej pojawią się problemy natury politycznej, będą mnie tam wysyłać, żebym je rozwiązał.

– Czy w przypadku kiełbasek często pojawiają się problemy natury politycznej? – Uniosłam brwi.

Jessie podrapał się po czole.

– Zdarzają się, zdarzają. Wielkie zagrożenie stanowi import z zagranicy. Poza tym pewne problemy wynikają z faktu, że konkurenci walczący ceną sięgają po substytuty wieprzowiny. Warto by też uregulować kwestię zawartości wody. Toczą się wojny w sprawie opakowań. Wbrew pozorom jest naprawdę sporo do zrobienia.

Odnosiłam wrażenie, że raczej go to nie fascynuje. Cały czas drapał się po czole, przesuwając dłoń ku linii włosów, a potem zawijając je w ciasny węzełek.

Sączyłam wino.

– Nie jesteś odrobinę rozczarowany?

Zmienił pozycję, żeby położyć drugą nogę na kanapie.

– Nie – stwierdził stanowczo – to dopiero pierwszy dzień.

Wieczorem dnia piętnastego bez Josha Jessie nie był już w stanie ukryć rozczarowania. Celowo unikał rozmów o szczegółach swojego dnia. Wolał skupić się na oglądaniu filmu, rozprawiając się przy tym z dwoma butelkami wina.

Przyjęłam to niemal z zachwytem. Oto wreszcie, po tylu dniach poszukiwań, pojawiło się rozwiązanie, które pozwoli mi odzyskać Josha. Jeżeli Jessiemu nie spodoba się w nowej pracy, zrezygnuje z niej i wróci do ONZ, a wtedy przestanie być potrzebny Nancy, w szczególności zaś przestanie być wobec niej do czegokolwiek zobowiązany. Byłam przekonana, że gdyby on ją o to poprosił, Nancy zadzwoniłaby do opieki społecznej.

– Słuchaj – powiedziałam tak łagodnie i tak przekonująco, jak tylko potrafiłam. – Zupełnie szczerze mówiąc, to ta praca wydaje się po prostu okropna. Może powinieneś zastanowić się nad złożeniem rezygnacji? Na pewno mógłbyś jeszcze wrócić do ONZ.

– Nie. Nie zamierzam rezygnować. Dokonałem świadomego wyboru. To była moja decyzja. Nie zamierzam odchodzić. Obiecałem Connorowi, że będę dla niego pracować co najmniej przez dwa lata. I dotrzymam słowa. Potem mogę się zająć prowadzeniem fundacji Nancy – mówił smutnym głosem. – W tym czasie będę się mógł zastanowić, co chcę robić. Nancy na pewno poprze każdy mój pomysł.

– Na pewno? – nie zdołałam pohamować goryczy. – A co z pomysłem odzyskania syna?

Westchnął z udręką.

– Anno, nie możemy ciągle do tego wracać.

Nie wytrzymałam.

– Mówisz tak, jakby chodziło o finanse albo o szczegóły podróży lotniczej. Nie przestanę nalegać na to, żeby oddano nam Josha. Przykro mi, że jestem taka monotematyczna.

Jessie odwrócił się do mnie plecami.

– Nancy nam pomoże.

– Ciągle to powtarzasz. A kiedy? Kiedy nam pomoże?

– Nie wiem, ale pomoże. Jestem tego pewien.

Jego optymizm już nie podnosił mnie na duchu. Przecież on w ogóle nie wiedział, co robi. Poszedł pracować dla Connora Flinta, a potem się dziwił, że mu się tam nie podoba.

27

D zień szesnasty... bez Josha.
Spotkałam się z Lindą, przedszkolnym „ekspertem ds. dzieci". Już bardziej nie mogła się różnić od Mary. Była poważną kobietą z ciemną prostą grzywką, która sięgała aż do okrągłych czarnych oprawek okularów. Jak na mieszkankę Nowego Jorku miała bladą cerę – pod wpływem lodowatego wiatru skóra nowojorczyków nieprzyjemnie się czerwieniła.

Ponieważ jej skóra była tak jasna, Linda wszędzie musiała jeździć taksówkami lub samochodem. Mówiła specyficznym przyciszonym głosem, który wzbudza w ludziach pokusę odpowiadania krzykiem. Oparłam się tej pokusie. Bardzo chciałam zaprezentować się jako spokojna, normalna matka spokojnego, normalnego dziecka.

Miałam wrażenie, że udało mi się ją przekonać.

Aż w pewnym momencie powiedziała:

– Tak bardzo się cieszę, że mamy okazję porozmawiać. Obie wiemy, że Josh to wspaniały chłopczyk. Obu nam zależy na tym, żeby poprzez swoje zachowanie nie zaprzepaścił szans na sukcesy w życiu.

– Nie zachowuje się źle. Nie jest gwałtowny ani agresywny – wypowiedziałam te słowa szorstko i stanowczo, więc próbowałam się trochę uspokoić i zniżyć głos. – Owszem, ugryzł inne dziecko, ale był sfrustrowany, bo miał szczególnie niedobry dzień. Nie zrobił tego nigdy więcej. On ma cztery lata. Jest małym chłopcem. Trzeba mu po prostu powiedzieć: „Nie".

– Cóż, wychowawczynie już tego próbowały. Nie potrafią go powstrzymać przed takimi zachowaniami.

– Dlaczego nie? Przecież na tym polega ich praca.

Linda lekko się cofnęła.

Dodałam pospiesznie:

– Chcę przez to powiedzieć, że to na pewno tylko taka faza, że mu to przejdzie.

– Rozumiem, co pani próbuje powiedzieć. – Uśmiechnęła się, starając się mnie udobruchać. – Naprawdę rozumiem.

Wcale nie byłam pewna, czy rozumie. Ale co mogłam jeszcze powiedzieć, żeby ją przekonać? Byłam kompletnie do niczego. Nie potrafiłam nawet pomóc własnemu dziecku.

Potakująco kiwnęłam głową.

– Dziękuję pani za poświęcony czas, Anno. To było dla mnie pouczające spotkanie. Mam nadzieję, że dla pani też.

Uśmiechnęłam się i również jej podziękowałam. Nie do końca wiedziałam, na czym ostatecznie stanęło. Ponieważ jednak nie chciałam się pozbawiać ewentualnej przewagi, którą mogłam dysponować, postanowiłam nie pytać. A może po prostu bałam się usłyszeć odpowiedź?

Żeby o tym wszystkim nie myśleć, poszłam na zakupy. Dość dziwny sposób spędzania wolnego czasu, to prawda. Osiągnęłam jednak taki etap, na którym zamartwiałam się przez cały czas do tego stopnia, że po prostu nie mogłam znaleźć żadnego rozwiązania. Kręciłam się w kółko i nie umiałam się odnaleźć – dosłownie i w przenośni. Czułam się kompletnie zagubiona. Zaczęłam w Bloomingdales. Problem z domami towarowymi polega na tym, że występowanie w roli nabywcy wymaga wielkiej pewności siebie. To ogromna przestrzeń, na której człowiek ma bardzo szeroki wybór i może popełnić wiele błędów. Już nie pracowałam, wydawałam więc nie swoje pieniądze. Bardzo rzadko chodziłam na zakupy, w związku z czym każda decyzja dotycząca kupienia czegoś nabierała ogromnego znaczenia. Wydawało mi się to tak istotne, że nie potrafiłam się na nic zdecydować.

Zwiedziłam wszystkie piętra. Chodziłam i chodziłam, aż w końcu stało się dla mnie jasne, że jedyne, co mogę zrobić w moim obecnym stanie, to stamtąd wyjść. Znalazłam się na Lexington Avenue, która w żadnym razie nie zasługiwała na miano miejsca przyjaznego. Ruszyłam żwawo w stronę Madison Avenue, raju designerów – jeden drogi butik przy drugim. Na tej królowej wszystkich ulic znajdowała się też Zara, sklep hiszpańskiej sieci odzieżowej. Widok znajomej marki podniósł mnie na duchu i wyrwał z rozmyślań o Joshu i cholernej kamizelce z ciężarkami. Zastanawiałam się nawet, czy nie powinnam skierować się już w stronę przedszkola. Zawsze się obawiałam, że jeśli zjawię się na miejscu punktualnie, nie zobaczę się z Joshem, ponieważ Nancy odbierze go przed ustaloną godziną.

Wszystkie sklepy sieciowe wyglądają tak samo, ale jednocześnie odzwierciedlają charakter konkretnego miejsca. Zara nie była pod tym względem wyjątkiem. W sklepie na Upper East Side znajdowało się mniej odzieży, a wieszaki rozstawiono w większej odległości od siebie. Było w nim więcej lśniącego szkła i więcej rzucających się w oczy ubrań z kołnierzykami. O nogi kobiet buszujących wśród wieszaków obijały się markowe torby. Przychodziły do Zary, żeby kupić coś supertaniego, żeby trafić na okazję – żeby poczuć się lepiej po tym, jak już wydały na zakupy majątek. Dwie mało wyraziste dwudziestolatki podobne do modelek Armaniego wysłuchiwały wskazówek swoich matek. Wydało mi się to bardzo dziwne, ponieważ ja podejmowałam samodzielne decyzje w sprawie strojów już jako nastolatka.

Bez przekonania przyglądałam się żółtej jedwabnej bluzce z nadrukiem za siedemdziesiąt osiem dolarów. Kątem oka dostrzegłam wysoką ciemnowłosą dziewczynę oglądającą przepiękny czerwony żakiet z szerokim kołnierzem. Właśnie coś takiego powinnam sobie kupić. Dziewczyna uniosła go do góry, trzymając nie przy sobie, ale przed sobą. Uważnie sprawdzała szwy, cięcia i materiał. Potem odłożyła żakiet i sięgnęła po ten sam model w kolorze jasnobeżowym. Miała na sobie białą koszulkę polo, białe obcisłe dżinsy i śliczną kurtkę wykończoną futerkiem. Szybko wróciłam do żółtego topu. Nadal obserwowałam dziewczynę. Byłam ciekawa, czy beżowy żakiet ją zadowoli. Przewiesiwszy go sobie przez ramię, ruszyła pomiędzy wieszaki.

Gdy dotarło do mnie, na kogo patrzę, zauważyłam również, kto jej towarzyszy.

Nancy zmarszczyła czoło na widok żakietu i przełożyła Pameli przez rękę koszulę z materiału przypominającego jedwab w kolorze złamanej bieli. Tym razem Pamela nie przystąpiła do drobiazgowej inspekcji, tylko przyłożyła ubranie do siebie, zwracając się do Nancy po akceptację. Natychmiast ją otrzymała.

Nancy i Pamela. Nancy występowała w roli matki chrzestnej do spraw zakupów sprawującej opiekę nad Pamelą. Ogarnęło mnie przerażenie. Pamela robi zakupy na Madison Avenue w towarzystwie Nancy. Co knuje Nancy? Czy zawsze towarzyszy Pameli w wyprawach do sklepu? Przeszło mi przez myśl, że Nancy może przygotowywać Pamelę do roli drugiej żony Jessiego. Nagle dotarło do mnie, że nie mogę się z nimi spotkać. Nie wystarczy mi na to siły. Odwróciłam się czym prędzej tyłem do nich, a przodem do wyjścia ze sklepu. Bez większego zastanowienia zeszłam schodami do działu męskiego. Po tym jak trzy ekspedientki zaproponowały mi pomoc, zaczęłam rozglądać się wśród męskich ubrań, poszukując czegoś, co nadawałoby się dla Jessiego. Poświęciłam piętnaście minut, żeby wybrać mu parę spodni i sweter. Dopiero po chwili uświadomiłam sobie, że mam tylko godzinę, żeby przejść przez miasto i spotkać się z Joshem, zanim Nancy zabierze go do domu. Zapłaciłam za ubrania dla Jessiego i szybko wbiegłam po schodach, specjalnie nie rozglądając się po sklepie. Gwałtownie skręciłam w prawo w kierunku drzwi.

Jak duże jest prawdopodobieństwo, że dwie zamożne kobiety spędzą tyle czasu w Zarze? Ile odpowiednich dla siebie ubrań mogą znaleźć w takim sklepie? Teraz już wiem, że do takich zakupów podchodzi się metodycznie. Nancy i Pamela przeglądały wszystkie wieszaki i analizowały wszystkie możliwości w każdym sklepie, do którego weszły.

Pamela mnie rozpoznała. To się nazywa pech! Takie rzeczy się jednak zdarzają, gdy los sprzysięga się przeciwko tobie.

– Anna! Anna! Nancy, to Anna, żona Jessiego.

Nie zatrzymywałam się. Pociągnęłam za ciężkie szklane drzwi, uderzając ochroniarza metalowym uchwytem – tak bardzo mi się spieszyło, żeby wyjść. Liczyłam na to, że Pamela uzna, że jej nie usłyszałam albo że to nie byłam ja. I że ja będę już wtedy dawno na zewnątrz. Tymczasem stałam właśnie przed otwartymi drzwiami, gdy Pamela mnie dopadła. Łagodnie i ostrożnie chwyciła mnie za ramię. Nie mogłam się nie odwrócić. Gdy taksowałam wzrokiem jej nową opaleniznę, której w operze jeszcze nie miała, czułam, jak napina się każdy centymetr mojej twarzy.

– Pamela... witaj! Byłaś na wakacjach? – skupiłam całą uwagę na jej twarzy, żeby nie patrzeć na Nancy.

– Ach, tak, na Turks i Caicos. Potrzebowałam chwili wytchnienia po zakończeniu współpracy z Jessiem.

Nawet nie spojrzałam na Nancy.

– Witaj, Anno. Wyglądasz okropnie. Wszystko w porządku?

Spodziewałem się szorstkiego traktowania, ale ten wredny komentarz przeszedł moje oczekiwania. Potem zaczęłam się zastanawiać, czy przypadkiem błędnie go nie zinterpretowałam.

– Wszystko w porządku. Właśnie za chwilę wybieram się do przedszkola – powiedziałam automatycznie.

Nancy nie zaproponowała, że mnie podwiezie, chociaż wiedziałam, że gdy wyjdę z Joshem z sali, będzie już czekać w samochodzie. Stała za Pamelą, z jedną ręką na jej ramieniu, podkreślając w ten sposób swoje prawo do jej osoby. Pamela nie mogła zobaczyć jej wyrazu twarzy, musiała więc zrobić minę specjalnie dla mnie. Usta Nancy powoli rozszerzały się w uśmiechu, którego wykończenie należało jednoznacznie zakwalifikować jako przejaw złośliwości.

Dotarłam na miejsce nieco za wcześnie, więc kupiłam sobie kawę i bajgla na rogu nieopodal przedszkola. Przyznam, że to dość dziwny zestaw na późny lunch. W każdym razie nie pamiętam chwili, w której wypuściłam z rąk kawę i torebkę zawierającą pełnoziarnistego, posypanego sezamem bajgla z serkiem i łososiem. Nie pamiętam, jak plastikowy kubek spadł na chodnik ani jak bajgiel zaczął nasiąkać kawą, zamieniając się w bezkształtną kawowo-serową masę. Nie pamiętam, kiedy moje buty Ugg zrobiły się ciepłe, mokre i poplamione. Ale to wszystko musiało się stać. Wspominam o tych szczegółach, ale wtedy nie zwróciłam na nie uwagi. Pamiętam tylko, że przycisnęłam twarz do zimnej szyby, jak to często robił Josh od drugiej strony. Rozpłaszczał nos i wydychał powietrze na szkło przez usta. Teraz to ja przyciskałam twarz do szyby, jakbym chciała przez nią przejść i dostać się do środka. Przycisnęłam do szyby również dłonie – z taką siłą, że gdybym miała przed sobą takie szkło, jakie montowano dawniej w oknach brytyjskich szkół, prawdopodobnie by pękło. To jednak był Nowy Jork. W oknach montowano wzmocnione szyby, wytrzymałe i bezpieczne.

Josh siedział przy jednym ze stolików. Dokładnie pamiętam, co robił. Pochłonęło mnie to bez reszty. W lewej dłoni trzymał fioletową kredkę i rysował zarys trzeciej postaci na leżącej przed nim białej kartce.

Nie ulegało wątpliwości, że ta postać przedstawia mnie – przecież to ja jestem jego matką: prosta kreska jako tułów, proste kreski symbolizujące ramiona, brak stóp i okrągła głowa z dużymi oczami, bez nosa, za to z szerokim uśmiechem. Josh trzymał kredkę bardzo lekko, w związku z czym jego „osoba" została narysowana ledwo widoczną, delikatną fioletową kreską. Koncentrował całą uwagę na rysunku. Wydawał się szczęśliwy i spokojny, co tylko dodatkowo pogarszało sytuację.

Gdy skończył, musiałam przystąpić do działania. Wpatrywałam się w brązową kamizelkę. Nie widziałam ciężarków, ale one tam były!

Przesuwałam się wzdłuż szyby, nie chcąc ani na chwilę stracić go z oczu. Gdy w końcu musiałam oderwać wzrok, aby ominąć szafki i dojść do drzwi, gwałtownie przyspieszyłam. Drzwi były zamknięte. Był to środek bezpieczeństwa, który stosowano, aby źli ludzie nie mogli wejść do środka. Poczułam, jak wzbiera we mnie gniew. Źli ludzie byli w środku. Zaczęłam gorączkowo machać do pomocnicy nauczycielki z innej sali. Kobieta z uśmiechem podeszła do drzwi i dopiero gdy je otworzyła, zobaczyła wściekłość na mojej twarzy. Nawet jej nie podziękowałam. Pobiegłam prosto do sali Josha. Zwróciłam na siebie uwagę kilkorga dzieci.

Jedno z nich, nie pamiętam już które, powiedziało:
– Josh, to twoja mama.
Wtedy Josh wykrzyknął:
– Mamusiu!
Nie wstał. Nie mógł. Moja wściekłość osiągnęła apogeum! Z trudem panowałam nad sobą.
Fredericka skierowała się w moją stronę.

– Dzień dobry, Anno – początkowo nie wydawała się zaniepokojona.

Zignorowałam ją i pospieszyłam do małego stolika, żeby ratować Josha.

– Josh, Josh.

Drżącymi rękami rozpinałam guziki kamizelki. Szło mi bardzo kiepsko. Nie mogłam dłużej zwlekać. Szarpnęłam kamizelkę tak, że w końcu dziurki puściły. Dwa guziki się rozpięły.

– Mamo, to boli.

Przestałam i skupiłam się na rozpinaniu górnego guzika. Wyszedł z dziurki. Nie pamiętam, czy to ja zdjęłam tę kamizelkę, czy zrobił to Josh.

– Anno, czy możemy wyjść na chwilę na zewnątrz? – powiedziała cicho Fredericka.

Ponownie ją zignorowałam. Josh był wreszcie wolny. I tylko tyle mnie w tej chwili interesowało. Nic więcej.

Chwyciłam go za rękę.

– Dokąd jedziemy, mamusiu?

– Jedziemy do domu. Ty i ja jedziemy do domu.

28

Podróż taksówką działała na mnie uspokajająco. Podążając od centrum na wschód za światłami innych samochodów, taksówka kołysała się i skrzypiała w sposób całkowicie przewidywalny. Poprosiłam kierowcę, żeby włączył ogrzewanie. Z nawiewów poleciało ciepłe powietrze, wypełniając wnętrze samochodu.

Josh był podekscytowany. Uwielbiał podróże, prawdopodobnie dlatego, że ja je lubiłam. Miały w sobie coś z nowej szansy, z przygody, z magii. Tym razem jednak myśl o podróżowaniu nie cieszyła mnie ani trochę. Raz po raz nerwowym ruchem otwierałam wewnętrzną kieszeń torebki i wydobywałam stamtąd paszporty, które zabrałam z domu. Dotykałam ich śliwkowej okładki i wielokrotnie zaglądałam do środka, żeby jeszcze raz sprawdzić, czy oba są ważne.

Z taksówki zadzwoniłam do matki, żeby opowiedzieć jej o kamizelce z ciężarkami. W zupełnie nietypowy dla siebie sposób zaczęła krzyczeć do słuchawki. Była tak zdenerwowana, że przełączyła rozmowę do gabinetu ojca na górze. Słusznie zrobiłam, że zabrałam Josha. Moja matka nie należała do osób gotowych popierać pomysł porzucenia męża.

Od trzydziestu lat z pełnym zaangażowaniem odgrywała rolę tradycyjnej żony.

– Przyjedź na jakiś czas. Josh sobie pobiega po polach, a ty nabierzesz do tego wszystkiego dystansu.

Mama była mądrą kobietą. To były mądre słowa. Nigdy już nie wrócę na stałe do Nowego Jorku. Moim domem na nowo stanie się Romney Marsh, przynajmniej na jakiś czas. Kiedyś tak bardzo chciałam się wyrwać z zaściankowego Kentu, a teraz pragnęłam tam wrócić. Oczyma wyobraźni widziałam małe lampki, które ojciec co roku w pierwszy dzień grudnia rozwieszał wśród gałęzi rozłożystego kasztanowca, stojącego pośrodku naszego kwadratowego podjazdu.

W Romney Marsh było tak samo mroźno jak w Nowym Jorku. Chciałam tam czym prędzej dotrzeć. Już sobie wyobrażałam, jak się będę niecierpliwić w samolocie. Nie zmrużę oka, dopóki nie wylądujemy w Anglii. Podobnie jak większość przedstawicieli mojego pokolenia, nigdy nie byłam wielką patriotką. Jednak teraz nie mogłam się doczekać chwili, w której podczas okrążeń nad Heathrow zobaczę przez okno malutkie poletka jakby z Monopolu. Nie mogłam się doczekać chwili, w której wrócę do mojego kraju.

Gdy pospiesznie opuszczałam salę wraz z Joshem, Fredericka tłumaczyła, że Nancy wydała zgodę na zastosowanie kamizelki. Podkreślała, że to Nancy jest jego tymczasowym opiekunem. No więc już nie jest. Kamizelka to ostatnie zwycięstwo, jakie Nancy nade mną odniosła. Już wiedziałam dokładnie, co knuje. Wszelkie wątpliwości się rozwiały. To Nancy za tym wszystkim stała. Byłam tego pewna.

Nie ryzykowałam pakowania, nie pojechałam też do Nancy po rzeczy Josha. Jessie był w pracy. Starałam się nie myśleć o tym, jak mój nagły wyjazd wpłynie na nasze małżeństwo. Starałam się też nie myśleć o Jessiem. Musiałam zabrać Josha do domu, do Anglii. Tylko to się liczyło.

Nie mieliśmy biletów na samolot, ale się tym nie przejmowałam. Mogliśmy polecieć liniami Virgin, British Airways, American Airlines albo Aer Lingus. Lista była długa i obejmowała nawet Air India. Któryś z przewoźników na pewno zaoferuje nam możliwość wydostania się stąd w krótkim czasie.

Kupiliśmy bilety w okienku Virgin Airlines. Samolot obsługujący lot numer VS04 miał wystartować za cztery godziny. Dopiero w trakcie autoryzacji płatności kartą kredytową Josh zapytał, dlaczego nie mamy żadnego bagażu.

– Nie wiedzieliśmy, że będziemy musieli tak nagle wyjechać.

– Co to znaczy? – Josh wpatrywał się we mnie przenikliwie.

Wystarczyło tylko wsiąść do taksówki i uciec od Nancy i tego przedszkola, żeby mój synek zapomniał o wszystkich swoich amerykanizmach i znów stał się moim spostrzegawczym, uroczym chłopcem.

– Zatrzymamy się u babci i dziadka. Decyzja zapadła pod wpływem impulsu. Wiesz, co to znaczy? Że się niczego nie planuje i nie zabiera bagażu.

– To dlatego, że w przedszkolu założyli mi kamizelkę z ciężarkami? – Utkwił we mnie dociekliwe spojrzenie swoich jasnych oczu.

A może tylko to sobie wyobrażałam?

– Tak, częściowo dlatego. – Zrobiłam chwilę przerwy, zastanawiając się, jak mu to wszystko wyjaśnić. Zawsze starałam się być z nim szczera. – Ale też dlatego, że mamusia nie może znieść tego, że z nią nie mieszkasz. Za bardzo cię kocham, żeby się na to godzić.

– Dlaczego tatuś z nami nie jedzie?

– Przyjedzie do nas. Na pewno. Już niedługo.

Czy rzeczywiście w to wierzyłam? Czy Jessie do nas dołączy? Na co się zdecyduje, gdy będzie musiał wybierać między mną a Nowym Jorkiem i kiełbaskami Flinta?

Odprawiłam nas w punkcie samoobsługowym. Skierowaliśmy się do najbliższego punktu kontroli bagażu. Włożyłam swoją torebkę i plecak Josha do skanera. Przeszliśmy przez bramkę i udaliśmy się do hali odlotów. Zamiast przyzwoitych sklepów na lotnisku JFK działa mnóstwo punktów gastronomicznych. Nie zatrzymywaliśmy się jednak. Chciałam czym prędzej przejść przez najbardziej skomplikowany i zatłoczony etap kontroli paszportowej i ostatecznej kontroli bezpieczeństwa, żeby wreszcie znaleźć się przy odpowiedniej bramce. W pobliżu znajdował się bar. Miałam zamiar uczcić fakt wyjazdu z Nowego Jorku, kupując Joshowi burgera, frytki i lody. Paszporty i karty pokładowe kontrolowała kobieta w mundurze z identyfikatorem przypiętym na piersi. Za nią wiła się koszmarnie długa kolejka do ostatecznej kontroli bezpieczeństwa. Za nami ustawiła się amerykańska rodzina z trójką dzieci. Podałam kobiecie dokumenty. Spojrzała na nie pobieżnie, po czym milczącym skinieniem głowy przepuściła nas dalej.

Josh stał przygarbiony przy witrynie pobliskiego sklepu. Amerykańska rodzina pochwyciła w dłonie stos różowych i zielonych plecaków i walizek na kółkach, żeby przesunąć się do przodu.

– Proszę pani, muszę zajrzeć do tego jeszcze raz.

– Pomimo ugrzecznionego „proszę pani" w jej głosie pobrzmiewała chłodna asertywność.

Amerykańska rodzina stanęła tuż za naszymi plecami.

– Czy dziecko ma zgodę ojca na podróżowanie?

Mąż i żona wymienili spojrzenia.

– Oczywiście – skłamałam odruchowo. – Jedziemy do Anglii na kilkutygodniowe wakacje do moich rodziców.

Kobieta przez kilka długich minut wpatrywała się w zdjęcie paszportowe Josha. Denerwowałam się, ale nie traciłam pewności siebie. Dzieci mogą podróżować tylko z jednym z rodziców. Nie ma w tym nic złego. Kobieta po prostu wykonuje swoją pracę. Nie ma w tym nic złego.

Nagle wtrącił się Josh:

– Tatuś przyjedzie później.

Kobieta zdawała się nie zwracać na niego uwagi.

Żona ustawiona za nami powiedziała ściszonym głosem:

– Jaki uroczy chłopiec!

Uśmiechnęłam się do niej z wdzięcznością. Jej uwaga z jakiegoś powodu dodała mi otuchy.

Postanowiłam spróbować przekonać strażniczkę inną metodą.

– Przepraszam, ale chciałabym już zabrać syna do bramki. Jest głodny.

Ponownie poszukałam wzroku męża i żony. Wywróciłam oczami, chcąc w ten sposób powiedzieć: „Cóż za mordęga, te podróże lotnicze".

Nie odzywając się ani słowem, strażniczka odsunęła mnie na bok, kawałek od długiej kolejki, która już zdążyła urosnąć za nami.

– Proszę tu poczekać. – Odeszła parę kroków i odpięła radio, dotychczas przymocowane do paska.

Nie słyszałam, co powiedziała.

– Co się dzieje, mamusiu?

– Nie wiem, kochanie – zdobyłam się na uśmiech i ścisnęłam jego dłoń odrobinę za mocno.

Po kilku minutach z bramki bezpieczeństwa wyłonił się kolejny strażnik i przystąpił do sprawdzania paszportów ludzi stojących w kolejce.

Kobieta znowu powiedziała coś do słuchawki.

– Pewnie sprawdzają twój paszport. Wszystko jest w porządku.

Wszystko było w porządku. My, dwoje brytyjskich obywateli, wracaliśmy do domu.

Kobieta skierowała się z powrotem w naszą stronę. Gdy szła, jej grube uda ocierały się o siebie.

– Proszę pani, obawiam się, że to dziecko nie może podróżować.

Para za nami zaczęła szeptać między sobą, wypowiadając kolejne słowa z typowo nowojorską ostentacją i emfazą.

– Czy sądzisz, że ona chce porwać tego słodkiego dzieciaczka? O mój Boże, to zupełnie jak w przypadku Seana Chapmana.

– Kochanie, matka Seana Chapmana uciekła z nim do Brazylii. Ta kobieta nie jest Brazylijką.

Słuchając tej wymiany zdań, wpadłam w panikę.

Uniosłam głos w sposób charakterystyczny dla nowojorczyków, chcąc podkreślić swoją wyższość w kraju, w którym o wszystkim decyduje klient.

– Słucham? Oczywiście, że może. Jest obywatelem brytyjskim. Ma wszelkie prawo wrócić do Wielkiej Brytanii.

Żona już nawet nie udawała, że mówi szeptem.

– Kochanie, mówię ci, to jest przypadek porwania.

Strażniczka powtórzyła beznamiętnie:

– Nie, proszę pani. On nie może podróżować. Jest obywatelem Stanów Zjednoczonych Ameryki. Jego amerykański tymczasowy opiekun zastrzegł wyraźnie, że nie wyraża zgody na to, by dziecko podróżowało. Mamy odpowiednią adnotację w systemie.

To mnie rozzłościło.

– Niech pani nie będzie śmieszna. To jest absurdalne. Chce pani powiedzieć, że jego opiekun może decydować o tym, czy on opuści kraj, czy nie? To ja jestem jego matką!

Kobieta zdawała się niewzruszona. Jej wyraz twarzy w ogóle się nie zmienił. Co dzień miała do czynienia z rozgniewanymi nowojorczykami. Moje mizerne oburzenie nie robiło na niej wrażenia.

– Nie wiem, kim ta pani jest, proszę pani, ale to dziecko nie może podróżować.

– Dzięki Bogu – powiedziała kobieta stojąca za mną.

– Mamusiu… – Josh stał się nagle bardzo niespokojny. – Co się dzieje? Czy ty mnie zostawisz?

– Nie. – Ścisnęłam jego rękę. Zamierzałam przekonać kobietę, żeby przepuściła mnie przez barierkę. – Muszę porozmawiać z pani przełożonym.

– Powie pani dokładnie to samo co ja.

– Nieważne. Zanim zadzwonię do ambasady, chcę porozmawiać z kimś wyższym rangą.

To były oczywiście groźby bez pokrycia. Immunitet dyplomatyczny już nam nie przysługiwał. Przedstawiciel ambasady ograniczyłby się zapewne do udzielenia mi rady... po raz kolejny.

– Nie wolno tak postępować – krzyczała kobieta stojąca za nami.

Nie chciałam nigdzie iść ze strażniczką, a już z pewnością nie chciałam się cofać do hali odlotów. Tylko nie do tyłu. Zamierzałam przemieszczać się wyłącznie do przodu. Zamierzałam się stąd wydostać. Za wszelką cenę...

– Czy ktoś mógłby tu przyjść? Nie chciałabym spóźnić się na samolot.

Wiem. Mary powiedziałaby, że muszę oddzielać uczucia od rzeczywistości. Potrafiłam jednak myśleć tylko o tym, że jeśli nie ustąpię, to może, a nuż się uda – znajdziemy się na pokładzie maszyny obsługującej lot VS04 i będziemy mogli oglądać przez mgłę te małe poletka z Monopolu. Mój kraj!

Zadzwonił mój telefon. Spodziewałam się, że to Jessie. Niewiele brakowało, a zaczęłabym się trząść. Co się ze mną działo?

– Nie pojedziesz beze mnie, prawda, mamusiu? – Josh zaczynał się martwić. Nie mogłam patrzeć, jak się denerwuje i niepokoi.

– Oczywiście, że nie, Joshie. Polecimy do Londynu razem.

Polecimy. Nie mogłam jeszcze przestać w to wierzyć.

Podszedł do nas wysoki barczysty mężczyzna w mundurze. Już miałam się odezwać. Lekko odkaszlnęłam. Byłam gotowa.

– Będę musiał wyprowadzić panią z lotniska.

– Właśnie kupiłam dwa bilety lotnicze w pełnej cenie. Mam karty pokładowe... – zamilkłam.

Mężczyzna nie zareagował.

– Tę sprawę będzie pani musiała wyjaśnić z przewoźnikiem. Jak powiedziałem, muszę panią wyprowadzić z lotniska.

Mój świat się zawalił.

– Ja tylko... proszę, chcę zabrać syna do domu.

29

Czułam się pokonana, zmaltretowana, załamana, zła, poirytowana, a nawet skłonna
do przemocy. Ale obok mnie w taksówce siedział Josh. Jego drobniutka dłoń spoczywała zamknięta w mojej, a jego oczy szukały odpowiedzi na mojej
twarzy. Nie zawiodę go. Nie dam się Nancy. Nie pozwolę jej zamknąć nas w klatce. Będę walczyć.

Wysiedliśmy z taksówki przy 20. posterunku, przy
szarym budynku z flagą powiewającą na maszcie
ustawionym na dachu. Tylko że tym razem nie zamierzałam dać się zastraszyć. Nie potrzebowałam już
Eliota, żeby zrozumieć te wszystkie nowojorkizmy.
Rzeczywistość zmusiła mnie do tego, żebym nauczyła
się nimi posługiwać.

– Dzień dobry, chciałabym złożyć doniesienie
na macochę mojego męża. Próbuje ukraść mi syna.

Policjantka po drugiej stronie lady oczywiście
nie wyglądała na zaskoczoną. Kradzieże tożsamości, oszustwa związane z użyciem karty kredytowej,
macochy kradnące dzieci – nic nie było w stanie jej
zaskoczyć. Znowu ktoś przyszedł zwierzyć jej się
ze swoich problemów. To był Nowy Jork, stolica zwie-
rzeń.

Policjantka grzecznie poprosiła, żebym usiadła. Wpatrując się w wielki automat z napojami stojący za ladą recepcji, czułam się bezpieczna i spokojna. To miejsce kojarzyło mi się z porodówką, na której Josh przyszedł na świat. Wszyscy ludzie mają pewne zwyczaje i praktyki, nigdzie jednak nie utrwalają się one tak gruntownie jak w instytucjach państwowych. Z jakiegoś powodu ten pozorny porządek bardzo mi odpowiadał.

Policjantka rozmawiała po cichu ze swoim kolegą, który przez cały czas ani ma moment nie spuścił mnie z oczu. Na szczęście nie był to rudowłosy brutal, z którym miałam poprzednio do czynienia, ale wesoły i szczupły czarnoskóry mężczyzna o miłym uśmiechu. Po chwili wyszedł zza lady i podszedł do mnie.

– Chciała pani porozmawiać. Mam na imię Jim i zajmuję się problemami rodzinnymi.

Westchnęłam z ulgą. Poszłam za nim do pomieszczenia, które wydało mi się równie mało wyraziste jak korytarz. Z powodu panującego tam chłodu zaczęłam lekko drżeć.

Miał przed sobą notatnik, długopis oraz dyktafon, który od razu włączył.

– Pani się nazywa?

– Anna Wietzman.

– I mieszka pani w Londynie?

– Nie. Nie, mieszkam tutaj, przy 153 West 82nd Street, między alejami Columbus i Amsterdam.

Gdy tylko o tym pomyślałam, nagle zrobiło mi się smutno. Przez ostatnie pół roku tak wiele straciłam.

– W porządku. A kto to jest? – policjant energicznie pogłaskał Josha po głowie.

– Jestem Josh. To jest moja mama – zakomunikował Josh w amerykańskim stylu.

Nie chciałam, żeby Josh usłyszał to, co miałam zamiar powiedzieć. Jednocześnie za bardzo się o niego bałam, żeby zostawić go samego w recepcji.

Łagodnie usposobiony chudy policjant zwrócił się do mnie:

– Proszę powiedzieć, z czym pani przychodzi?

Wzięłam wdech.

– Zdaję sobie sprawę, że to zabrzmi dziwnie, ale moja amerykańska macocha systematycznie przejmuje kontrolę nad moim życiem. Właśnie uniemożliwiła mi wyjazd na wakacje z synem do Anglii, do moich rodziców. Zostaliśmy tutaj uwięzieni. Josh, może pójdziesz usiąść tam?

W rogu pokoju znajdował się stolik i krzesło.

– Hej, mały, weź kartkę i długopis i narysuj mi Central Park.

Josh powędrował we wskazane miejsce, a ja uśmiechnęłam się do policjanta z wdzięcznością.

Mówiłam szeptem:

– Zapewniła sobie prawo do opieki nad moim synem. W imieniu jego przedszkola wezwała opiekę społeczną, ponieważ Josh ugryzł inne dziecko. Muszę powiedzieć, że mój syn jest Brytyjczykiem – chociaż mój mąż ma podwójne obywatelstwo. Całe życie mieszkaliśmy w Anglii... to się zmieniło dopiero kilka miesięcy temu.

Nie potrafiłam zebrać myśli.

– Muszę skorzystać z pomocy prawnika. Nawet już jednego znalazłam, ale jeszcze z nim nie rozmawiałam. Spotkanie jest dopiero dnia siedemnastego. Wprawdzie wypada to już jutro, ale obawiam się, że jutro będzie za późno.

– Chwileczkę, moment... zacznijmy od początku. W porządku... proszę opowiedzieć wszystko po kolei.

– Cóż, wszystko zaczęło się chyba od tego, że policja wtargnęła na nasz balkon, ponieważ Josh siedział tam późno w nocy. Stało się tak na skutek zmiany czasu – spieszyłam się, żeby wszystko wyjaśnić, zanim policjant mi przerwie. – W każdym razie balkon jest zupełnie bezpieczny, ma murowaną balustradę. Policjanci uznali, że to my go tam zamknęliśmy, co jest oczywiście nieprawdą.

Policjant nie reagował. Byłam mu za to wdzięczna.

– W każdym razie Nancy uznała to za przejaw nieodpowiedzialności z mojej strony. Kiedy przedszkole zgłosiło, że Josh ugryzł inne dziecko, wezwała opiekę społeczną. Oni ustanowili ją tymczasowym opiekunem i w rezultacie ona wzięła go do siebie. Ja muszę z powodzeniem zakończyć cykl terapii. Poddaję się terapii, ale nie wiem, czy to oznacza, że będę mogła odzyskać Josha.

Policjant pozwolił mi mówić. Chociaż dyktafon buczał, a on coś notował, miałam poczucie, że naprawdę mnie słucha.

– Potem przekonała mojego męża, żeby zrezygnował z pracy, a ściślej rzecz biorąc z kariery w brytyjskim Ministerstwie Spraw Zagranicznych, i zatrudnił się u Connora Flinta.

– U Króla Hot Dogów!

– Tak – jego entuzjastyczna reakcja trochę zbiła mnie z tropu. – Na czym to ja stanęłam?

– Mówiła pani o swoim mężu.

– Tak, ona chce, żeby on kierował jej fundacją.

– Rozumiem.

– Widzi pan – wydawało mi się, że rzeczywiście rozumie. – Ona kontroluje wszystko. Mój syn mieszka z nią, to ona załatwiła mi terapię. Kontroluje sprawy związane z przedszkolem, z opieką społeczną, z pracą mojego męża, a nawet z moim wyjazdem z kraju.

– W porządku, rozumiem. Baba jest cholerną intrygantką. – Zaśmiał się ciepło i nachylił się do przodu, przekładając przy tym długopis między palcami. – Takich w tym mieście nie brakuje. Jezu! Ale niestety nie rozumiem, co takiego zrobiła, że policja miała się zajmować tą sprawą?

– Zabrała mojego syna. To nie w porządku – mówiłam pospiesznie. – To nielegalne. Prawda? Ani on, ani ja nie zrobiliśmy nic złego, nic, co by uzasadniało angażowanie opieki społecznej w nasze sprawy.

Policjant mówił łagodnym tonem:

– Ale to była ich decyzja, nie jej, żeby przekazać jej opiekę nad pani synem, tak?

Nie mogłam znaleźć właściwych słów.

– Jestem przekonana, że to ona ich do tego namówiła. Jakoś ich do tego przekonała.

Wcale się bardzo nie pomyliłam.

– No dobrze, ale obawiam się, że to nie jest nielegalne. Przykro mi.

– Proszę. Niech pan spojrzy na Josha. On powinien być ze mną.

Rozpłakałam się.

Policjant delikatnie dotknął mojego ramienia.

– To świetny dzieciak. Niewątpliwie on kocha panią, a pani jego. Chciałbym pani pomóc, ale nie mogę.

Nie potrafiłam pohamować łez. Josh podszedł i stanął koło mnie. Chwycił mnie za rękę. Spojrzałam na niego, a potem na policjanta.

– Proszę, musi mi pan pomóc. Nie mam nikogo innego, do kogo mogłabym się zwrócić. Chcę wrócić z moim synem do Anglii.

– Hej, kolego. Nie martw się. Twoja mama jest po prostu trochę smutna.

Policjant wstał.

– Wie pani co, dalej to pani powinna wszystko załatwiać z opieką społeczną.

– Oni zachowują się tak, jakby nic na ten temat nie wiedzieli.

– Tak mi przykro, że nie mogę pani pomóc.

Budowałam z Joshem wieżę z klocków lego. Czerwono-niebiesko-żółta konstrukcja stopniowo pięła się ku górze. Siedziałam po turecku na drewnianych deskach, otoczona klockami. Zdawały się tworzyć wokół mnie mur obronny. W głowie miałam pustkę. Powinnam zabrać Josha z powrotem do Nancy, ale po prostu nie potrafiłam się na to zdobyć. Nie było już nikogo, do kogo moglibyśmy się zwrócić.

Zadzwonił telefon. Jego dźwięk rozniósł się echem po dużej pustej przestrzeni pokoju Josha. Zastanawiałam się, czy to Jessie czy Nancy. Nie miało to dla mnie większego znaczenia. W końcu dźwięk ucichł. Kilka sekund później telefon rozdzwonił się jednak ponownie.

– Halo – powiedziałam do słuchawki, idąc z telefonem z powrotem do pokoju Josha.

Usiadłam ostrożnie między klockami, w przestrzeni, którą przed chwilą opuściłam. W tym miejscu czułam się silniejsza.

– Halo, czy rozmawiam z Anną? – odezwał się niepewny głos.

– Tak, przy telefonie – powiedziałam beznamiętnie.
– Kto mówi?

– Isaac Rosenbaum. Wiesz, mąż Sharon.

– Oczywiście – nie chciałam angażować się w pogawędkę. Z mojego tonu miał wyczytać: „Co mogę dla ciebie zrobić? Dlaczego zawracasz mi głowę?".

– Czy dzwonię w niedobrym momencie?

Zaśmiałam się piskliwie. Nawet ja sama usłyszałam w tym śmiechu nutę szaleństwa.

– Tak, właściwie tak. Można by tak powiedzieć. Niedobry, bardzo niedobry moment. Cholernie niedobry moment.

Zamiast unieść wzrok, Josh skupił się jeszcze bardziej na swoich klockach.

Isaac zamilkł.

– Przepraszam, to może się rozłączę.

– Nie, to ja przepraszam. Mam za sobą okropny dzień. Zresztą nawet nie tyle dzień, ile okropny, okropny okres – do oczu napłynęły mi łzy.

– Sharon się… Sharon...

Czekałam, co powie, chociaż tak naprawdę wcale go nie słuchałam. Przypuszczałam, że szuka w głowie fachowego określenia opisującego stan psychiczny Sharon.

– Sharon zabiła się dziś rano.

Zabrakło mi słów. Ledwo mogłam oddychać. Nerwowo wpatrywałam się w drzwi pokoju, zupełnie jak gdyby ktoś tam stał i podsłuchiwał, wiedząc dokładnie, co się ze mną dzieje. Isaac uznał moje milczenie za skutek szoku, którego doznałam. Mówił dalej, wdzięczny za moją reakcję.

– Wczoraj zaniosłem jej ciasto. Wiesz, kawałek tego wyśmienitego rosyjskiego sernika z Café Lalo. Do ciasta przyniosłem ostry nóż, bo biszkoptowy spód zawsze ciężko się kroi. Nie myślałem. Nie myślałem. Nie… Była taka spokojna i rozluźniona...

bardziej niż zwykle. Pomyślałem... pomyślałem, że wszystko jest w porządku.

Płakał do słuchawki. Mnie nie zbierało się jednak na płacz. Potrafiłam myśleć tylko o tym, że śmierć Sharon przybliża mnie do własnej. Czy wszyscy ludzie tak reagują? Czy żałoba nie wynika w dużej mierze z egoistycznego strachu przed własną nieuchronną śmiertelnością?

– Poderżnęła sobie gardło.

Nawet ten szczegół mnie nie zaszokował. Odsunęłam lekko słuchawkę od ucha i rozsiadłam się wygodniej obok wieży. Uśmiechnęłam się, ponieważ Josh pokazywał mi właśnie, ile poziomów do niej dobudował. Zaczęłam wybierać czerwone cegły, żeby mógł z nich zbudować następną kondygnację.

– Dlaczego zdecydowała się to zrobić? – mówił Isaac, szlochając do słuchawki. – Dlaczego? Miała wszystko: dwoje wspaniałych dzieci, męża. Było nam razem dobrze. Dlaczego ona tego nie widziała?

– Szczęście to stan umysłu – stwierdziłam, bardziej do siebie niż do niego.

– Słucham? – Ku mojemu zaskoczeniu, usłyszałam beknięcie.

– Czy ktoś tu jest szczęśliwy? Ja jestem skrajnie nieszczęśliwa.

Isaac w końcu zamilkł. Mój egoistyczny komentarz zaskoczył go i zranił. Jeszcze kilka dni temu moje obycie towarzyskie powstrzymałoby mnie przed wygłoszeniem tego typu uwagi. Teraz jednak było mi zupełnie wszystko jedno. Josh i ja zostaliśmy uwięzieni w tym szalonym mieście.

Pół godziny później otworzyły się drzwi. Na schodach przed wejściem stali Jessie i Harry Finklemann.

Harry Finklemann już nie wyglądał sympatycznie. Zauważyłam to mimochodem, ponieważ myślałam przede wszystkim o tym, żeby zyskać na czasie. W tym celu zadawałam Jessiemu banalne pytania.

– Cześć. Zapomniałeś klucza? – Nawet ja słyszałam w swoim głosie fałsz i napięcie.

– Anno – powiedział Jessie z wyrzutem.

– Tak? – starałam się odsunąć rozmowę w czasie.

Spodziewałam się, że on lub Nancy wkrótce się pojawią. Ona na pewno już wiedziała, że próbowałam uciec. Na pewno nie omieszka mnie ukarać. Na pewno nie.

– Jak mogłaś to zrobić? – Jessie zmrużył oczy, chcąc w ten sposób dać mi do zrozumienia, że to nie do pojęcia... że nie potrafi zrozumieć, jak mogło mi to przyjść do głowy.

– Może wejdźmy do środka – nalegał Harry Finklemann.

Cisnęliśmy się na niewielkiej przestrzeni półpiętra.

– Gdzie jest Josh? – wybuchnął Jessie.

– U góry, a gdzież by indziej. Powinnam do ciebie zadzwonić, ale w przedszkolu założyli mu kamizelkę z ciężarkami bez naszej zgody. Nie powinnam jechać na lotnisko, ale to było po prostu ohydne. Byłam w szoku. – Chwyciłam go za rękę.

Wyrwał mi się nagłym ruchem.

Dlaczego próbowałam go przeprosić? Przerażało mnie to, że przyszedł w towarzystwie Harry'ego Finklemanna. Co to mogło oznaczać? Co oni zamierzają zrobić?

– Porwałaś Josha – powiedział zdegustowanym tonem, jakbym zrobiła komuś krzywdę.

– Nie bądź śmieszny. To mój syn. Chciałam się tylko na jakiś czas uwolnić od całego tego szaleństwa. To wszystko.

Przypomniałam sobie o kobiecie z lotniska. Czy to wyglądało tak, jakbym próbowała porwać Josha? Czy próbowałam go porwać? Nie miałam zamiaru wracać do Stanów, ale przecież on jest moim synem.

– Dobrze… – Harry Finklemann mówił takim tonem, jakby właśnie rozstrzygał kłótnię między dwojgiem dzieci. – Chciałbym uniknąć niepotrzebnych awantur. Tu nie ma żadnych wątpliwości. Postawmy sprawę jasno.

Jessie udawał, że zafascynowały go drzewa za oknem.

– Anno, porwała pani Josha. Opieka społeczna, a przede wszystkim Stany Zjednoczone Ameryki podchodzą do takich przypadków bardzo rygorystycznie, szczególnie w obliczu sprawy Seana Chapmana.

O, mój Boże. Oni poszaleli tak samo jak ta kobieta na lotnisku. Ogarnęło mnie przerażenie. Nawet Jessie zwrócił się przeciwko mnie.

Nie potrafiłam wymyślić nic sensownego na swoją obronę.

– Chciałam pojechać do domu na wakacje, do rodziców. To przecież nie jest nielegalne.

Mój suchy śmiech pobrzmiewał wśród zupełnej ciszy.

– Próbowała pani wywieźć Josha z kraju bez zgody Jessiego.

– Ale to przecież nie Jessie mi to uniemożliwił, prawda? To Nancy za tym stoi. To ona zabroniła mi wyjeżdżać z kraju. Wy dwaj jesteście chłopcami na posyłki tej jędzy.

Jessie lekko się odwrócił i spojrzał na Harry'ego Finklemanna. Wymienili spojrzenia, z których można było wyczytać, że powątpiewają w moją poczytalność.

Nagle wpadłam w panikę – mogą mnie przecież zamknąć w szpitalu. Stwierdzić, że zwariowałam – mimo że jestem zupełnie zdrowa na umyśle.

– To bardzo proste, Anno. Nie mam zamiaru się
z tobą kłócić. Od tego momentu masz zakaz spoty-
kania się z Joshem.

– Nie. Nie, nie, ty draniu – chwyciłam Jessiego
za poły marynarki i zaczęłam nim potrząsać. – Co
ty sobie myślisz? Jak możesz mi to robić? Nancy cię
do tego nakłoniła. Boże!

Odepchnął mnie od siebie, tak jak odpycha się
od siebie psa, gdy się ma uczulenie na sierść.

U szczytu schodów pojawił się Josh.

– Mamusiu? Czy nic ci nie jest?

Jego głos przeszył mnie na wskroś. Nagle bliskie
stały mi się te wszystkie matki, które wolą zabić siebie
i swoje dzieci, niż żyć bez nich. Ta chwila była dla
mnie nie do zniesienia. Wpatrywałam się w Josha,
pragnąc wyryć sobie w pamięci jego twarz. Pobiegłam
po schodach na górę. Jessie i Harry Finklemann podążyli zaraz za mną, ale dotarłam do Josha przed nimi.
Otoczyłam go ramionami i mocno trzymałam. Wbiłam
sobie paznokcie w wewnętrzną powierzchnię dłoni,
żeby nie mogli mi go odebrać. Nie słyszałam już ani
jego, ani ich. W ogóle nic nie słyszałam.

Gdy wróciłam do siebie, miałam przed oczami
tylko ciemny zarys kształtów mieszkania i pustkę.
Leżałam sztywna i obolała na podłodze u szczytu
schodów. Sama.

30

Tło było jaskrawopomarańczowe, jak rozświetlone rude pasemka włosów. Wyłaniał się z niego tułów. Niepokojąco muskularne ciało z ramionami rozstawionymi na boki, na planie krzyża. Na ciemnobrązowej, nasmarowanej oliwką skórze pojawiały się kropelki potu. Twarz i głowa były zupełnie bezwłose. Czarne oczy spoglądały na prawo. Ciało zmagało się z ogromną presją, znajdowało się u kresu wytrzymałości. Przykucnęłam i patrzyłam, jak wyłania się z ceglastej ściany i wychodzi na drewnianą podłogę pokoju Josha. Pierwszy obraz, nad którym pracowałam od trzech miesięcy. Odwróciłam go ostrożnie przodem do ściany.

Czekając, aż Mary otworzy mi drzwi, zwykle odliczałam dni, które upłynęły mi bez Josha. Teraz przestałam już liczyć. Po co miałabym to robić?

Nie poszłam na „wstępną konsultację", której termin przypadał na wpół do jedenastej Dnia Siedemnastego. Miałam poczekać na to spotkanie jeszcze tylko jeden dzień, ale potem zobaczyłam Josha opatulonego kilogramami ołowiu. W tym momencie wszystko się zmieniło. Jak miałabym wytłumaczyć się Peterowi Murrayowi z tego, że porwałam swoje dziecko? Jak miałabym powiedzieć, że zabroniono mi kontaktów z nim? Obawiałam się, że Peter Murray, który miał być moją ostoją, zwróci się przeciwko mnie i tylko pogorszy sprawę.

To wszystko przytłaczało mnie fizycznie do tego stopnia, że ledwo zdołałam ściągnąć z nóg uggi. Mary również zdjęła buty. Skrzyżowałam nogi i cofnęłam stopy. Chciałam się zwinąć w kłębek. Byłam wykończona. Nie dałam jednak rady unieść stóp. Apatia odebrała mi resztki sił.

Mary wyglądała na zaskoczoną, a nawet odrobinę zmartwioną.

– Co się dzieje, Anno?

Wpatrywałam się w nią, nie zastanawiając się nad odpowiedzią. Myślałam tylko o tym, czy w ogóle mam ochotę odpowiadać.

– Anno?

– A co się nie dzieje? Co mi się nie przytrafiło, Mary?

Normalnie rozkładała się w fotelu, a jej hipisowska sukienka rozlewała się wokół niej niczym więdnąca róża. Tym razem jednak nachylała się do przodu, niemal jawnie okazując mi troskę.

– Przedszkole dociążyło Josha, zakładając mu taką specjalną kamizelkę. – Uderzyłam w haftowany podnóżek obiema rękami, chcąc w ten sposób zademonstrować ciężar tej niesprawiedliwości.

– Wsparcie proprioceptywne – powiedziała łagodnie. – W stosunku do normalnych dzieci zwykle się tego nie stosuje.

– Tak sądzisz? – powiedziałam.

W końcu, w krytycznym momencie, przedstawiła własną opinię. Głos wołającego na puszczy.

– To Nancy do tego doprowadziła – sama nie słyszałam własnego głosu. Czy faktycznie się odezwałam?

– Dlaczego sądzisz, że Nancy chciałaby dociążyć Josha?

Milczałam. Oczywiście nie potrafiłam tego wyjaśnić. Po prostu tak przeczuwałam. Podpowiadał mi to atawistyczny instynkt.

W końcu Mary odezwała się ponownie.

– A co o tym myśli twój mąż?

– Co myśli Jessie? Ciekawe, co myśli Jessie…

– Anno, może mogłabyś spróbować udzielić odpowiedzi na pytanie? – powiedziała spokojnie.

Błądziłam wzrokiem zupełnie bez celu.

– Ja tylko chciałam jechać do domu. Zabrać Josha do domu. Ale oni nie pozwolili nam polecieć. Nancy nie pozwoliła nam polecieć – zamilkłam na chwilę. – Oczywiście, że nie chciałam porzucać Jessiego. Ale nie chciałam tu dłużej zostawać. Chciałam zabrać Josha do domu.

– Czy planowałaś odejść od męża? – zapytała Mary poważnym tonem.

Ruszyłam na nią.

– Nie. Przecież właśnie ci powiedziałam, że nie miałam wyboru. Utknęliśmy tu na dobre.

Mary zbliżyła głowę do mojej. Słyszała jad w moim głosie. Jej reakcja dodała mi otuchy. Przynajmniej Mary jest po mojej stronie.

– Dlaczego tak mówisz, kochanie?

Nigdy wcześniej się tak do mnie nie zwróciła. Delikatnie dotknęła mojej dłoni.

– Oni twierdzą, że próbowałam porwać Josha. I teraz go straciłam. Całkiem go straciłam. Nie mogę się z nim zobaczyć. Nie wolno mi się z nim spotykać.

Zaabsorbowały mnie moje dłonie. Były suche i zniszczone. Poczułam nagłą ochotę gryzienia ich, wgryzienia się w nie głęboko.

– Co konkretnie chcesz przez to powiedzieć? Zabroniono ci kontaktów z Joshem? To chcesz powiedzieć?

Mary robiła wrażenie zaniepokojonej. Ale może tylko mi się wydawało.

– Dziś rano schowałam się w pobliżu przedszkola – zaczęłam opowiadać, nawet chętnie. – Ukrywałam się za murem otaczającym podwórze. Oni nie mogli mnie zobaczyć. – Skupiłam wzrok na akwareli w pozłacanej ramie, która wisiała nad głową Mary. – Widziałam Josha. Mogłam na niego popatrzeć. Chciałam, żeby wiedział, że tam jestem. Ale nie znalazłam sposobu, żeby zwrócić na siebie jego uwagę tak, aby inni mnie nie zauważyli.

Z oczu popłynęły mi łzy, ale nawet one nie były już moje.

– Kucałam nisko, nisko przy ziemi, i wystawiłam głowę za mur. Ale on mnie nie zauważył.

– Anno, tak strasznie mi przykro – Mary wydawała się autentycznie poruszona. – Może powinnaś skonsultować się z prawnikiem?

– Próbowałam. Już próbowałam. Peter Murray, adwokat. Brzmi dobrze, prawda?

Mary pokiwała głową.

– Och, Mary. Mało co zapomniałabym ci powiedzieć. Moja przyjaciółka Sharon...

Mary wyraźnie pochyliła się w moją stronę i rozsunęła kolana na tyle szeroko, żeby móc ścisnąć mnie mocno za obie ręce.

– Anno, próbujemy rozmawiać o tobie i twoich kontaktach z Joshem.

– Wiesz, ta, która próbowała popełnić samobójstwo?

– Tak, Anno, wspominałaś o niej.

– Poderżnęła sobie gardło. – Przesunęłam palcem wskazującym lewej dłoni w poprzek szyi. Ten gest wydawał mi się na miejscu. Nareszcie coś prawdziwego. W tym momencie dotarło do mnie, z jak wielkim ciężarem musiała zmagać się Sharon. – Rzeczywistość stała się dla niej tak nieznośna, że się zabiła.

– Uśmiechnęłam się do Mary niemal promiennie.

– Tak bardzo mi przykro – Mary cichutko przełknęła ślinę. – Czy sądzisz, że to, co się stało z Sharon, mogło wpłynąć na twoje negatywne wyobrażenia o Joshu i całej tej sytuacji?

– Nie – nagle stałam się bardzo stanowcza. – Nie. Sharon po prostu uświadomiła mi, że przyjdzie mi tutaj umrzeć – mówiłam z przekonaniem. – Nancy już to planuje. Planuje moją śmierć.

To było dla mnie zupełnie jasne.

– Anno, to, co teraz czujesz, nie odzwierciedla rzeczywistości. Rozumiesz, co próbuję ci powiedzieć, Anno?

Wpatrywałam się w nią tępo. Przestałam rozumieć.

– Nie mam już „kontaktu". To właśnie zrobiła. Odmawia mi prawa do kontaktu z moim własnym dzieckiem. Od początku tak to planowała. To oczywiste. Dlaczego wcześniej na to nie wpadłam? – Pod wpływem myśli o Nancy poczułam się jeszcze gorzej. Chciałam położyć się na podłodze w pozycji embrionalnej, żeby mieć bliski kontakt z własnym ciałem. – Cóż można zrobić, gdy się ją ma przeciwko sobie?

– Normalnie nie angażuję się osobiście w sprawy moich klientów, ale w tych okolicznościach chętnie zadzwonię do pani Wietzman i powiem, że nie masz żadnych problemów psychicznych. Anno, może mogłabym nawet zeznawać na twoją korzyść podczas przesłuchania w sprawie opieki nad Joshem.

Wolałam nie dopuszczać do siebie myśli, że to w ogóle byłoby możliwe.

Jakby wyczuwając moje uczucia, Mary dodała:

– Nie trać ducha, Anno.

To były najbardziej krzepiące i ciepłe słowa, jakie kiedykolwiek do mnie skierowała. Zapadła między nami kojąca cisza. Mogłam na chwilę przestać myśleć i zamartwiać się, mogłam wyrwać się z wiru szalejących w mojej głowie myśli. Poczułam wielką ulgę i nie miałam nic więcej do powiedzenia. Mary czekała, aż znowu się odezwę. Rozsiadła się wygodnie w fotelu. Wpatrywała się we mnie nieprzeniknionym i neutralnym wzrokiem. Jej milczenie uświadomiło mi, że nie mam do czynienia z przyjaciółką ani z dobrą ciocią. Nie było między nami intymności, a jedynie jej pozory. Terapia to rozwiązanie dla ludzi, którzy nie mogą się zwierzać ze swoich problemów przyjaciołom.

Rozległ się dzwonek do drzwi. Mary spojrzała na zegarek i wstała. Mój czas minął.

31

Śnieg padał od świtu. Lekkość puchu maskowała tempo i intensywność opadów. Tymczasem śnieg dochodził już do okien i zasypywał wejścia do budynków. Samochody i rowery utonęły w białej masie. Zanim wybiła siódma rano, ulica zupełnie zniknęła. Mnie jako Brytyjce śnieg kojarzył się dotychczas z bajkowym pyłem. Tymczasem w Nowym Jorku zapanował chaos, jakiego wróżka Dzwoneczek nie potrafiłaby sobie w ogóle wyobrazić. Śnieg zwalił się na Manhattan zupełnie bezceremonialnie i bez ostrzeżenia. Mieszkańcy Upper West Side wiedzieli, że należy się go spodziewać.

– Sporo nasypie – powiedział jeden ze srebrnowłosych właścicieli sklepu z wyrobami żelaznymi, który mijałam po drodze. – To taki prawdziwy północno-wschodni śnieg.

Tamtego ranka Nowy Jork na chwilę się zatrzymał. Nawet taksówki stanęły w miejscu. Na ulicach zapanowała cisza. Patrzyłam, jak śnieg zasypuje okna naszego mieszkania. Josh byłby tym zafascynowany. Śnieg w Nowym Jorku. O tym właśnie marzyliśmy. Tymczasem teraz, zamiast jeździć na plastikowych sankach, które kupiłam mu w sklepie z zabawkami na Amsterdam Avenue, Josh siedzi zapewne gdzieś tam w piekielnie gorącym mieszkaniu Nancy, szczelnie opatulony ubraniami.

Postanowiłam przedrzeć się tam przez zaspy. Może pozwolą mi go zabrać na sanki. Może będę mogła zobaczyć, jak radośnie bawi się w śniegu, jak korzysta z jego uroków, choćby nawet beze mnie.

Jeszcze wpatrywałam się w okno, gdy za moimi plecami pojawił się Jessie. Nie rozmawialiśmy od dwudziestu czterech godzin. Odkąd zabrano Josha, nie zamieniliśmy nawet słowa. Poprzednią noc musiał spędzić u Nancy i Howarda. Nie pytałam. Nie obchodziło mnie to.

Delikatnie zakaszlał, żeby dać mi znać, że się pojawił. Ja jednak nadal nie zwracałam na niego uwagi.

– Nancy i Howard proponują, żebyśmy spotkali się na lunchu – powiedział oficjalnym tonem, bez cienia emocji w głosie.

Nie odpowiedziałam. Uznałam ten pomysł za absurdalny. Jak ona śmie proponować mi wspólny posiłek po tym, jak porwała mojego syna?

– Anno, słyszałaś, co powiedziałem? – Jessie mówił nieznanym mi wcześniej, agresywnym tonem.

– Słyszałam. Ale nie zamierzam siadać do posiłku z ludźmi, którzy odebrali mi syna. Zmusiłeś mnie do tego, żebym znosiła wiele różnych potworności, ale nie możesz mnie zmusić, żebym poszła do restauracji z tą kobietą.

– Anno, udam, że tego nie słyszałem. Nancy chciałaby się spotkać, ponieważ jej też ta sytuacja nie odpowiada. Chciałaby pomóc. Zawsze chciała pomóc. Chcesz odzyskać prawo do kontaktów z Joshem czy nie?

Jessie i ja przedzieraliśmy się przez miasto. Przemokliśmy podczas drogi do i z metra, więc na miejsce – do wybranej przez Nancy restauracji, czyli La Grenouille położonej na 52 Ulicy między alejami Madison i Piątą – dotarliśmy przemoczeni. Nigdy nie myślałam, że przyjdzie mi spotkać się z nią w sytuacji, w której spod kaptura wystają mi mokre końcówki włosów, a czarne spodnie przyklejają się mokrymi plamami do nóg. Teraz jednak nie miało to dla mnie żadnego znaczenia.

Podczas nowojorskich śnieżyc wszyscy przechodnie mokli, czerwienieli na twarzach i marzli, a mimo to wyczuwało się ich radość i szczęście. W Nowym Jorku panowała niepisana zasada, że w takich okolicznościach wyciąga się z szafy buty z futerkiem i grube narciarskie kombinezony.

Nancy była jednak inna niż wszyscy. Tyle mogę o niej powiedzieć. Występowała w śnieżnej bieli: biała dopasowana kurtka wykończona futerkiem, biała jedwabna bluzka i biały kaszmirowy sweter, białe dżinsy i białe śniegowce.

Jakby czytając w moich myślach, Jessie wydał okrzyk zachwytu:

– Nancy, cała w bieli. Idealny strój na śnieg.

Denerwował mnie tak samo jak ona. Denerwowało mnie, że tu jestem. Denerwowało mnie, że Jessie pogrywał sobie moją nadzieją – złudną, jak już wtedy zaczynałam przypuszczać. Twierdził, że Nancy chce rozmawiać o możliwości wyjścia z tej całej „sytuacji".

Tymczasem Nancy zupełnie mnie zignorowała, Jessiego natomiast obdarowała czarującym uśmiechem. Wystawiła obute nogi w stronę schylonego pracownika szatni, który zręcznym ruchem zdjął jej śniegowce i odstawił je u siebie za ladą.

Jessie nie przestawał się zachwycać.

– Jakie cudowne miejsce. Można się było spodziewać, że właśnie coś takiego nam zaproponujesz.

Z białej torby marki Tod's Nancy wydobyła parę białych satynowych butów z odkrytą piętą, prawdopodobnie od Manolo Blahnika.

Odezwała się do mnie dopiero wtedy, gdy szatniarz zdjął z jej ramion kurtkę.

– La Grenouille rozpoczęła działalność w 1962 roku w trakcie śnieżycy, *n'est-ce pas?* Nie sądzisz, że to bardzo stosowne miejsce na lunch?

Nie zaszczyciłam jej odpowiedzią. Postanowiłam sobie, że nie będę się do niej odzywać, dopóki nie powie dokładnie, w jaki sposób zamierza nam pomóc. Jej widok uświadomił mi boleśnie, że najprawdopodobniej zamiast mi pomagać, postanowi ukarać mnie za próbę ucieczki. Przemokłam po drodze i teraz zaczęło mi się robić zimno. Dobitnie uświadomiło mi to, jak surrealistycznie oderwana od śnieżnej rzeczywistości atmosfera panuje w tej okraszonej złotem sali, przykuwającej uwagę lśniącymi lustrami, niskimi lampami stołowymi, śliwkowymi siedzeniami i białymi nakryciami, w której po czerwonym dywanie przemieszczają się nienagannie ubrani szefowie sali i kelnerzy w białych marynarkach.

Dostrzegłam dwoje dzieci w towarzystwie starszej pani. Chłopiec miał na sobie garniturek, a dziewczynka bladoniebieską jedwabną sukienkę, której uzupełnienie stanowiła dopasowana kolorystycznie opaska i para delikatnych zamszowych bladoniebieskich kozaków. Wszędzie widziałam dzieci. Wszędzie widziałam Josha. Gdzie on teraz jest? Z kim?

Nancy ruszyła do przodu, niemal zderzając się z mężczyzną w ciemnogranatowym garniturze, na którego tle wyróżniał się elegancki różowy krawat. Po krótkiej, ale zażyłej wymianie zdań mężczyzna ukłonił się i cofnął nieco, aby przepuścić ją w głąb restauracji. Nancy pomaszerowała przez środek sali do stolika, przy którym najwyraźniej miała zwyczaj siadać.

– Może usiądziesz tam? – Nancy wskazała czarnymi paznokciami krzesło ustawione tyłem do sali.

Usiadłam bez słowa. Kelner pospiesznym ruchem przesunął stolik w moją stronę, aby Nancy mogła zająć miejsce bez konieczności dotykania obrusa. Nancy umościła się na kanapie obok Jessiego. Podano nam menu. Nie słuchałam kelnera, gdy wymieniał specjalności dnia. Zauważyłam, że Nancy zachowuje się wyjątkowo spokojnie, jakby z rezerwą. Zważywszy, że często przychodzili tu na lunch, studiowała menu stosunkowo długo. Ja również się nad nim pochyliłam. Propozycje *déjeuner*, jak zapewne nazwałaby je Nancy, były stuprocentowo francuskie. W karcie na próżno szukać by czegokolwiek, co można by uznać za hołd dla kraju, w którym restauracja prowadzi swoją działalność.

– *Alors, nous sommes prêts?* – Nancy wypowiadała francuskie słowa z kliniczną precyzją – *Garçon!* – przywołała człowieka, który zdawał się bliższy wiekiem mojemu ojcu niż Joshowi – *Allons-y*.

Bez chwili wahania złożyła zamówienie, po czym równie zdecydowanym ruchem oddała kelnerowi menu i skupiła się na strzepywaniu nieistniejących pyłków z brzegów swoich kaszmirowych rękawów.

– Cóż, ja w przeciwieństwie do pani, całym sercem jestem Amerykaninem. – Howard uśmiechnął się dobrotliwie. – Poproszę kukurydziane naleśniki i smażoną wątróbkę cielęcą. Może nam pan podrzuci kartę win?

– Podajemy wątróbkę z patelni. Czy to panu odpowiada?

– Z patelni, smażoną, skwierczącą na tłuszczu. Wszystko mi jedno. – Uśmiechnął się szeroko.

Nancy zwykle śmiała się z jego kiepskich dowcipów. Dzisiaj jednak nawet na chwilę nie oderwała wzroku od swoich rękawów.

Jessie szorstkim tonem dorzucił swoje zamówienie.

– Tuzin ostryg i homar.

Nie wytrzymałam.

– Cóż za ekstrawagancja. Przecież ty nie lubisz ostryg. Świętujesz coś?

Jessie zupełnie mnie zignorował i zdecydowanym ruchem przekazał kartę kelnerowi. Popisywał się. Inaczej nie dało się tego wytłumaczyć. Wydawało mi się, że musi to mieć związek z faktem wkroczenia w ten świat, w ich świat, w świat nowych miliardów ze sprzedaży hot dogów. Jessie najwyraźniej sądził, że teraz musi zmienić swoje menu.

– Może lepiej butelkę szampana, Jess? – zaproponował Howard.

– Tak, właściwie dlaczego by nie. Dzisiaj nie pracuję. – Jessie uśmiechnął się szeroko. Jego uśmiech szybko jednak zniknął. On również zwrócił uwagę na milczenie Nancy i obserwował ją z nerwowym wyczekiwaniem.

Howard stukał paznokciami w kieliszek do wina.

– Jessie, jak ci się pracuje z Connorem?

Jessie nie odpowiedział.

Howard powtórzył pytanie.

– Dobrze – rzucił zdawkowo Jessie.

Przyglądałam się Nancy. Spodziewałam się, że gdy rozmowa zejdzie na temat nowej pracy Jessiego, zdecyduje się zabrać głos. Ona jednak sprawiała wrażenie całkowicie pochłoniętej czymś innym. Jeszcze parę dni wcześniej takie jej zachowanie wzbudziłoby mój niepokój. Teraz jednak się nie martwiłam. Najgorsze już się stało.

Podano nam przystawki. Żeby nie musieć wybierać, zamówiłam to samo co Nancy, czyli krem z zielonego groszku.

Nancy kilkakrotnie zamieszała łyżką w zupie, po czym pospiesznym ruchem uniosła ją do ust.

– Perfekcja gwarantowana – powiedziała. – W życiu tak rzadko można liczyć na jakiekolwiek gwarancje, prawda, Anno?

Nie odpowiedziałam. Milczenie było moją jedyną bronią. Zamierzałam ją wykorzystać, aby zmusić Nancy do podjęcia tematu Josha.

Nancy raz za razem przesuwała łyżkę po prostej linii prowadzącej od talerza do ust. Dlaczego jadła tak szybko? Co się działo? Wszyscy jedliśmy szybko, w tempie narzuconym przez Nancy. Obsługa, która zwykle pracowała bez pośpiechu, odebrała ten czytelny sygnał. Kelner szybko zabrał nasze talerze. W krótkim czasie pojawiło się też danie główne. Jessie i Howard krążyli wokół tematów biznesowych, wspominając o Connorze Flincie i filantropii. Ich rozmowie brakowało naturalnego rytmu, który zwykle występuje podczas wymiany zdań między ojcem a synem.

Nagle odezwała się Nancy:

– Właśnie, Anno… Rozmawiałam z twoją terapeutką.

Nie wspomniała jej imienia ani nazwiska. Dotychczas w żaden sposób nie kojarzyłam jej z Mary, chociaż to ona mnie z nią umówiła, za pośrednictwem jakiegoś znajomego. Zarumieniłam się na tyle, że po raz pierwszy tego dnia poczułam ciepło rozchodzące się po całym ciele. Nancy tak bardzo spieszyła się z jedzeniem, żeby dotrzeć do tego momentu. Jessie próbował nawiązać z nią kontakt wzrokowy, ale natrafił tylko na moje spojrzenie i zmarszczone czoło.

Nancy zdawała się nie zwracać na to uwagi.

– Sądzę, że osiągnęłaś już wszystko, co mogłaś. Zgadzasz się?

Dziwnie się czuję, gdy teraz o tym piszę, ale wtedy zmartwiło mnie, że już więcej nie spotkam się z Mary. Ona była jedynym stałym elementem w moim życiu, a teraz Nancy mi ją odbierała. Nie chciała, żebym spotykała się z jedyną osobą gotową mnie wspierać. Chyba naprawdę postanowiła mnie zniszczyć.

Nie miałam innego wyjścia, jak tylko podjąć walkę.

– Nancy, chciałabym porozmawiać o Joshu. O tym, jak pozwoliłaś go dociążyć. O tym, jak zabroniłaś mu wyjechać z kraju i odwiedzić moich rodziców, a jego dziadków. I o tym, jak zabraniasz mi kontaktów z moim własnym synem.

Spojrzała na mnie tylko przelotnie – tak jak się spogląda, gdy zaciekawi nas jakaś postać w metrze, ale nie chcemy się zbyt ostentacyjnie gapić.

– Ja zabraniam? – zapytała takim tonem, jak gdyby rzeczywiście interesowała ją odpowiedź.

– Daruj sobie te gierki, Nancy. Jessie powiedział, że chcesz się spotkać, ponieważ chcesz mi pomóc odzyskać Josha. No więc chcesz czy nie chcesz?

– Ujmując to na twój uroczy sposób, zdecydowanie nie chcę.

Nancy wstała – jej absurdalnie szczupła postać bez trudu prześlizgnęła się między stolikiem a kanapą – i poszła sobie.

Zwróciłam się do Jessiego, który odwrócił się do mnie plecami.

– To ona kłamała czy ty?

Zmarszczył brwi, ale nic nie odpowiedział.

32

Nancy z lubością wpatrywała się w okna w suficie mieszkania na 25. piętrze. W zamkniętych na stałe ramach zamontowano wzmacniane szyby. Nancy zachwycała się widokiem za nimi, zupełnie jakby chodziło o widok na Central Park, a nie o górną krawędź jednego z wielu budynków z czerwonej cegły i trochę chmur. Pośredniczka stała kilka kroków za Nancy z bardzo podobnym wyrazem twarzy. Miała trzydzieści parę lat. Na żywo wyglądała zupełnie tak samo jak na zdjęciu, które agencja umieszczała na swojej stronie internetowej przy wszystkich nieruchomościach, za które odpowiadała, jakby decyzje podejmowało się na podstawie aparycji pośrednika. Prezentowała się nienagannie. Eleganckim dopełnieniem jej stroju były kręcone blond włosy do ramion. Taką samą fryzurę miały też dwie inne pośredniczki w obrocie nieruchomościami, z którymi spotkałyśmy się wcześniej.

– Mieszkanie jest całkowicie odświeżone. – Kobieta przesunęła się w stronę drzwi. – Wyposażone w pralko-suszarkę Miele – zachwycała się, otwierając szafę przy wejściu.

Nancy nadal podziwiała widok.

Pośredniczka zaprowadziła mnie do kuchni, całej w stali nierdzewnej. Kuchnia znajdowała się w korytarzu, ale równie dobrze można by powiedzieć, że to korytarz znajdował się w kuchni. Wskazując ręką, powiedziała z nabożną czcią, jaką mieszkańcy Zachodniego Wybrzeża zwykli okazywać dalajlamie:

– Okno.

Nie widziałam tego okna. W ogóle nie patrzyłam na to mieszkanie.

Poprzedniej nocy Jessie szorstkim tonem poinformował mnie, że musimy się wyprowadzić z dotychczasowego lokum. Ministerstwo oczekiwało, że opuścimy je do końca miesiąca. Nancy miała nam znaleźć coś nowego. Nic mu na to nie odpowiedziałam, w ogóle nie zareagowałam. Przestało się dla mnie liczyć, gdzie mieszkamy. Co za różnica?

Spędzałam teraz dni, usiłując dojrzeć gdzieś Josha. Każdego ranka, gdy wszystkie matki już sobie poszły, ukrywałam się za ceglanym murem. Od czasu do czasu wystawiałam głowę i próbowałam wypatrzyć go w sali. Wydawał się zdrowy i szczęśliwy. Na ogół mnie to cieszyło. Dzięki Bogu, nie cierpi tak jak ja. Czasami jednak zdarzało się, że wpadałam w panikę. Mój syn za mną nie tęskni, zapomina o mnie. Dzieci bardzo łatwo przyzwyczajają się do określonego trybu dnia i szybko zapominają o tym, co było.

Pośredniczka spodziewała się odpowiedzi, ale ja nie potrafiłam nic z siebie wykrzesać. Ostatnio w ogóle prawie przestałam się odzywać. Teraz już nawet nie spotykałam się z Mary.

Kobieta zaczynała się niecierpliwić.

– Jest okno. A śniadania można jeść we wnęce jadalnej.

Ową „wnęką jadalną" okazała się przestrzeń pod oknem mierząca niespełna trzy metry kwadratowe, na której zmieściłyby się dwa taborety i malutki dwuosobowy stolik.

Przypatrywałam się temu wszystkiemu bez cienia zainteresowania. Nowy Jork był już gotowy na nadejście świąt, pełen eleganckich i delikatnych dekoracji. Ulice zostały przystrojone romantycznymi białymi lampkami. Nie mogłam patrzeć na te wszystkie demonstracje szczęścia. Wyobrażałam sobie, jak Josh ubiera choinkę w mieszkaniu Nancy. A potem zobaczyłam go w pewne sobotnie popołudnie, jak czekał w recepcji budynku. W tym samym czasie dwóch mężczyzn wniosło do środka wysokie i rozłożyste drzewko. Ja też czekałam, już ponad trzy godziny, żeby go wreszcie zobaczyć. Stałam po drugiej stronie ulicy i obserwowałam uważnie wejście do budynku przez lornetkę, którą Jessie kupił dla nas z myślą o podróżach po Ameryce.

Pośredniczka zasypywała Nancy szczegółami na temat luksusów dostępnych w klubie dla mieszkańców.

– Jest nawet spa dla zwierząt – powiedziała triumfalnym tonem. – Wisienka na torcie.

Nancy skinęła głową.

– Może pójdziemy zobaczyć klub dla mieszkańców? – Pośredniczka skierowała to pytanie do Nancy.

Ponieważ po raz kolejny nie uzyskała odpowiedzi, na jej twarzy zaczęło się malować wyraźne zdenerwowanie.

Zupełnie słusznie przypuszczała, że spośród naszej trójki to Nancy ma pieniądze. Jessie co prawda zarabiał teraz trzykrotnie więcej niż wcześniej, ale mimo to nie mógłby sobie pozwolić na wynajęcie tego mieszkanka bez jej pomocy. Czynsz za to pozbawione wyrazu pudełko na buty zlokalizowane na East 96th Street, między Drugą a Trzecią Aleją, wynosił 7 tysięcy dolarów miesięcznie. Nancy mogła sobie kupić prawo do wtrącania się w cudze sprawy. Mogła sobie kupić wszystko.

– Wydaje mi się... – powiedziałam w końcu.

Pośredniczka rzuciła mi badawcze spojrzenie.

– To mieszkanie nie spełnia naszych potrzeb. Widzi pani, mam małego synka, ma na imię Josh. Jakoś sobie nie wyobrażam, żebyśmy mieli z nim mieszkać na tak wysokim piętrze.

Chciałam, żeby Nancy zaprzeczyła, że mam syna. Wtedy sprawa zostałaby wreszcie postawiona jasno. Ona się jednak nie odezwała.

Pośredniczka zmarszczyła brwi.

– Szkło jest bezpieczne. W żadnym z tych mieszkań nigdy nie było żadnych problemów. Żadnych.

Na to Nancy stwierdziła:

– Musi je jeszcze obejrzeć Jessie. To on zdecyduje.

Nie pierwszy raz Nancy podważyła mój autorytet. Zdarzało jej się robić znacznie gorsze rzeczy. Ale miałam już wszystkiego dość. Szczerze dość.

– Nancy, to ma być mój dom. To ja mam tu wkrótce zamieszkać z moim mężem i synem, z Joshem. I ja ci mówię, że nie będziemy mieszkać w tym wieżowcu.

Poczułam nagły przypływ odwagi i spojrzałam jej prosto w oczy.

Nancy wzruszyła ramionami i powiedziała lodowatym tonem:

– W takim razie Josh zostanie ze mną. I zadbam o to, żebyś go nigdy więcej nie zobaczyła.

Postawiła sprawę jasno. Nareszcie.

– Szantażujesz mnie, Nancy? Takie właśnie można odnieść wrażenie: moje życie za mojego syna.

Pośredniczka odsunęła się od nas pospiesznie, kierując się do drzwi wejściowych. Gdy tam dotarła, ostentacyjnie otworzyła teczkę i wyjęła z niej miniaturowego MacBooka Air.

Usłyszałam, jak drzwi się zamykają. Nancy zacisnęła usta.

– Właśnie tak, właśnie to zamierzam zrobić.

Cały jej blask gdzieś zniknął. Wyglądała ponuro.

33

Podczas wizyty u fryzjera bieg życia ulega zawieszeniu, szczególnie jeśli się przyszło na farbowanie włosów. Potrzebowałam takiej chwili przerwy.

Od Bożego Narodzenia nie mogłam wytrzymać w mieszkaniu. Nawet jego zapach działał mi na nerwy. Pomimo mrozu godzinami spacerowałam po ulicach, pokonując kolejne przecznice i starając się wypatrzyć Josha. Tego dnia rano udało mi się do niego pomachać. Czekałam na tę chwilę od wielu tygodni. Gdy w końcu trafiłam na właściwy moment, Josh odmachał mi zupełnie zwyczajnie, jakbyśmy mieli zobaczyć się zaraz po jego zajęciach. Jakby wszystko było normalnie. Bardzo mnie to zabolało. Zabolało mnie tak mocno, że myślałam, że więcej tego nie zniosę. Czasami zdarzało mi się pokonać dwadzieścia przecznic i w ogóle tego nie pamiętać. Nie zwracałam uwagi ani na to, co mijałam, ani na to, co miałam przed sobą. Ciągle czułam się zmęczona, a mimo to przez cały czas chodziłam.

Tego dnia w jakiś sposób dotarłam z ulic o numerach powyżej dziewięćdziesięciu do tych z szóstką z przodu. Nagle, bez żadnego konkretnego powodu, zwróciłam uwagę na ulicę numer 61. Ta ulica nie ma w sobie nic charakterystycznego ani znaczącego. Skręciłam w nią, kierując się ku jej zacienionemu i brudnemu odcinkowi między alejami Drugą i Trzecią. Było zimno i ciemno. Szłam przed siebie zupełnie bez celu. Jak zwykle ostatnimi dniami. Chociaż to miejsce bardziej przypominało tunel niż ulicę, w pewnym momencie zadarłam głowę do góry. Wtedy właśnie rzuciły mi się w oczy naklejone na szybie czarne litery układające się w napis „Ken's Salon". Fryzjer w bocznej uliczce. To był najsilniejszy bodziec, z jakim zetknęłam się tamtego dnia, a także w ciągu wielu poprzednich dni, które zlewały się w kolejne tygodnie. Wchodząc po zniszczonych schodach przykrytych dywanem, poczułam ból w łydkach.

Nawet jak na Japończyka, Ken był wyjątkowo szczupły. Z całej jego szarej postaci wyróżniały się tylko rude pasemka wśród czarnych włosów. Rude pasemka cieszyły się najwyraźniej dużą popularnością w tym salonie, ponieważ zauważyłam je również u dwóch innych fryzjerów i jednego z klientów. Za bulwiastym kontuarem wykonanym z białego plastiku stała kobieta, ani młoda, ani szczupła. Z całą pewnością nie była Japonką. Jej bezkształtne ciało wieńczyła czerwona twarz, a z ust padały słowa wypowiadane z typowym wibrującym akcentem z Bronxu.

– Witam, co słychać? – zaskrzeczała na mój widok.

Wzruszyłam ramionami. Nie miałam ochoty na pogaduszki.

– Czy Ken mógłby mnie ostrzyc i pofarbować mi włosy?

Zapytałam o Kena tylko dlatego, że zobaczyłam jego imię na brudnej szybie. Nie miałam ochoty wdawać się w dyskusje na temat fryzjerów.

– Jasne, jasne. Ken będzie wolny za dziesięć minut.

– Jej dwie łapy chwyciły mnie pod ręce. – Rany, jaka zimna. Pewnie już czeka, aż się zrobi ciepło, co? Jak dla mnie też jest cholernie zimno.

Nie bardzo wiedziałam, co powiedzieć.

– No dobrze, rozgości się.

W tym obskurnym salonie fryzjerskim czułam się bardziej jak w domu niż w naszym mieszkaniu.

Podeszła do mnie niewysoka Rosjanka z tlenionymi włosami i szerokim uśmiechem na ustach.

– Umyję pani włosy.

Dziewczyna była drobnej postury i miała drobne palce, a mimo to zaczęła wbijać je w odpowiednie punkty na mojej głowie z siłą świdra. Czułam się potwornie.

– Dobrze, czy siła nacisku pani odpowiada?

Skinęłam potakująco głową. Moje ciało i umysł pozostawały w całkowitym bezruchu. Mniej więcej po pięciu minutach poczułam lekkie oszołomienie. Gdy w końcu uniosłam szyję znad zlewu, moja głowa wydawała się oddzielona od reszty ciała.

Ken zaprosił mnie na obrotowe krzesło przy samej witrynie. Pasemka przydawały jego twarzy ostrzejszych rysów. Stanął za mną i zaczął uważnie przyglądać się odbiciu moich włosów w lustrze.

– Widzę tu cieniowanie.

Potwierdziłam skinieniem głowy.

– To nie dodaje fryzurze gładkości. Jaka długość?

– Ujął w dłonie końcówki moich włosów.

– Jak pan uważa... – nie byłam w stanie podjąć choćby nawet najbardziej banalnej decyzji.

Skinął potakująco, po czym zaczął się wpatrywać w czubek mojej głowy.

– Nie zaszkodziłyby pasemka, ale raczej delikatne.

Przytaknęłam. Chciałam, żeby już w końcu zaczął. Chciałam schować się pod warstwą mokrych włosów i zamknąć oczy. Ucieszyłam się, że siedzę przyklejona do fotela z głową zwieszoną nad kolanami. Na szczęście Ken nie był specjalnie rozmowny. Pracował powoli, powiedziałabym, że starannie. Owijał kolejne pasemka folią, a następnie zawijał je jak małe pierożki. W równym tempie przewracałam strony czasopisma z fryzurami. Oglądałam kolorowe zdjęcia opalonych szczęśliwych dziewczyn z włosami prostowanymi albo upiętymi w kok, poskręcanymi albo zaplecionymi w warkocz, uczesanymi w pazurki albo lokowanymi. W porównaniu z nimi czułam się blada, krucha i mało wyrazista. Im szybciej przewracałam strony, tym bardziej podobne do siebie stawały się poszczególne modelki. Kiedy Ken w końcu stwierdził, że mogę wstać, zobaczyłam w lustrze szmacianą lalkę owiniętą w folię.

Ken dotykał po kolei zwitków folii, jakby chciał je sprawdzić.

– Zostawię panią na chwilę.

Wstałam, żeby pójść do łazienki. Chcąc ominąć Kena, obeszłam z lewej strony krzesło na metalowej nodze. Zwróciłam się w stronę oklejonej napisem szyby i spojrzałam w dół na ulicę. Jakaś Chinka pchała metalowy wózek z praniem, elegancki biznesmen gdzieś się spieszył – całkowicie pochłonięty pisaniem SMS-a próbował wyprzedzić parę ludzi.

Para szła, trzymając się za ręce, a ich ramiona kołysały się niczym wahadła szczęścia. Z tej odległości trudno było dostrzec uśmiechy na ich twarzach. Ale na pewno się uśmiechali, i to szeroko. Po chwili prawie zniknęli mi z oczu, ponieważ częściowo zasłoniła ich furgonetka stojąca po prawej stronie ulicy przy samym skrzyżowaniu z Trzecią Aleją. Pocałowali się. Dwoje ludzi całowało się, gorąco pragnąc stać się jednością. Sądzili zapewne, że zasłaniają ich samochody. Nie przypuszczali, że ktoś mógłby obserwować ich z góry. Zachowywali ostrożność nawet wtedy, gdy okazywali sobie uczucie. Już nie widziałam ich wyraźnie. Może w ogóle nigdy ich tam nie było. W pewnym sensie żałowałam, że zostałam wyrwana z błogiej nieświadomości. Wolałabym nie zobaczyć wtedy Jessiego, ale nie czułam zupełnie nic, nawet rozczarowania. Żadnego gniewu, żadnej złości. Byłam zupełnie wyzuta z wszelkich emocji.

Jeszcze raz spojrzałam w dół. Już ich nie było, zniknęli nie wiadomo gdzie.

Dalej patrzyłam przez okno, obserwowałam kolejnych ludzi. Po drugiej stronie ulicy zatrzymała się granatowa furgonetka. Kierowca obszedł pojazd dookoła i odblokował tylne drzwi. Pasażer otworzył je na oścież i wszedł do środka. Przepchnął cały stojak z ubraniami w stronę kierowcy. Ubrania w foliach z pralni chemicznej kołysały się na boki. Mężczyźni zdjęli stojak na ziemię, a potem postawili go na chodniku. Poprowadzili go w kierunku Drugiej Alei, znikając z mojego pola widzenia.

Życie w Nowym Jorku toczyło się dalej swoim normalnym torem.

34

Folie potwornie mnie ziębiły. Gwoli ścisłości, nie tyle folie, ile przestrzenie między nimi, w które wdzierał się lodowaty wiatr mknący wzdłuż Trzeciej Alei.

Stałam w oknie przez dobrych kilka chwil, zanim dotarło do mnie, co muszę teraz zrobić. Nie zabrałam płaszcza. Chwyciłam tylko torebkę spod fotela i wybiegłam z salonu. Nikt nie próbował mnie zatrzymać. Może uznali, że wyszłam na papierosa. Może nic ich nie obchodziło. A może za mną wołali, tylko ja nie usłyszałam.

Nie miałam zamiaru przegapić tej okazji. Osiągnęłam stan pełnej świadomości, pełnej przytomności umysłu. Trzymałam się jedną przecznicę za nimi, doskonale zdając sobie sprawę z tego, co właśnie robię. Zamierzałam iść za nimi, aż dotrą do celu. Ta myśl ani mnie nie przerażała, ani nie niepokoiła. Wprost przeciwnie, nadeszła wreszcie moja długo wyczekiwana chwila prawdy. Podążając za nimi, uświadomiłam sobie, że od początku wiedziałam, o co w tym wszystkim chodzi. To było jasne jak słońce. Tylko że ja wolałam pozostawać w ciemności.

W końcu weszli do budynku. Jeszcze zanim doszłam do drzwi, stało się dla mnie jasne, że mieści się tam tani hotel wątpliwej klasy. Czegóż innego można się było spodziewać? Sięgnęłam do torby po portmonetkę, żeby zobaczyć, ile mam przy sobie gotówki. Myślałam o tym, żeby zapłacić recepcjoniście za informacje. Okazało się jednak, że mam tylko pięćdziesiąt dolarów. Wydawało mi się mało prawdopodobne, aby taka kwota mogła kogokolwiek przekupić, nawet słabo opłacanego pracownika ze środkowej części Manhattanu. Zaczęłam się zastanawiać, czy może dałoby się coś załatwić za pomocą karty kredytowej. Powoli otworzyłam białe laminowane drzwi. Przy recepcji ich nie było. Nie było tam zresztą nikogo, w szczególności recepcjonisty. Nie wiedziałam, co dalej robić. Nagle zabrakło mi determinacji. Hotel Chrysler View nie mógł prowadzić zbyt wielu pokoi... i na pewno nie wszystkie były zajęte. Może zdołam ich usłyszeć? Drżąc z zimna, spojrzałam na stolik z tworzywa sztucznego, który pełnił funkcję lady recepcyjnej. Na blacie leżał duży zeszyt. Jak należało się spodziewać, wpisywano tam nazwiska klientów meldujących się w hotelu. Odwróciłam go w swoją stronę. Pod dzisiejszą datą widniały tylko dwa nazwiska. Żadne z nich nie było tym, którego szukałam. Zaczęłam przewracać kartki. Hotel miał jeszcze mniej klientów, niż przypuszczałam. Dotarłam do pierwszego stycznia. Nigdzie nie znalazłam nazwiska, którego szukałam. Obeszłam stolik dookoła. Nie miał żadnych szuflad. Gdzie powinnam szukać zeszytu z zeszłego roku? Szafka stojąca za krzesłem była zamknięta, ale gdy zaczęłam rozglądać się za innymi potencjalnymi schowkami, uderzyłam nogą o czerwoną wersję notatnika leżącego na ladzie. Musiałam przewertować wpisy z kilku miesięcy, zanim je znalazłam. Każdy kolejny dzień, w którym się nie pojawiało, tylko zwiększał moją determinację. Właśnie – nie byłam ani zła, ani smutna, byłam zdeterminowana.

Dziewiąty września. Dzień po naszym wspólnym wyjściu do opery. Jakie to oczywiste. Pokój numer 4. Czy tyle miesięcy później wybrali ten sam pokój?

Staroświeckie klucze z plastikowymi prostokątnymi brelokami wisiały na ponumerowanych haczykach zamocowanych w klasycznej skrzyneczce. Nic prostszego!

Stojąc przed drzwiami oznaczonymi lekko przechyloną na lewo mosiężną czwórką czułam jakieś dziwne ożywienie. Spodziewałam się, że jeszcze na korytarzu usłyszę okrzyki podniecenia. Tymczasem panowała tam całkowita cisza. Zaczęłam się zastanawiać, czy ta cała scena na ulicy przypadkiem mi się nie przyśniła. Byłam w tak kiepskim stanie, że nie zaskoczyłoby mnie, gdybym dostała halucynacji. To jednak nie były omamy, to wszystko działo się naprawdę. Po raz pierwszy od miesięcy wszystko zaczynało mieć sens. Nie oszalałam. Zostałam doprowadzona do szaleństwa.

Przez chwilę czekałam w bezruchu. Położyłam torbę na ziemi przy drzwiach i nachyliłam się, żeby wyciągnąć z niej iPhone'a. Uznałam, że jestem gotowa. Ostrożnie przekręciłam klucz, przygotowałam aparat do filmowania i po cichu nacisnęłam mosiężną klamkę. Otworzyłam drzwi lewą ręką, a w prawej wyciągniętej do przodu trzymałam telefon. Nie patrzyłam na scenę rozgrywającą się na łóżku, obserwowałam ją tylko na ekranie telefonu. Nancy miała na szyi łańcuch, którym została przykuta do zagłówka łóżka. Nie przypięta kajdankami, tylko przykuta masywnym niby-przemysłowym metalowym łańcuchem. Była naga. Na to akurat byłam przygotowana. Zaskoczył mnie natomiast brak włosów łonowych. Wydało mi się to fascynujące i makabryczne zarazem. Jessie też był nagi. Klęczał z boku na wysokości jej kostek. Trzymał w dłoni czarny pejcz, którym smagał ją po piersiach. Ona wydawała z siebie jęki, a wtedy on mocniej pocierał jej łechtaczkę. Nie spuszczałam wzroku z wyświetlacza iPhone'a. Pokój wydał mi się klaustrofobiczny. Ciężko mi się oddychało, więc starałam się tym bardziej skupić wzrok na telefonie. Nie ruszałam się z miejsca. Nie miałam zamiaru przed nią uciekać. Czekałam, aż na mnie spojrzy, a na jej twarzy pojawi się ten jej złośliwy uśmieszek. Ona jednak nie patrzyła w moim kierunku. Zastanawiałam się, jak długo to jeszcze może trwać i jak długo ja to wytrzymam. W końcu Nancy osiągnęła orgazm. Jessie rzucił pejcz na amarantową podłogę i poluzował łańcuch wokół jej szyi. Nancy zaczerpnęła powietrza jak kurczak z farmy, któremu w ostatniej chwili odroczono wyrok. Jessie już był na górze, już w nią wchodził. Nagle Nancy odwróciła posiniaczoną szyję i mnie spostrzegła. Stałam schowana za telefonem i obserwowałam jej reakcję na ekranie. Spodziewałam się szerokiego uśmiechu, a tymczasem zobaczyłam przerażenie, jeszcze większe niż moje. Nancy próbowała zrzucić z siebie Jessiego, on jednak napierał z jeszcze większą siłą i przemocą, wciskając jej nadgarstki jeszcze mocniej w poliestrową narzutę.

– Nie! – krzyknęła.

Jessie zasłonił jej usta, wciskając dłoń głęboko w jej zapadające się policzki. Nie przestawał. Nancy próbowała się spod niego uwolnić, ale bezskutecznie.

Teraz to ja mogłam się uśmiechnąć do ekranu. Gdy Jessie wreszcie skończył i osunął się na jej ciało, odwróciłam się i cicho zamknęłam za sobą drzwi.

Obeszłam z boku fotel na metalowej nodze i ponownie zasiadłam przed lustrem w salonie fryzjerskim Kena. Ken odstawił kawę i podszedł do mnie z niewyraźnym uśmiechem. Bez słowa sprawdził stan foliowych pierożków, kiwając przy tym głową. Uśmiechnęłam się, wstałam i pomaszerowałam do Rosjanki, która czekała na mnie przy umywalce.

35

Przyglądając się z podziwem własnej fryzurze odbijającej się w szybie zakładu, zadzwoniłam do Mary. Zostawiłam jej wiadomość, po czym wsiadłam do taksówki i podałam kierowcy adres jej gabinetu. Musiałam kilkakrotnie naciskać dzwonek, zanim w końcu otworzyła drzwi.

Sprawiała wrażenie przestraszonej.

– Anno, jaka ładna fryzura. Mam teraz klienta.

– Muszę z tobą porozmawiać. – Sama sobie wydałam się dość asertywna.

– Teraz nie mogę cię przyjąć. Przykro mi, Anno. – Mary zmarszczyła brwi.

– Proszę, Mary. Muszę z tobą porozmawiać – nie miałam nikogo innego, z kim mogłabym się podzielić moim mrocznym odkryciem.

Spojrzała na mnie beznamiętnie.

– Przykro mi Anno, mam teraz klienta.

Zaskoczyła mnie. Podczas naszego poprzedniego spotkania okazała mi tak dużo życzliwości, deklarowała gotowość zeznawania na moją korzyść. Musiała też rozmawiać o mnie z Nancy.

Nagle przyszła mi do głowy pewna myśl.

– Czy to dlatego, że już nie jestem twoją klientką?

Mary wykonała ręką bliżej nieokreślony gest.

– Nie, Anno, naprawdę nie.

Ja jednak uchwyciłam się tej jakże przykrej myśli.

– Oczywiście zapłacę za sesję. – Nagle poczułam się jak człowiek, który nawiązuje przyjaźń z prostytutką i który dopiero poniewczasie uświadamia sobie, że ona nie pójdzie z nim do łóżka, jeżeli nie otrzyma pieniędzy. – Według aktualnej stawki – podjęłam jeszcze jedną desperacką próbę.

– Anno – Mary westchnęła i odwróciła głowę. Ponieważ podczas naszych dotychczasowych spotkań zawsze wpatrywała się swoim nieprzeniknionym wzrokiem prosto we mnie, stało się dla mnie jasne, że chodzi o coś bardzo poważnego.

Zaczęłam główkować.

– Czy czymś cię uraziłam?

Martwiłoby mnie, gdybym uraziła Mary. To było bardzo dziwne. Mimo że tego dnia wydarzyło się tak wiele, przyjaźń z Mary wydawała mi się ważna, niezbędna do życia.

– Niee... – Wyczuwała moje zdenerwowanie, więc powiedziała uspokajająco: – W gabinecie naprawdę czeka na mnie klient. Anno, może mogłabyś przyjść później?

– Nie mogę, naprawdę nie mogę.

Mary miała zamiar zamknąć drzwi i zostawić mnie samą z tą potworną prawdą, którą właśnie odkryłam. Musiałam jej powiedzieć.

– Właśnie widziałam Nancy w trakcie... widziałam, jak uprawia seks sado-maso z moim mężem.

Chyba bardzo chciałam uwierzyć, że wyraz jej twarzy się zmienił. W rzeczywistości jednak nie zmienił się wcale. Stała przed na wpół otwartymi drzwiami z tymi samymi warkoczami co zawsze i w tej samej długiej sukience, w której widywałam ją już tyle razy. Różnica polegała na tym, że tym razem Mary milczała. Nie zadała mi żadnego terapeutycznego pytania. Właściwie należałoby stwierdzić, że tym razem po prostu nie zamierzała podejmować tematu.

– Jessie smagał ją pejczem – dodałam. Chciałam od niej uzyskać tę reakcję, na którą sama nie potrafiłam się zdobyć.

Mary milczała dalej. Nie rozumiałam, co się dzieje.

W końcu, nie bardzo wiedząc, co jeszcze mogłabym powiedzieć, zaczęłam na nią naciskać.

– Pewnie stwierdzisz, że sobie to wszystko wyobrażam. Wiem, że zachowywałam się trochę jak wariatka. Ale ja nie zwariowałam. Naprawdę ich widziałam. Byłam razem z nimi w hotelu – przerwałam na chwilę.

Mary nadal nie odezwała się ani jednym słowem. Nie wyglądała na zaskoczoną, zdenerwowaną ani w żaden inny sposób wytrąconą z równowagi. Stała przede mną zupełnie odrętwiała. Odzwierciedlała moje uczucia.

Szybkim ruchem sięgnęłam prawą ręką do torebki.

– Nagrałam to wszystko na iPhone'a. Naprawdę.

– Nie chcę tego oglądać, Anno – odezwała się w końcu.

Głos jej lekko drżał.

Zarzuciłam poszukiwania telefonu i skupiłam uwagę na niej.

– Wydajesz się… – nie do końca potrafiłam scharakteryzować jej emocje. – No nie wiem. Co teraz myślisz?

Prawie się uśmiechnęłam. Zapytałam Mary o to, jak ona się czuje. Sytuacja miała w sobie coś z groteski.

Odpowiedziała mi automatycznie:

– To nie o mnie tu chodzi, Anno.

Po tym stwierdzeniu nie padło jednak żadne pytanie. Powoli zaczynało do mnie docierać, że nie chodzi wyłącznie o to, że stoimy przed drzwiami do jej gabinetu i że nie odgradza nas od siebie mur berliński w postaci haftowanego podnóżka. Coś się zmieniło.

– Nie sprawiasz wrażenia zaskoczonej. O co chodzi, Mary?

Odezwała się tonem najłagodniejszym z łagodnych:

– Anno, naprawdę uważam, że powinnaś już iść.

Zabolało mnie, że nie chce ze mną rozmawiać. Odwróciłam się. Minęłam białe gałęzie znikające w głębokich wazonach i pokonałam trzy schody oraz nieco podniszczoną furtkę z kutego żelaza, po czym znalazłam się na ulicy.

Nie potrafię wyjaśnić, co mnie skłoniło, by się odwrócić i jeszcze raz na nią spojrzeć. Chciałabym sądzić, że instynkt, ale pewnie się mylę.

Mary stała zwrócona twarzą w stronę korytarza. Zamiast jednak w nim zniknąć i czym prędzej wrócić do swojego gabinetu i czekającego na nią klienta, stała z dłońmi zaciśniętymi w pięści i przyciśniętymi mocno do czoła. Wydała z siebie bolesne westchnienie, jak ktoś, kto próbuje stłumić krzyk udręki.

Jednak ją to wszystko obchodziło. Poczułam nagły przypływ ciepła, jakie odczuwa się w atmosferze przyjaźni.

Mary zdawała się mówić coś do siebie przez zaciśnięte zęby. Nie słyszałam słów, ale też nie musiałam ich słyszeć. Po raz pierwszy potrafiłam jednoznacznie odczytać wyraz malujący się na jej twarzy. Wiedziałam, co myśli. Widziałam jej emocje. To musiało być poczucie winy, nie było innego wytłumaczenia.

Cofnęłam się i ciągle jeszcze licząc, że się mylę, zapytałam ją o to wprost:

– Mary! Czy ty wiedziałaś, że Nancy pieprzy się z moim mężem?

Cały czas trzymając przy czole dłonie zaciśnięte w pięści, Mary przechylała głowę to w jedną, to w drugą stronę.

– Anno, proszę, proszę.

– Powiedz mi, Mary – wyszeptałam. Nie mogłam zapanować nad drżeniem szczęki.

– Proszę – nalegała.

– Mary! – wykrzyknęłam, nie mogąc już tego znieść.

– Nie powinnam przyjmować was obu. Pod żadnym pozorem. To był błąd.

Nagle mój głos stał się jakby surowy.

– Jesteś terapeutką Nancy.

To nie było pytanie.

Mary wypuściła powietrze nosem. Usta jej drżały.

– Prowadzę terapię Nancy od dwudziestu lat. Tak mi przykro, Anno.

Już nie potrafiła na mnie spojrzeć.

Teraz to ja zadawałam pytania.

– Naprawdę, jest ci przykro? – powiedziałam chłodno. – Czy ty się w ogóle zastanowiłaś, co robisz?

– Anno, naprawdę bardzo cię polubiłam. I naprawdę się o ciebie martwiłam.

Mary rzeczywiście się tym przejmowała, ale mnie to nie obchodziło. Oszukała mnie. Potrząsanie jej tłustymi ramionami przyszło mi z łatwością, sprawiło mi wręcz przyjemność. Okazywanie okrucieństwa sprawiało mi radość, jaką sprawia często dzieciom. Radość, którą daje zrzucenie szmacianej lalki z balkonu na siódmym piętrze i obserwowanie jej bezradnego lotu i upadku.

– Anno, proszę...

– Wiedziałaś, do czego Nancy jest zdolna. Wiedziałaś, że chce odebrać mi syna, męża i całe moje życie. – Wypowiadając te słowa, poczułam dotkliwy żal. – I powiedziałaś mi, że sobie to wszystko wyobrażam?!

– Anno, przepraszam bardzo, ale nigdy nie komentowałam twoich przemyśleń.

Cofnęła się krok w głąb korytarza. Stałam w bezruchu z rękami skrzyżowanymi na piersiach, w pozycji, która przywodziła mi na myśl kojące wspomnienie mojej matki.

– Przychodziłam tu, żeby ci się zwierzać. Tobie, jedynej osobie w całym Nowym Jorku, której mogłam zaufać. Zabawne, prawda?

Mary zaczerwieniła się.

– Wiesz, że gdybym była Amerykanką, to pewnie bym cię za to pozwała do sądu... – Zaśmiałam się, chociaż wcale mnie to nie rozbawiło.

Mary wyciągnęła rękę w kierunku mojego ramienia, jakby chciała okazać mi w ten sposób troskę. Zignorowałam ten gest.

Gryzła usta tak mocno, że zrobiły się czerwone.

– Nancy mnie do tego nakłoniła. Naprawdę. Musiałam jakoś z tym żyć.

Jak śmie się usprawiedliwiać!

– Nigdy, przenigdy ci tego nie wybaczę! Za pieniądze wydobywałaś ode mnie zwierzenia, informacje o moim życiu po to, żeby mnie zniszczyć. Chyba nie zaprzeczysz?

Odwróciłam się do niej plecami, a potem jeszcze rzuciłam jej spojrzenie i uśmiech przez ramię. Taki sam uśmiech, jaki posłałam Nancy.

– To teraz wyjawię ci mój sekret, Mary. Zamierzam opublikować ten filmik.

– Dlaczego miałabyś to zrobić, Anno?

Zastosowała jedno ze swoich terapeutycznych pytań, tylko że tym razem nie bardzo potrafiła ukryć niepokój.

– Żeby odzyskać Josha i żeby Nancy dostała to, na co zasługuje. Bo ja na to wszystko nie zasłużyłam.

– Ja też nie – wyszeptała. – Naprawdę nie.

Nagle przestała wyglądać młodo jak na swój wiek.

36

Zatrzymałam dziką taksówkę, czarnego cadillaca. Jej kierowca, starszy człowiek, wydawał się spokojny i uprzejmy. Bez zastrzeżeń przyjął moje ogólnikowe wytyczne: „Górny Manhattan". Zawrócił samochód. Rozsiadłam się wygodnie na skórzanej kanapie. W głowie miałam kompletną pustkę, jakby mój umysł zawiesił się gdzieś poza ramami mojego życia. Równie dobrze mogłabym być turystką, która zjawiła się tu tylko po to, żeby spróbować południowej kuchni i wypatrywać Billa Clintona. W tamtym momencie to miejsce przepełniało mnie spokojem. Dojechaliśmy do 120 Ulicy i wtedy stwierdziłam, że czas zawrócić.

Jadąc niezmiennie Central Park West, dotarliśmy do południowej granicy parku. Wpatrywałam się w wieżowce Manhattanu. Podczas wizyt w parku jakoś nigdy im się nie przyglądałam. Przypomniały mi najlepszy widok, jaki można zobaczyć w Nowym Jorku, widok z brzegu jeziorka położonego w środku parku. Gdy tu przyjechaliśmy, miałam w zwyczaju biegać dookoła tego zbiornika kilka razy w tygodniu. Nieraz zdarzyło mi się prawie stracić równowagę, kiedy próbowałam obserwować zmieniającą się z każdym krokiem niczym w kalejdoskopie panoramę – od wież East Side poprzez mur zabudowań centralnej części Manhattanu, aż po ceglasty bezład Upper West Side.

Kierowca zwolnił i odwrócił się w moją stronę:

– Dokąd chce pani jechać?

Mogłam pojechać tylko w jedno miejsce.

Deszcz ze śniegiem przestał padać, ale na zewnątrz zrobiło się bardzo szaro. Budynek 740 Park Avenue prezentował się jeszcze bardziej ponuro niż zwykle. Taksówka zatrzymała się przed wejściem. Zaraz po wyjściu z samochodu zostanę powitana i zaprowadzona do odpowiedniego mieszkania. A tam będę musiała spotkać się z Howardem, a także z Nancy. Nie mogłam oderwać się od kanapy. Nie przyjechałam tu rozmawiać z Nancy. Co właściwie miałam zamiar zrobić?

– Wysiada pani? – w głosie taksówkarza dało się słyszeć zniecierpliwienie.

– Nie. Zapłacę panu, ale proszę tu ze mną poczekać.

Zmierzył mnie wzrokiem.

– Dobrze.

Odwrócił się i siedzieliśmy przez chwilę w ciszy. Mogło się nic nie wydarzyć. Może tak to właśnie w życiu bywa. Nagle jednak na ulicy pojawił się człowiek, którego często widywałam w holu budynku. Nawet jeśli mnie poznał, w żaden sposób tego nie okazał. Nachylił się do okna kierowcy. Mój towarzysz opuścił szybę, ale nie odezwał się ani słowem. Mężczyźni w milczeniu skinęli sobie głowami.

– W czym mogę pani pomóc? – głowa wciśnięta przez uchyloną przednią szybę zwróciła się w moją stronę.

Ku własnemu zaskoczeniu zdobyłam się na zupełnie racjonalną odpowiedź.

– Dziękuję. Czekam na kogoś.

– Czy życzy sobie pani, żebym poinformował tę osobę, że się pani pojawiła?

Mogłam powiedzieć, że nie. Nie mogłam jednak pozwolić, aby mnie stąd wyrzucił.

– Państwo Wietzman. Nancy Wietzman.

Portier skinął potakująco.

Znowu poczułam dudnienie w głowie. Wywołała je myśl o bezpośrednim kontakcie z Nancy. Co ja tu właściwie robię? Czy staram się doprowadzić do konfrontacji? Nachyliłam się, żeby coś powiedzieć do taksówkarza. I wtedy ją zobaczyłam, całą w bladych odcieniach szarości: szary długi zamszowy płaszcz, szare spodnie, szara kaszmirowa bluzka i szara torebka, pewnie od Chanel. Swobodna gładka twarz, blond włosy. Pomimo nowo zdobytej siły na jej widok poczułam się malutka. Zaraz podejdzie do samochodu. Prawdopodobnie przedstawi jakieś usprawiedliwienie dla swojego zachowania. Tymczasem Nancy przemaszerowała zdecydowanym krokiem od granitowego wejścia do rogu ulicy, po czym wsiadła do samochodu.

Patrząc, jak znika w środku i jak kierowca zamyka za nią drzwi, uświadomiłam sobie, że potrzebuję jakiegoś finału, który ukoiłby mój ból.

– Proszę jechać za tamtym samochodem.

Tekst jak z filmu. Zachowywałam idealny spokój.

Kierowca odwrócił się do mnie.

– Przykro mi, ale będę musiał panią poprosić, żeby pani tu wysiadła.

– W porządku. Naprawdę, rozumiem. Ile jestem panu winna?

– Powiedzmy, że czterdzieści dolarów.

– W porządku – kierowcy dzikich taksówek zawsze zdzierali skórę z klientów.

Wręczyłam mu gotówkę i szybko wysiadłam drzwiami od strony ulicy. Zatrzymałam żółtą taksówkę. Dopiero kiedy z lekkim szarpnięciem ruszyła za czarnym samochodem znajdującym się sześć czy siedem pojazdów przed nami, uświadomiłam sobie, że zostawiłam płaszcz w poprzedniej taksówce. Zdałam sobie z tego sprawę, ale się tym nie przejęłam. Przez całe życie gubiłam różne rzeczy.

Mój plan zakładał, że pojadę za Nancy. Niczego więcej nie przewidywał. Przejechaliśmy przez miasto 79 Ulicą, aby w końcu skręcić w Broadway. Dopiero widok Lincoln Center uświadomił mi, że Nancy jedzie do opery. Jej samochód zatrzymał się przy kompleksie. Wysiadła i poszła prosto przez plac otwierający się przed głównym budynkiem. Nancy poruszała się powoli, ale zdecydowanie. Zapłaciłam taksówkarzowi i wysiadłam. Bez płaszcza było mi zimno, chłodne powietrze wdzierało mi się pod ubranie. Spokojnie szłam za nią. Weszła przez główne wejście i zaczęła się powoli wspinać po schodach wyłożonych czerwonym dywanem. Zanim doszłam do głównych drzwi, zniknęła mi z pola widzenia. Otworzyłam je i po chwili znalazłam się pośrodku holu na parterze. Nie do końca przekonana, czy dalej chcę śledzić Nancy, wpatrywałam się w żyrandol i w obraz Chagalla. W budynku było pusto. Ostatecznie postanowiłam wejść na pierwsze piętro. Nigdzie ani śladu Nancy. Stałam przez chwilę na środku klatki schodowej. Potem powoli ruszyłam w stronę foyer. Usiadłam po turecku na czerwonym dywanie. Odczuwałam przemożną potrzebę snu. Zapadłam w lekką drzemkę, z której wyrwały mnie głosy. Nie potrafiłam odróżnić słów.

Potem usłyszałam głos Nancy:

– Wprost nie mogłoby być lepiej. Wspaniale. Bardzo mnie to cieszy.

Nie wychwyciłam odpowiedzi.

– Tak, musimy, jak najszybciej. Minęło już stanowczo za dużo czasu – znów Nancy.

Nagle się pojawiła. Słyszałam, jak ta druga osoba rusza na górę schodami. Nancy zatrzymała się na chwilę i spoglądała w dół. Ostre czubki jej butów wystawały nad krawędzią górnego stopnia schodów. Nie chwyciła poręczy. Jedną rękę położyła na torebce, która ledwie trzymała się na okrytej jedwabiem łopatce drugiego ramienia. Z drugiej ręki luźno zwisał płaszcz. Głowę miała lekko pochyloną w dół, jak w pokornym ukłonie, a na jej twarzy malowało się jeszcze większe napięcie niż zwykle. Przyglądałam się jej tylko przez chwilę – Nancy w całej okazałości.

Doskoczyłam do niej. Wyglądała na przerażoną, jakby została napadnięta przez brutalnego przestępcę, przez złodzieja. Wyraz jej twarzy podziałał na mnie jak płachta na byka, ale postanowiłam nie dać się sprowokować. Czekałam. Chciałam, żeby to ona zaczęła mówić, żeby zaczęła się płaszczyć. Nagle chwyciła mnie za łokcie tymi swoimi kościstymi rączkami stanowiącymi zakończenie ramion przypominających skrzydełka kurczaka. Jak na kogoś tak subtelnego zachowała się bardzo brutalnie. Potrząsała mną i przepychała mnie, najwyraźniej próbując powalić mnie na ziemię. Byłam tak zszokowana tym szaleńczym atakiem, że przez chwilę nie wiedziałam, jak się bronić. W końcu jednak rozstawiłam szerzej nogi. Nancy szarpała mnie na prawo i lewo, nieudolnie naśladując techniki judo. Wobec mojej dobrej równowagi i siły, jej starania na niewiele się zdały. Przez mocno zaciśnięte zęby wydała z siebie pisk. Bez żadnego ostrzeżenia zrobiła wymach nogą i pociągnęła mnie za łydkę. Przewracając się, chwyciłam jedyną rzecz pozostającą w zasięgu ręki: Nancy.

Pomimo tej niesamowitej demonstracji siły Nancy nie była w stanie zapewnić mi oparcia. Ważyła zbyt mało, by stanowić rzeczywisty opór. Chwytając ją, odzyskałam jednak równowagę na tyle, że zatrzymałam się zaledwie o stopień niżej.

Nie widziałam ani nie słyszałam, jak spada obok mnie po schodach. Musiałam zamknąć oczy i zasłonić uszy. Gdy w końcu spojrzałam w dół, zobaczyłam ją – stertę kości – na podłodze. Poczułam ulgę. Wreszcie zniknęło napięcie, które odczuwałam gdzieś w głowie. Natychmiast jednak tego pożałowałam. Przeraziła mnie myśl o konsekwencjach tego wydarzenia. Pobiegłam do niej, pokonując po kilka schodów naraz. Przecież nie mogła nie żyć!? Czy można się zabić, spadając z tak niedużej wysokości? Leżała w bezruchu, w całkowitym bezruchu. Ostrożnie uniosłam jej dłoń i zaczęłam szukać pulsu. Żyła, oddychała. Miała na wpół otwarte oczy. Odskoczyłam do tyłu. Nie przychodzi mi do głowy nic bardziej adekwatnego niż porównanie jej do hollywoodzkiego czarnego charakteru, który niespodziewanie powraca do świata żywych. Ogarnęło mnie przerażenie. Stałam niespełna metr od niej, ale po chwili podeszłam nieco bliżej. Odsunęłam jej brzeg bluzki i zaczęłam przyglądać się siniakom. Naprawdę tam były. Odsunęła głowę, żeby uwolnić się od mojego dotyku. Ja jednak ściskałam mocno jej szyję, pragnąc dodać jeszcze siniaka od siebie. Spojrzała na mnie szeroko otwartymi oczami. W jednym z nich pojawiła się łza. Przypuszczam, że z bólu. Otworzyła usta, ale nie słyszałam, żeby cokolwiek powiedziała. Gdy wstałam, usta miała cały czas otwarte.

Jej upadek rozbudził we mnie ogrom emocji. Po nerwowych poszukiwaniach wyciągnęłam z torebki telefon. Wybrałam numer alarmowy.

Nancy zamknęła usta i oddychała ciężko przez nos.

– Boże, wybacz mi.

Nigdy do końca nie uwierzę, że faktycznie to powiedziała i że te słowa rzeczywiście płynęły z serca. Wydawało mi się jednak, że właśnie to usłyszałam.

37

Karetka pomknęła Amsterdam Avenue, w równomiernych odstępach dało się słyszeć dźwięk syreny. Nie patrzyłam, jak odjeżdża. Po prostu sobie poszłam. Nie zatrzymałam taksówki – miałam mnóstwo czasu. Przyglądałam się ulicy. Spośród budynków wyzierały błękitne połacie nieba, promienie światła i nadziei przedzierały się przez beton. Mimo wszystko Nowy Jork nadal mnie fascynował. Spacer przez Central Park był wspaniałym doświadczeniem. Przeszłam obok zoo, wspominając liczne cudowne chwile, które spędziłam tam z Joshem, gdy jeszcze wszyscy byliśmy tak szczęśliwi.

Usłyszałam dźwięk telefonu. Nie spieszyło mi się, żeby po niego sięgać. Zadzwonił znowu. Powoli zanurzyłam rękę w torebce. Czy powinnam odsłuchać wiadomość? Wahałam się.

„Cześć, mówi Yolanda. Mam twoje kremy. Zadzwoń do mnie".

Nie mogłam uwierzyć, że nagrała mi coś takiego. Ponownie odtworzyłam wiadomość.

„Cześć, mówi Yolanda. Mam twoje kremy. Zadzwoń do mnie".

Uśmiechnęłam się, niemal się roześmiałam. Rozpierała mnie radość.

„Cześć, mówi Yolanda. Mam twoje kremy. Zadzwoń do mnie".

Mówiła pewnym, zupełnie zwyczajnym tonem. Czyli to jednak nie ja. Wcale nie zwariowałam.

„Cześć, mówi Yolanda. Mam twoje kremy. Zadzwoń do mnie".

Żadnego zażenowania, żadnego poczucia winy. Wprost nie mogłam uwierzyć w to, co właśnie usłyszałam. Od tygodni nic mnie tak nie uszczęśliwiło. Idąc przez park, odtworzyłam tę wiadomość jeszcze wiele razy.

Zadzwoniłam do niej.

– Yolanda? Cześć, mówi Anna Wietzman. Nawet nie wiesz, jak mi ulżyło, gdy odsłuchałam twoją wiadomość.

– Nie ma sprawy – powiedziała chłodno.

– Masz moje kremy... – zawahałam się przez chwilę, szukając odpowiednich słów – to naprawdę świetnie, bo to znaczy, że nie zwariowałam. Samych kremów już nie potrzebuję. Dziękuję.

Zawiesiłam głos jeszcze na chwilę, po czym rzuciłam spontanicznie:

– Może masz ochotę zjeść ze mną lunch? Chciałabym cię o coś zapytać, a mam trochę czasu do zabicia.

Cieszyłam się, że Nancy trafiła do New York Presbyterian Hospital. Uznałam, że będzie to dobre zakończenie mojej historii. Zamierzałam uzyskać zadośćuczynienie nie tylko dla siebie, ale również dla Sharon, która zabiła się, ponieważ nie mogła znieść presji wywieranej na mieszkańców tego miasta przez ludzi takich jak Nancy.

Nancy straciła wszystkie kolory, a makijaż zszedł już wiele godzin temu, więc jej cera barwą przypominała owsiankę. Bezbronna Nancy przedstawiała sobą skrajnie niecodzienny widok. Nie odezwała się nawet słowem, chociaż weszłam do jej pokoju bez pukania. Rzuciłam jej przelotne spojrzenie, a potem podeszłam do okna. Poczułam na twarzy fizyczne ciepło promieni słonecznych zza okna oraz emocjonalne ciepło, którego źródło stanowiła myśl o Joshu.

– Muszę ci podziękować, Nancy.

Spojrzała na mnie nieufnie i z niepokojem, który zapewne wzmagał się dodatkowo pod wpływem dokuczającego jej bólu.

– Dzięki tobie dowiedziałam się wielu rzeczy o tym mieście. O prawnikach, o policji, o systemie edukacji, a nawet o opiece społecznej. – Odwróciłam się twarzą do niej. – A teraz dowiaduję się też ciekawych rzeczy o prasie. Kiedyś nie wiedziałabym, do kogo iść z taką historią.

Zakaszlała niezdrowo. Usiłowała unieść dłoń do ust, ale kroplówka ograniczała jej ruchy.

– Oczywiście oddam ci Josha w zamian za te taśmy.

– Nancy, ty głuptasie. – Przechyliłam głowę na bok, chcąc wyrazić w ten sposób dezaprobatę w typowo nauczycielski sposób. – Jak na kogoś tak dobrze zorientowanego w sprawach seksu, wydajesz się bardzo mało zorientowana we współczesnym świecie. Nie taśmy, tylko nagrania.

Oparłam się o kaloryfer pod oknem i skrzyżowałam ręce.

– Przykro mi Nancy, ale obawiam się, że na to jest już za późno.

Próbowała usiąść, żeby ratować część utraconego autorytetu.

– Już sprzedałam materiał do „New York Posta". Świetna gazeta. Nawet nie zdawałam sobie sprawy, że macie tu własny sprośny tabloid.

– A co z Joshem?

– Ależ, Nance. Rozczarowujesz mnie. Taka intrygantka popełnia taki szkolny błąd. Czy sądzisz, że po tym, jak gazeta opublikuje wasze zdjęcia, zachowasz prawo do kontaktów z Joshem? Nawet jeśli odbędzie się jakakolwiek rozprawa, z pewnością wygram z tobą i Jessiem. Nawet twój drogi Harry Finklemann tak uważa.

– Powiem, że przeszłam załamanie nerwowe.

Nachyliłam się nad jej łóżkiem.

– Bujda stara jak świat, nie uważasz? Chyba raczej nie przysłużyłoby się to twojej fundacji i twoim znajomościom, nie sądzisz? Ani trochę. Szaleństwo. Ludzie się boją, że mogliby się zarazić. Zwłaszcza ludzie w tym mieście.

Nancy ponownie odkaszlnęła. Tym razem udało jej się sięgnąć dłonią do ust. W jej twarzy dostrzegłam mrok. Nienawidziła mnie tak samo jak ja jej.

– Jesteś taka drobnomieszczańska, Anno. – Zacisnęła wargi. Z kącika ust sączyła jej się ślina.

– Tak, prawdopodobnie masz rację. Przypuszczam jednak, że to samo można by powiedzieć o ludziach pokroju rodziców Pameli. Tacy ludzie nie lubią skandali. Tworzą zamknięty krąg. Albo się do niego należy i wtedy postępuje się zgodnie z regułami gry, albo się z niego wypada.

Nancy splunęła, wracając w ten sposób do życia.

– A tobie brakuje wiary w siebie, żeby oderwać się od głównego nurtu.

– Ach, więc tak postrzegasz swoje zachowanie? Byłabym zapomniała o twoim małym sekrecie.

Jej twarz rozpromieniła się w autentycznym wyrazie dumy. Wspomnienie sceny sado-maso wyraźnie poprawiło jej humor. Nie mogła się oprzeć.

– Mówiono mi, że mam doskonałe piersi.

Spojrzałam na nią z politowaniem.

– Czy zdajesz sobie sprawę, jakie to żałosne?

– A czy ty wiesz, jak to jest móc smagać Jessiego po jajach skórzanym pasem?

Przełknęłam ślinę. Mało brakowało, a straciłabym panowanie nad sobą.

– Masz tyle pieniędzy i taką władzę, a tak naprawdę zawsze zależało ci tylko na zainteresowaniu.

– Znowu odwróciłam się do niej tyłem. – Ale wiesz co? To tylko dodaje pikanterii tej historii, i za to jestem ci dozgonnie wdzięczna.

– Jesteśmy dorośli i nikt nikogo do niczego nie zmuszał – podjęła jawnie rozpaczliwą próbę obrony.

Przegrała i doskonale zdawała sobie z tego sprawę.

– Niestety, z punktu widzenia gazet, twoich znajomych i opieki społecznej równie istotne znaczenie jak wiek i zgoda, ma wasz stan cywilny.

Ten moment wyznaczał koniec mojego małżeńskiego życia, koniec mojej podróży z Jessiem. Odtąd będziemy już zawsze stać po przeciwnych stronach barykady, nie będziemy już sobie wzajemnie pomagać. Mimo wszystko poczułam żal.

Zapadła między nami cisza. Co zupełnie zrozumiałe, możliwość kontrolowania tej rozmowy sprawiła mi dużą przyjemność. Cieszyło mnie, że teraz to ja mogę bawić się uczuciami Nancy i okazywać jej wyższość. To mi jednak nie wystarczało. Chciałam zobaczyć na jej twarzy winę i wstyd. Sęk w tym, że ona nie czuła ani winy, ani wstydu. Pozostała zupełnie beznamiętna, całkowicie obojętna na problemy większości kobiet.

– Dlaczego postanowiłaś zrujnować mi życie? – zapytałam cicho. Bardzo chciałam zadać jej to pytanie.

Nancy przez chwilę milczała, zastanawiając się nad odpowiedzią. Polizała usta, a potem z trudem wzięła oddech.

– W ogóle o tobie nie myślałam.

To było proste stwierdzenie faktu, nie przeprosiny. Mimo to wyczułam w tych słowach prawdę.

– Nie, nie myślałaś – uśmiechnęłam się. – Ale będziesz musiała myśleć o mnie w przyszłości, musisz myśleć o mnie teraz.

Chłonęłam ją wzrokiem: jej elegancję, jej kościstość, jej ewidentną zamożność, która uwidaczniała się w aroganckim wyrazie twarzy, jej spaczone poczucie własnej wartości. Po raz ostatni starałam się ogarnąć pełnię tego koszmaru, którym się dla mnie stała. Ona też się we mnie wpatrywała, ale nawet teraz, po tym wszystkim, nie potrafiłam zinterpretować wyrazu jej twarzy. Wyszłam z pokoju, pozostawiając otwarte drzwi.

38

Złożyłam egzemplarz „New York Posta". Nie spodziewałam się, żeby ten skandal miał totalnie zrujnować życie Nancy, ale pewnie przez jakieś półtora roku będzie na cenzurowanym.

Nasz domofon wydał z siebie przenikliwy pisk. Gdy portier poinformował mnie o pojawieniu się gości, spodziewałam się, że to Jessie odprowadza Josha. Nie postawił nogi w naszym mieszkaniu od czasu „incydentu" w hotelu. Dźwięk tego słowa teraz sprawiał mi radość.

Tymczasem w otwartych drzwiach zobaczyłam Howarda. W marynarce w kratkę jego i tak spora klatka piersiowa prezentowała się jeszcze bardziej okazale, natomiast nogi w granatowych luźnych spodniach i wsuwanych butach pod kolor sprawiały wrażenie nad wyraz szczupłych. Spod brązowej kraciastej marynarki wystawała granatowa kraciasta koszula. Ubraniowa schizofrenia najwyraźniej wzięła górę nad golfową nijakością.

Nie chciałam mieć już więcej do czynienia ani z Nancy, ani z Howardem. Potem zobaczyłam, że za nim stoi Josh. Odebrało mi mowę. Howard odsunął się na bok, ja się schyliłam i chwyciłam Josha w ramiona. Napawałam się jego dotykiem i zapachem.

– Mamusiu. – Tylko połowicznie odwzajemnił mój uścisk, po czym się cofnął. Mimo to chwyciłam go ponownie. Łaskotałam go i kołysałam nim w powietrzu.

Chichotał z radości i już po chwili znalazł się znowu w moich ramionach. Uścisnęłam go, a on roześmiał się po raz kolejny. W końcu zwróciłam się do Howarda, nadal obejmując Josha. Ledwo przecisnął się przez drzwi, ponieważ otworzyłam tylko jedno skrzydło. Zastanawiałam się, czy powinnam otworzyć również drugie. Czy on zamierza wejść do środka?

Nie bardzo wiedział, co powiedzieć.

– Jak sama widzisz, przyprowadziłem Josha, ale zastanawiałem się też, czy może nie poszlibyśmy razem na brunch. Nic specjalnie wyszukanego. Na rogu niedaleko twojego poprzedniego mieszkania jest naprawdę świetna knajpka.

Poszliśmy zatem do restauracji. Dla postronnego obserwatora stanowiliśmy bardzo przyjemny obrazek: dziadek, matka i syn. Był słoneczny lutowy dzień, mniej więcej dziesiąta rano. Usiedliśmy w jednym z boksów na lśniąco czerwonych kanapach. Siedziałam tuż obok Josha, żeby móc go trzymać za rękę i czuć, jak się o mnie ociera.

Howard zamówił naleśniki jagodowe z podwójną porcją frytek i bekonem. Zastanawiałam się, czy często to robi – czy często ucieka przed Nancy do takich jaskrawo oświetlonych jadłodajni, w których serwują tłuste, kaloryczne posiłki. Prowadziliśmy niezobowiązującą pogawędkę na temat pogody i najbardziej autentycznych nowojorskich knajpek. Zaczynałam wątpić, czy Howard przedstawi mi w końcu prawdziwy powód swojej wizyty.

Podano nam jedzenie. Josh miał przed sobą talerz bekonu, ja zamówiłam jajka Benedict. Poprosiłam o dolewkę kawy. Gdy podszedł do nas kelner z pełnym dzbankiem, Howard również poprosił o uzupełnienie zawartości kubka.

– Kiedy byłem dzieckiem, przychodziłem tu z babcią. Pamiętam deser lodowy. To była prawdziwa uczta.

Ciekawiło mnie, czy przypadkiem nie wspomina o tym tylko po to, żeby jakoś nawiązać do wydarzeń z ostatnich miesięcy. Nie miałam do niego żadnych pretensji. Właściwie to było mi go żal, ale nie mogłam mu w żaden sposób pomóc.

Wyciągnął serwetkę spod kołnierzyka koszuli.

– Chciałem z tobą porozmawiać. Hej, Josh, może pójdziesz usiąść tam, na tym wysokim krześle barowym i zajmiesz się kolorowanką, którą ci dałem?

Josh spojrzał na mnie pytająco.

– Tylko na parę minut, kochanie. – Wstałam, żeby go wypuścić, i uścisnęłam, zanim ruszył w stronę wskazanego krzesła.

Obserwowałam go kątem oka. W tym czasie Howard uniósł w górę dłonie. W jednej z nich trzymał serwetkę.

– Do diaska, nie jestem na ciebie zły. – Zakaszlał. – Nancy zrobiła coś znacznie gorszego.

Nie patrzyłam na niego. On nie patrzył na mnie. Każde z nas czuło ból tego drugiego, szanowaliśmy się jednak na tyle, żeby nie poruszać tego tematu.

Howard westchnął ciężko.

– Szalona kobieta.

W jego głosie pobrzmiewał głęboki smutek, a jednocześnie przebaczenie. Ja nie potrafiłam się na to zdobyć, ale podziwiałam go za to.

– Nie wiem, co powiedzieć. Kocham tę sukę.

Nadawałby się do roli w westernie albo do starego filmu Francisa Forda Coppoli.

Zaśmiałam się.

Jego poczerwieniała twarz nieco się rozjaśniła.

– Teraz oczekuje, że to ja będę prowadzić tę jej fundację. Jezu! Ale to już mój problem. Bardziej się martwię o was, dzieciaki.

Przestałam się uśmiechać.

– Nie jesteś starym piernikiem, jak ja. Jesteś młodą, atrakcyjną kobietą. Masz swobodę wyboru. Zdaję sobie z tego sprawę.

Nie przerywałam mu. Zresztą i tak nie miałam nic do powiedzenia.

– Możesz ułożyć sobie życie na nowo. Czasami przed problemami nie da się uciec – ciągnął. – Nie powiem, żebym był dumny z mojego syna i z tego, co zrobił. Boże broń! Gdyby Nancy nie dostała fioła na jego punkcie...

Zdenerwowałam się, słysząc imię Nancy wplecione w rozważania na temat Jessiego.

– Mój mąż, a twój syn pieprzył twoją żonę, Howard. Tu nie ma o czym rozmawiać.

– To wielka intrygantka. Wiem coś o tym, jest moją żoną.

Gestem przywołałam kelnerkę.

Howard mówił dalej łamiącym się głosem:

– Dobrze, posłuchaj. Zrobiła dużo okropnych rzeczy. Chyba najgorsza ze wszystkiego była ta cała zmyślona bzdura na temat opieki społecznej. – Spuścił wzrok.

– Już się tym zajęłam – powiedziałam szorstko.

Obserwowałam go trochę jak przypadkowy świadek przypatrujący się całej tej scenie z drugiego końca restauracji. Widziałam jego palący wstyd.

– Zasiadała w zarządzie przedszkola, więc zgodzili się, by to ona skontaktowała się z opieką społeczną w imieniu placówki. Nigdy tego nie zrobiła. Nie było żadnej sprawy, żadnej dokumentacji, nic. Ona to wszystko wymyśliła. – Wzruszył ramionami. – Przedszkole jej uwierzyło, bo w końcu to przecież Nancy.

Cóż ja mogłam na to powiedzieć? Wytrwałam w milczeniu.

Howard dodał pospiesznie:

– Chciała mieć Jessiego i Josha. Chciała, odkąd... przepraszam, że o tym wspominam, odkąd zapłaciła za twój zabieg. Uważała, oczywiście zupełnie niesłusznie, że Josh jest jej dzieckiem.

Już nie mogła zrobić mi krzywdy. Już nie.

Uniósł dłonie, jakby chciał przybić piątkę w powietrzu.

– Słuchaj... – Nagle zerwał się od stolika. – Skarbie, pomogę wam obojgu jak najszybciej się stąd wydostać. Choćby nie wiem co.

Nie zaskoczyłoby mnie bardzo, gdyby po tych słowach podał mi zwitek banknotów. On tymczasem podał mi tylko rozluźnioną dużą dłoń. Zarzuciłam mu ręce na szyję i uściskałam. Odniosłam wrażenie, że próbuje się na mnie wesprzeć. Tylko że ja nie mogłam i nie chciałam stać się dla niego oparciem.

Myślami krążyłam już nad Heathrow...

We właściwym sobie stylu Howard załatwił nam apartament na pokładzie Queen Mary 2. Kontener z całym naszym dobytkiem miał podróżować z nami, pod pokładem. Gdy tamtego ranka pojawili się ludzie od przeprowadzek, Josh uznał, że wracamy do Anglii wszyscy razem. Nie wyprowadzałam go z błędu.

343

Wychodziłam z założenia, że w Anglii łatwiej mi będzie mu to wszystko wytłumaczyć.

Coś mi mówiło, że powinnam się spodziewać telefonu od Jessiego. Gdy rozległ się dzwonek, najpierw wzięłam głęboki oddech, a dopiero potem skierowałam się do aparatu.

Usłyszałam, że Josh dotarł do słuchawki pierwszy.

– Cześć, tatusiu. Gdzie jesteś?

Odpowiedź musiała być krótka, bo już chwilę później ponownie odezwał się Josh:

– Dobrze, dam ci... – choć i tak miał zamiar przekazać mi słuchawkę, jak zawsze zawiesił na chwilę głos – mamę.

Stałam jak wryta.

– Maaaaamuuuuuuuussssssssiiiiiiiuuuuu. Tatuś dzwoni.

Przeszłam z kuchni do salonu. Josh zdążył już odłożyć słuchawkę na podłogę. Nie mogłam złapać tchu. Nie miałam pojęcia, jaki głos wydobędzie się za chwilę z moich ust.

– Halo.

– Anna.

Nic więcej nie powiedział. Spodziewałam się, że wyrecytuje przygotowane wcześniej przeprosiny, przedstawi rozwlekłe wytłumaczenie, da wyraz swojej miłości. Strumień świadomości na zakończenie. Siedziałam po turecku na drewnianej podłodze w salonie. Zaczęłam się zastanawiać, czy przepaść między nami jest tak wielka, że nie będziemy w stanie odbyć nawet krótkiej rozmowy. Mieliśmy się już nie spotkać przed rozstaniem. Nie potrafiłam sobie wyobrazić innego scenariusza.

– Musimy porozmawiać o Joshu.

Poczułam skurcz w żołądku i instynktownie spojrzałam na Josha, który siedział w szerokim rozkroku na podłodze.

– Pomyślałem sobie, że może byłoby lepiej zrobić to przy drinku. Co sądzisz?

Próbowałam zyskać na czasie:

– Właśnie przyjechali ludzie od przeprowadzki...

On powiedział pospiesznie.

– Tak. Tak, oczywiście.

Na dłuższą chwilę zapadła między nami cisza. W mojej głowie roiło się jednak od myśli. Wpadłam na pewien pomysł.

– A może spotkamy się w Rain?

To był nasz ulubiony bar znajdujący się naprzeciwko naszego starego mieszkania, efektowny lokal z tajskimi motywami. Współczesny wystrój, dużo hałasu. Doskonale pasował do mojego planu.

– Tak, świetny pomysł. W porządku – w jego głosie pobrzmiewała wdzięczność. Tak łatwo poszło.

Uśmiechnęłam się sama do siebie.

– Dobrze, a zatem Rain, przy barze, w południe?

Niechętnie zostawiłam Josha z opiekunką z klubu dziecięcego dla mieszkańców. Weszłam do baru Rain piętnaście minut przed czasem. Chciałam zapewnić sobie przewagę. Chciałam zdążyć rozsiąść się na krześle przy barze i zdobyć kontrolę nad sytuacją. Miałam na sobie czarne legginsy, ciemnomusztardowe wysokie buty i dziewczęcą czarną wyszywaną bluzkę. Teraz już tylko pozory niewinności mogły dodać mi uroku.

Zamówiłam kieliszek wina. Lada baru przypominała kształtem miarkę kuchenną o długiej rączce. Wokół niego poustawiano kwadratowe stołki w kolorach mysim i czekoladowym. Nikogo więcej przy nim nie było. Lampy powieszono nisko nad ciemnymi drewnianymi meblami, a tajskie menu typu fusion lepiej by się nadawało na kolację niż na lunch.

Nie odwracałam się do drzwi i nie wypatrywałam go. Wdałam się w pogawędkę z barmanem. Opowiadał, że wychował się w Greenwich, a potem przeprowadził do Nowego Jorku. Studiował w Julliard School, w klasie mezzoaltu. Entuzjastycznie kiwałam głową za każdym razem, gdy dodawał kolejny szczegół swojej historii. Nie chciałam, żeby sobie poszedł, więc próbowałam dać mu w ten sposób do zrozumienia, że go słucham. Kelner przywołał go na drugą stronę baru. Walczyłam ze sobą, żeby się nie odwracać. Starałam się nie patrzeć na zegarek. Nie wypić całego wina. Zajrzałam do menu i postanowiłam zamówić wołowe chilli, żeby ponownie przywołać do siebie barmana, żeby dalej słuchać historii o jego pierwszym roku studiów w Julliard School. Nagle poczułam dotyk dłoni na ramieniu. Dotyk, który należałoby określić jako leciutkie muśnięcie.

Postanowiłam się nie odwracać. Zamierzałam stanąć na wysokości zadania i odegrać rolę mojego życia.

Energicznie podniosłam głowę i spojrzałam na niego.
– Cześć, Jessie.

Od kilku godzin zastanawiałam się, czego właściwie od niego oczekuję i co zamierzam zrobić. Nie myślałam o tym, kogo przed sobą zobaczę. Spodziewałam się tego samego zdrowo wyglądającego Jessiego z błyskiem inteligencji w oku. Tymczasem jego cera, cała pokryta plamkami, miała lekki odcień zieleni, a w jego spojrzeniu próżno by szukać dawnej energii.

– Napijesz się czegoś? – zapytał zdenerwowanym głosem, jakby nie widział stojącego przede mną kieliszka.

– Oczywiście. – Usmiechnęłam się.

Jessie spojrzał na mnie nerwowo, po czym szybko skierował wzrok na kelnera. Z jego oczu bez trudu można było wyczytać, że chce jak najszybciej złożyć zamówienie. Barman jednak zauważył go dopiero po chwili.

– O, jest już pani przyjaciel – powiedział wesoło i swobodnie, jak podczas naszej wcześniejszej rozmowy.

Nie poprawiłam go.

– Tak, przyszedł – potwierdziłam równie entuzjastycznie.

Barman zwrócił się do Jessiego:

– Dla pana też sancerre?

– Tak. Tak, poproszę. – Jessie robił wrażenie zdezorientowanego.

– Pan też jest malarzem?

Jessie zaprzeczył ruchem głowy. Zmieniłam ułożenie nóg, niechcący go przy tym trącając. Barman nalał Jessiemu kieliszek wina, wdając się z nim w krótką pogawędkę. W końcu dotarło do niego, że już nie mamy ochoty na jego towarzystwo, i poszedł.

– Więc – rzuciłam Jessiemu kolejny subtelny, ale zdecydowany uśmiech. – Chciałeś porozmawiać?

– Tak. Tak, przepraszam. Trochę się w tym wszystkim pogubiłem. – Wpatrywał się z uwagą w okrągły podnóżek przymocowany do krzesła barowego. – Wyglądasz… świetnie. Boże, mam ci tyle do powiedzenia. Nie wiem…

Czekałam. Niestety przed oczami stanął mi obraz zadartych i krwawiących sutków Nancy.

– Cóż więcej mogę powiedzieć ponad to, że jest mi strasznie przykro, że tak bardzo cię skrzywdziłem. Wiem, że nie przyjmiesz moich przeprosin. Ja pewnie też bym ich nie przyjął.

Nużyło mnie to. Zdawałam sobie sprawę, że powie mi więcej, niż chciałabym usłyszeć. Zdawałam sobie sprawę, że będzie chciał wyznać wszystkie swoje grzechy. Cóż to by była za zabawa, gdyby na koniec o wszystkim mi nie opowiedział?

– Trudno to wyjaśnić. Chyba po prostu najdoskonalszą przyjemność można osiągnąć tylko poprzez ból.

To na pewno wymyśliła Nancy. Intelektualna analiza seksu sado-maso.

Jessie milczał przez chwilę.

– Nie będę się bronić. Mojego zachowania... nie mogę w żaden sposób usprawiedliwić, ani przed sobą, ani tym bardziej przed tobą.

Słowa, słowa, słowa – trafiały jak kulą w płot.

Siedzieliśmy przodem do baru, poszukując wyjścia z impasu niezaprzeczalnych faktów. Posłałam Jessiemu cierpki uśmiech, który on, zgodnie z moimi przewidywaniami, potraktował jako zachętę do kontynuowania wcześniejszych wywodów.

– Mogę tylko wyjaśnić, jak do tego wszystkiego doszło. Jeżeli to miałoby w czymkolwiek pomóc, mogę przedstawić prawdziwy przebieg zdarzeń.

Milczałam. Nie miałam ochoty zapoznawać się z „prawdziwym przebiegiem zdarzeń", ale chyba nie miałam wyboru.

– Zgubiłem kurs, chyba po prostu straciłem równowagę. W życiu człowieka liczy się tylko poczucie emocjonalnego osadzenia w czymś. I ja to straciłem.

To nie jest wymówka, ja to tak właśnie teraz widzę. Ale to się skończyło. Naprawdę się skończyło – mówił spokojnie, beznamiętnie.

Wpatrywałam się w przestrzeń za barem, w te wszystkie butelki ustawione w rządkach pod ścianą. Tyle różnych drinków, tyle czystych alkoholi i koktajlowych kombinacji, które tylko czekają, aby stać się przedmiotem najwyższego pożądania i zawrzeć w kieliszku lub szklance doznanie doskonałe – w nadziei, że poprzez zagłuszanie rzeczywistości mogą wprowadzić człowieka w stan euforii.

– Nancy zadzwoniła do mnie zaraz po powrocie z opery. Wyglądało na to, że mnie potrzebowuje.

Głos Jessiego pobrzmiewał wyraźnie, ale jakby z daleka.

– Zwolniłem się z pracy, wymawiając się chorobą. Poszedłem się z nią spotkać... w tamtym hotelu...

Zaczerwieniłam się, co przywołało mi na myśl mało przyjemne wspomnienie Mary. To niesprawiedliwe i nie w porządku, że on mi o tym wszystkim opowiada. Ale to znacząco ułatwia sprawę. Zresztą jakaś część mnie pragnęła poznać wszystkie szczegóły.

– To było bardzo fizyczne, bardzo agresywne. Nie mam słów, żeby o tym opowiedzieć.

– Cóż, mnie się wydawało, że dość dobrze się bawicie. Tym bardziej żałuję, że nigdy nie zostałam zaproszona do tej zabawy.

Jessie był zaskoczony, co mnie niepomiernie rozbawiło. Wziął łyk wina i ostrożnie odstawił kieliszek.

– Wiesz, że chciałem wzbogacić moje życie o coś więcej niż tylko doświadczenia zawodowe. Chciałem się dowiedzieć , jak to jest znaleźć się poza głównym nurtem.

Znów usłyszałam Nancy, ale mimo to powiedziałam spokojnie:

– Tak, zdaję sobie z tego sprawę. Ale to chyba mimo wszystko zbytek perwersji wybierać sobie na partnerkę własną macochę zamiast prostytutkę.

– Ja nie wybrałem... – zaczął.

– Oczywiście, że nie. To ona wybrała ciebie.

– Jeszcze kieliszek? – usłyszałam entuzjastyczny głos barmana.

– Tak, tak. Poproszę.

– A pani?

Pokręciłam przecząco głową.

Barman przyniósł butelkę i napełnił kieliszek Jessiego.

– Posłuchaj, Jessie, to z nią toczyłam walkę, nie z tobą. – Posłałam mu, mam nadzieję, szczery uśmiech. Najpierw stanęłam na podnóżku, chcąc znaleźć się jak najwyżej, a dopiero potem zeszłam z krzesła na podłogę.

Jak się spodziewałam, Jessie wpadł w panikę.

– Posłuchaj, jeśli chodzi o Josha... Ja nie mogę z niego tak po prostu zrezygnować. Wiesz, że nie mogę. Miałem nadzieję... chociaż wiem, że to może trochę potrwać... że my, no wiesz... – dotknął skraju mojej luźno zwisającej bluzki.

Spojrzałam na niego spod brwi, rzucając mu flirciarskie, nieporadne spojrzenie.

– Ja też mam taką nadzieję.

Sądząc po jego natychmiastowym uśmiechu, wywołałam zamierzony efekt.

Tylko na krótką chwilę spojrzałam mu prosto w oczy, żeby się pożegnać. Jessie wyciągnął ręce w moją stronę i położył mi dłonie na ramionach.

– No to pa – powiedziałam, nie patrząc na niego.

– Nie idź. Proszę, nie idź jeszcze. Nie zostawiaj mnie tak. Proszę. – Przeniósł ciężar ciała nieco w moją stronę. Powstrzymywał się, żeby nie chwycić mnie w ramiona, mimo że bardzo chciał to zrobić.

Odwróciłam się, a wtedy mnie pocałował. Gdy jego dłonie krążyły wokół mojego karku i schodziły w dół po linii obojczyka, cały czas myślałam o Joshu. W końcu przestał.

Przeprosiłam go i ruszyłam między stolikami w stronę wąskich schodów prowadzących do toalety. Wyciągnęłam telefon i wybrałam numer Howarda. Rozmowa była krótka.

Po powrocie chwyciłam Jessiego za rękę i wyprowadziłam go na ulicę. Znaleźliśmy taksówkę. Dokładnie wiedziałam, co robię.

39

Jessie, Josh i ja wolnym krokiem wspinaliśmy się po zadaszonym trapie, jednej z wielu stałych, ale zupełnie pozbawionych wyrazu konstrukcji, z których świat można podziwiać przez usmarowane tworzywo sztuczne udające okno. Szliśmy po obu stronach Josha, trzymając go za ręce.

– Bujać mnie – zarządził.

Skwapliwie go unieśliśmy i posłaliśmy szerokim łukiem w powietrze. Jego nogi, ubrania i tułów wirowały w górze, kreśląc koła dziecięcego szczęścia. Josh wydawał z siebie okrzyki radości. Gdy odstawiliśmy go z powrotem na ziemię, zasugerował, że mógłby pobiec przodem. Wspólnie obserwowaliśmy, jak nieco nieporadnie przemierza trasę na lekko ugiętych nogach i jak podskakuje jego plecaczek.

– Nie mogę uwierzyć, że mi go zabierasz – westchnął Jessie.

Po raz kolejny zbyłam jego uwagę milczeniem. Położyłam dłoń na wewnętrznej kieszeni. Chciałam się upewnić, że mam przy sobie dokument, w którym Jessie wyraża zgodę na to, że sama zabiorę Josha do Anglii. Do ostatniej chwili trzymałam go razem z naszymi paszportami w lodówce.

Nancy wszystko załatwiła. Jeżeli Jessie pozwoli mi zabrać Josha, ona otrzyma pozostałe kopie filmu, a także pisemną gwarancję, że już nigdy nie wypowiem się publicznie na temat całej sprawy. Zagroziłam, że w przeciwnym razie będzie mnie mogła oglądać w licznych talk-show – pójdę do wszystkich stacji telewizyjnych. Nic więcej, tylko tyle. Podziałało.

Przespałam się z Jessiem, żeby mieć dodatkową gwarancję. Musiałam sprawiać wrażenie skłonnej do zgody, żeby Jessie nie utrudniał Howardowi urabiania Nancy. Być może i bez tego osiągnęłabym ten sam efekt, ale postanowiłam skorzystać z istniejącej możliwości. To była moja decyzja. To ja kontrolowałam teraz sytuację. Tyle mam na ten temat do powiedzenia.

Tamtego ranka powiedziałam Joshowi, że Jessie nie przeprowadza się do Anglii razem z nami. Co zaskakujące, przyjął tę wiadomość bez cienia zdziwienia. Nalegałam, aby Jessie przylatywał w odwiedziny co trzy tygodnie. Tak to zostało uzgodnione i potwierdzone na piśmie. Nancy miała finansować te wyprawy. Uznałam, że to doda historii pikanterii. Zastanawiałam się, czy Jessie będzie do nas przyjeżdżał, czy też już wkrótce zacznie szukać pretekstów do odwoływania wizyt.

Pod terminal podjechała powoli czarna limuzyna. Zwróciłam na nią uwagę, ponieważ spodziewałam się ją zobaczyć. Była wyraźnie nowsza i błyszczała bardziej niż wszystkie inne samochody ustawione na parkingu.

– No to pa – powiedziałam, odwracając się od Jessiego.

Nie odezwał się. Teraz to on zamierzał milczeć. Zawołał Josha, który w końcu zawrócił i zbiegł do nas, żeby po raz ostatni uściskać ojca. Ta scena sprawiła mi ból.

Chwilę później czarny samochód zatrzymał się tuż przy samym trapie. Kierowca wysiadł i pobiegł otworzyć bagażnik. Zgiął się wpół i wyciągnął z niego składany wózek inwalidzki. Rozłożył go i podprowadził pod prawe tylne drzwi. W tym czasie Howard zdążył już wysiąść z drugiej strony. Żywiołowy jak zwykle. Zdawał się mieć w sobie mnóstwo nowej energii, jak zabawka, w której właśnie wymieniono baterie. Uśmiechnęłam się z podziwem dla jego odporności.

Kierowca ostrożnie wyciągnął Nancy z samochodu, jakby była kruchym dzieckiem. Delikatnie posadził ją w fotelu. Była ubrana całkiem na czarno: czarne wysokie buty, czarne kabaretki, czarna dżersejowa sukienka, a do tego wszystkiego gruby sznur pereł wokół szyi. Jedną nogę miała w gipsie. Jak dowiedziałam się od Howarda, poza tym przesunęło jej się kilka dysków.

Stale myślałam o dokumentach uprawniających mnie do wyjazdu z Joshem, ale podczas kontroli biletów nikt o nie nie zapytał. W końcu znaleźliśmy się bezpiecznie na pokładzie.

Nagle Josh zaczął krzyczeć:

– Nie chcę wyjeżdżać z Ameryki! Nienawidzę Anglii!

Próbowałam go pocieszyć. W Anglii czekają na niego dziadkowie, farma położona w pobliżu domu moich rodziców, domek na drzewie zbudowany przez mojego ojca. To były oczywiście miłe skojarzenia z mojego własnego dzieciństwa, które dla niego nie miały żadnego znaczenia.

– Tam zawsze pada. Nie lubię być mokry – marudził.

Uśmiechnęłam się.

– W Nowym Jorku też sporo pada. I trzeba nosić nieprzemakalne spodnie.

Spojrzał na mnie poważnie.

– Ale wtedy można wskoczyć do wielkiej kałuży.

– W Anglii też są wielkie kałuże.

– Ale nie ma pizzerii – jego twarz się zmarszczyła, a z oczu popłynęły prawdziwe łzy.

– W pobliżu domu babci i dziadka nie ma – starałam się odwrócić jego uwagę – ale tutaj na statku jest piętnaście restauracji.

Josh zaczął wyjmować z plecaka swoje ulubione rzeczy. Nie było wśród nich tej okropnej konsoli Nintendo od Nancy. Podczas wczorajszego wielkiego pakowania Josh nawet o niej nie wspomniał. Lista rzeczy, które koniecznie chciał zabrać w podróż statkiem, nie była zbyt długa. Znalazły się na niej mały biały miś, Maleństwo, kawałek gumy, magnesy, żółty samochodzik marki Mini i jego pamiętnik. Dotykał ich teraz, szukając w nich pocieszenia.

Jego zachowanie z jakiegoś powodu przypomniało mi o Sharon.

Żeby o tym wszystkim nie myśleć, skupiłam się na podziwianiu widoków. Statek odwrócił się już przodem do Verrazano Bridge. Przygotowywaliśmy się do powrotu do Anglii. Naszym oczom ukazały się Statua Wolności, Governor's Island, nowojorska linia brzegowa i nieco mniej spektakularne nabrzeże Red Hook.

Staliśmy już na niższym pokładzie, kiedy Howard podprowadził wózek Nancy do skraju drogi, skąd miała lepszy widok na odpływający statek. Jej postać już nie napawała mnie przerażeniem.

Teraz widziałam w niej tylko drobną starszą kobietę na wózku, zupełnie nieważną i niegroźną. To wszystko równie dobrze mogło mi się przyśnić. Czy to zniszczone ciało faktycznie mogło spowodować tak wielkie spustoszenie w moim życiu? Czy to w ogóle było możliwe? Patrząc na nią z góry, wyobrażałam sobie, jak spycham ją z brzegu do wody. Myśl o jej lekkości i kruchości wydała mi się nagle bardzo przyjemna.

– Mówiłaś, że ile tu jest basenów? – zapytał Josh.

Z wdzięcznością odwróciłam się do niego.

– Pięć – powiedziałam entuzjastycznym tonem – i planetarium. Będziemy się tu dobrze bawić, co?

Widziałam, jak Jessie wolnym krokiem podchodzi do Nancy i Howarda. Chciałam wierzyć, że ten powolny krok stanowi wyraz jego niechęci. Nie mogłam jednak mieć co do tego pewności. To nie był już Jessie, którego znałam.

– Czy QM2 może być większa od Titanica – ciągnął Josh, który jak zwykle szybko zapomniał o smutku sprzed chwili – czy raczej Titanic był większy niż QM2?

Ścisnęłam jego rękę, żeby się upewnić, że faktycznie stoi tuż obok mnie. Już nigdy, przenigdy nie pozwolę go sobie odebrać. Wciągnęłam ostre zimowe powietrze, a potem spojrzałam na nich po raz ostatni.

Stali w rządku, ale każde z nich sprawiało zupełnie inne wrażenie. Howard wyglądał na silnego i szczęśliwego. Pomyślałam, że może nawet wyjdzie mu to na dobre.

Jessie zakrył twarz dłońmi. Najwyraźniej Nancy wmówiła mu, że w ostatniej chwili uda się jeszcze odwrócić bieg wydarzeń. To by tłumaczyło, dlaczego rozstawał się z Joshem we względnie dobrym nastroju. Gdy opuścił dłonie, na jego twarzy zobaczyłam zmęczenie, wyczerpanie, być może nawet załamanie. Zasługiwał na to wszystko, a mimo to nie potrafiłam do końca wyprzeć się naszej przeszłości. Nie chciałam go zostawiać w takim stanie. Chociaż to zupełnie irracjonalne, tak właśnie było. Gdy stojąc na nabrzeżu, wśród ludzi, obok Nancy i Howarda, zaczął płakać, modliłam się, żeby Josh tego nie zauważył. Zabolało mnie to – gdzieś w środku, w jakimś nieokreślonym miejscu. Już od dawna było dla mnie jasne, że nasz związek nie ma przyszłości. Teraz zrobiło mi się go żal, ponieważ on też nie widział jej przed sobą.

A Nancy? Co z Nancy? Nancy prawdopodobnie odsunie Jessiego na boczny tor. W końcu teraz zacznie ją męczyć. Będzie ją wyczerpywał emocjonalnie, zamiast podbudowywać jej ego. Z całą pewnością w krótkim czasie znajdzie sobie jakieś nowe zajęcie, a ten szczególny okres trafi na stałe do zamkniętej szufladki w jej pamięci.

– Pizza? – zwróciłam się do Josha z szerokim uśmiechem.

– Tak, poproszę!